新潮文庫

東京島

桐野夏生著

新潮社版

8931

東京島　目次

第四章

第五章

東京島

第一章

1　東京島

夫を決める籤引《くじび》きは、コウキョで行われることになっていた。清子はいつもより早起きしてオダイバへ下りた。黒い小石に覆《おお》われた入り江は南洋とは思えず、いつ見ても陰鬱《いんうつ》だ。突き出た大岩に両端を挟まれているため、圧迫感がある。海水が盛り上がって見えて、海そのものが出口を塞《ふさ》ぐ壁のようだ。閉じ込められた思いが増すので、どうしても好きになれない浜だった。大破したクルーザーから、夫の隆とこの浜に何とか上陸を果たしたのは五年前。その時は、嵐《あらし》の中で島影を見つけて狂喜したのに、今は脱出できなくて、海を眺める日々を送っている。

清子はぼろぼろになった黒いワンピースを脱いで素裸になり、海に浸《つ》かった。ところどころに深みがあるので、注意が必要だった。波に揺られながら海底の小石を踏みしめ、温い海水で顔を洗う。今日は主役なのだから綺麗《きれい》にしなくっちゃ、と呟《つぶや》いたが、意識せずに笑みが洩《も》れ出ていた。清子はいつだってどこだって主役だった。島の誰もが清子を見つめ、清子に気に入られようと機嫌を取り、奪い合う。それもそのはず、三十二人の島民中、女は清子たった一人だった。清子はもつれた髪を手櫛《てぐし》で梳《す》き、波間に浮かぶホンダワラ状の海藻《かいそう》でひとつにまとめてみた。今年で四十六歳になったが、髪が薄くなった以外、まだ衰えはない。そんな自分を巡って、どれほどの死闘が繰り広げられたか。清子はまたしても笑いを浮かべた。人が死んだり、怪我《けが》したり。これほど男に焦《こ》がれられた女が世界に何人いるだろう。

清子と隆夫婦が島に漂着して三カ月後、今度は二十三人もの日本の若者が島に流れ着いたのだった。彼らは、与那国島《よなぐにじま》の野生馬調査に雇われたフリーターたちで、全員、男。馬糞《ばふん》を集めて磨《す》り潰《つぶ》し、寄生虫の卵を探すバイトがきつい、汚い、臭い、安いと怒り、廃船同様の漁船で脱走を企てたのだが、台風に遭って漂流し、這々《ほうほう》の体《てい》で島に辿《たど》り着いたのだった。彼らが沖合の壊れた船から島に泳ぎ着いた夜、隆と清子は、不眠不休で彼らを救った。仲間が増えて嬉《うれ》しかったが、閉じ込められた人数が多くなっただけで、島がどこの国の領土で、何という名かもわからなかったし、依然、救出も来なかった。

いつしか、若者らは島をトウキョウと呼ぶようになった。隆は若者の望郷だろうと馬鹿《ばか》にしたが、清子には、どうせ帰れないのなら似非《えせ》東京にして楽しく生きていこうという覚悟にも思えた。その覚悟は自分にもあった。

清子は頭を巡らせて島を振り返る。トウキョウはこんもりした緑に覆われ、高い山がない。踏査した隆によれば、潰れた腎臓《じんぞう》の形をしており、縦が七キロ、横が四キロ程度だという。毒蛇や山猫など危険な動物は棲息《せいそく》せず、野生種のバナナやタロイモが豊富に採れて、椰子《やし》も大量に生えているので食物には恵まれた島だった。無人島で助けが来ないことを除けば、楽園と言えないこともなかった。

清子は気配を感じて振り向いた。背後にホンコンが三人立っていた。三人とも、薄笑いを浮かべて清子の裸体を眺めている。無論、顔見知りだが、名前は知らない。腹の突き出た中年が一人、あとの二人はまだ若く、黒い山羊鬚《やぎひげ》を生やしていた。歯っ欠けの方の若い男が、両手でデブというジェスチャーをしてみせた。清子は怒って横を向いた。清子はどういう訳か、島で一番太っていた。困窮生活なのになぜ太るのか、自分でもよくわからない。脂肪がたっぷり付いた小太りの体は、島の生活が性に合っていることの証左みたいで気に入らなかった。男の精気で太ったんだろう、と嘲《あざけ》ったのは、口の悪いワタナベだ。ワタナベは共同作業に非協力的だということと、ひねくれた性格が嫌われ、反対側にあるトーカイムラという浜に追いやられてしまった。

トーカイムラという名が付いたのは、そこに謎《なぞ》のドラム缶が大量に転がっているせいだった。アルミのような金属で頑丈に造られたドラム缶は、黄色くペイントされた蓋《ふた》でしっかりと封印され、ごろごろと数十個も浜に放置してあった。好奇心でこじ開けようとした者もいたが、誰かが「放射性廃棄物ではないか」と言いだしたため、恐怖に駆られて誰も近寄らなくなった。以来、ドラム缶の浜をトーカイムラと言い慣わすようになったのだ。トーカイムラは、オダイバと違い、白い砂がどこまでも広がる美しい浜だったから、そこを放擲《ほうてき》するのは残念だった。が、放射能とあっては逃げるしかない。ワタナベが、久しぶりにブクロに現れた時、頭髪がなくなって歯が抜け落ちていた、という噂《うわさ》が広がり、ますますトーカイムラに近付く者はいなくなった。

トーカイムラのドラム缶は、島の住人に希望と諦《あきら》めの双方を同時に抱かせた。ここが放射性廃棄物の島ならば、誰も近付かないであろうという諦め。しかし再び捨てに来る可能性がある、という希望。だが、危険廃棄物を投棄する船は来なかった。代わりに登場したのが、中国人だった。

三年前のある朝、オダイバに船が来た、という報《しら》せを聞き、島民は一斉に駆け付けた。沖合に黒い船が停泊していた。夢にまで見た船。全員が声を限りに手を打ち振り、それでも足らないと、着ていたTシャツを脱ぎ、棒の先に付けて振った。やがて、舷《げん》側《そく》から黄色いゴムボートが下ろされるのを見て、脱力して泣きだした者もいたし、慌《あわ》てて島の記念だと小石を拾ってポケットに詰める者、喜びのあまり走り回る者などで浜は騒然とした。だが、救出に来てくれたはずのゴムボートは空ではなかった。ライフル銃を手にした男と、十人をくだらない黒い頭が見えた。その様子は打ちしおれ、罪人のごとく。やがて、乗員は、銃を構えた男に威嚇《いかく》され、無理矢理ゴムボートから島に上陸させられた。空になったゴムボートが、船に向かって戻って行く。呆然《ぼうぜん》とその様を眺めていた島民たちは、やがて気が狂ったように叫んだ。「助けてくれ、日本人だ。助けなくてもいいから、誰かに伝えてくれ」と。しかし、船は見向きもせずに入り江を去った。

浜に残された男たちは、ほとんどが短パンやランニングという軽装で荷物も持っていなかった。彼らは泣き喚《わめ》く日本人を落胆した顔で眺め遣《や》ったが、浜に座ったきり溜《ため》息《いき》を吐《つ》いては仲間内でぼそぼそと喋《しゃべ》っていた。浜に横たわる者もいた。

アタマと呼ばれている元暴走族の若者が話しかけたが、言葉は通じなかった。どうやら中国人らしい、と日本人たちは囁《ささや》き合った。アタマが砂浜に棒きれで「中国人？」と書くと、全員が頷《うなず》いた。今度は、「何島？」と書くと、一番年長と思われる四十代の男がいきなり棒きれを奪い、「被扔了」と書いた。アタマの下手な字と比べ、えらい達筆だったし、読解することもできなかった。後に、彼らは日本に密航する途中、金のトラブルでこの島に捨てられたのだとわかった。

「駄目じゃん、駄目じゃん。ゴミ捨て場じゃん」

頭を掻《か》きむしって怒鳴ったのは、ミユキちゃんという男だった。恋人がミユキという名だと、始終騒ぐので、そう呼ばれていた。ミユキちゃんはこの夜、静かに発狂した。いきなり裸になり、「じゃあね、行くからね」と仲間に別れを告げて、ざぶざぶと入り江を泳いで、どこかに消えてしまったのだ。

中国人グループの到来は、日本人グループの結束を固めこそすれ、いいことは何も生まなかった。島に捨てられるほどの人間なのだから、碌《ろく》な者ではあるまいという日本人側の侮蔑《ぶべつ》は、自分たちは嵐に遭って自力で漂着したのだという誇りのようなものに裏付けされていたのだが、惨《みじ》めな境遇を思えば、どうでもいいことだった。それに、無人島の暮らしを必死に生きている現実は、今更、違う文化の人間と知り合わなくてもいいという無気力無関心をも生んでいた。以来、日本人グループの住まう島の西側（へこんだ側）をトウキョウ、中国人グループのいる、トーカイムラを含む東側をホンコンと言うようになった。オダイバは腎臓形の下部にあるので、共通の港ということになっていたが、勿論《もちろん》、船は来ないし、出航すべき船もなかった。

ホンコンたちは、昔から住んでいたかのように、すぐ島の生活に馴染《なじ》んだ。彼らは野卑だった。いつでもどこでも糞便を垂れ流し、ゴミを捨てた。男ばかりとあって、遠慮なく全裸で生活し、まるで野生動物みたいにジャングルの景色に溶け込んでいた。だが、生活力に長《た》けている点ではトウキョウ人の比ではなかった。ネズミやトカゲを貴重な蛋白源《たんぱくげん》としているのは同じだが、捕らえると即刻、食してしまうトウキョウ人と違い、生け捕りにして囲いに放ち、繁殖させることに腐心した。小魚を獲《と》っても、海水を塗り、天日干しにして保存食を作ったり、砕いてダシにしたり、様々な食べ方を工夫していた。ホンコンの村からは、いつも旨《うま》そうな匂《にお》いが立ち上り、無人島とは思えない長閑《のどか》な雰囲気が漂っていた。ばかりか、享楽《きょうらく》的でさえあった。どこでどう見付けるのか、自生しているニンニクや唐辛子などを調理に使っているという噂もあったし、食材を探し出す能力が異様に優れているのだった。

ある日、清子は、彼らがぴかぴか光る中華鍋《ちゅうかなべ》を担《かつ》いでいるのを目撃した。どこで手に入れたのか、と清子が手真似《てまね》で聞くと、トーカイムラのドラム缶の蓋を剝《は》がしたと言う。蓋は二重になっていて、固いから大変な苦労をした、二人ほど生爪《なまづめ》を剝がし、腕の筋を違えた、というようなことを身振り手振りで大仰に説明した。清子は放射能の危険性を説こうとしたが、面倒になってやめた。ホンコンが死なないのなら、大丈夫だろう、と。

だとしたら、あいつら武器も作れるかもしんないぜ、とアタマは不安がったが、それならそれでも仕方ない、という諦めもトウキョウには蔓延《まんえん》していた。いずれホンコンがのしてきて、トウキョウを子分にしてしまうかもしれないという不安を誰もが持っていたものの、誰もどうにもできないじゃん、と認識しているのがトウキョウ側の弱点だった。対抗したくとも行動が付いていかない。というか、やり方がわからないのだった。その点、ホンコンにはヤンというリーダーがおり、誰もがヤンの命令に従って動いていた。十一人の男たちはヤンを頂点とした、サバイバルのための軍隊だった。ヤンは三十代半ば。目付きの鋭い、顎《あご》がしゃくれた顔色の悪い男で、いつも甲高い声で怒鳴り散らしていた。

トウキョウには、ヤンのような強力なリーダーがいなかった。一応、元暴走族の頭《アタマ》だったと自称する二十六歳のアタマと、学習塾で教えていたという三十歳のオラガが代表格だったが、二人ともリーダーとは認めがたかった。アタマは声が大きくて威張っているだけで、それが虚勢だとすぐにばれたし、アタマという綽名《あだな》は貧相な体格に比して頭蓋《ずがい》が大きい身体的特徴故《ゆえ》の命名でもあったからだ。オラガは揉《も》め事の仲裁屋、根回し屋で頼られていたが、争いが嫌いなだけで島の生活への展望はなかった。

ホンコンがあくまでも十一人で共同生活しているのに対し、トウキョウ人たちは気の合った者が数人ずつ固まり、それぞれブクロ、ジュク、シブヤと名付けた集落を形成して、ひっそりと暮らしていた。トウキョウがホンコンに自慢できることはただひとつ。年増《としま》とはいえ、仲間に唯一《ゆいいつ》の女がいることだった。確かに、それは大きかった。ホンコンは皆、清子だけを注視し、食べ物をくれたり、村に招きたがった。つまりは、清子から見れば、ホンコンだろうがトウキョウだろうが、中年だろうが童貞だろうが、清子以外の島民がすべて男という種族であり、清子一人が女だという事実だった。揉め事の中心になる恐れがあるにも拘《かか》わらず、殺すのを躊躇《ためら》わせる、か弱き存在。清子はいつも思った。自分はトウキョウ島におけるトキである、と。彼らがこの島で老いて朽ちる時、無人島の生態系がいびつではなかったと満足できるのは、清子が共にいたからなのだ。従って、大切にされるのは当然なのだった。

ホンコンたちが汚れた短パンや下着を脱ぎ、大事そうに砂に埋めてから、各々《おのおの》、印となる石を置いた。万が一、風にでも吹かれて失《な》くしたらことだ。無人島で一番苦労するのは着る物の調達だった。だから、ホンコンたちが作業する時は、素裸になる。清子はホンコンたちの性器を眺めた。自分の裸体を見て、変化が生じているかどうかを知りたかった。だが、ホンコンたちの肉体には何も変化がなかった。食物の調達の方が先決だとばかり、真剣な面持ちで打ち合わせしながら、海に入って来る。手にしているのは、枝を削った銛《もり》だ。小魚でも獲って、昼飯にするつもりなのだろう。この浜では骨の多い小魚しか獲れない。しかも不味《まず》いので、トウキョウ人たちはとっくに漁をやめてしまったというのに、ホンコンたちは食材を得ることには決して手を抜かない。

銛を削るために必要なナイフは、清子が貸した物だった。見返りは、にがりのない上等な塩ひと握り。製塩技術もホンコンの方が高かった。トウキョウの作る塩は、海水をただ一昼夜煮ただけの赤っぽい塩で、にがりが強くて食せない。トウキョウ側は、ナイフや飯盒《はんごう》やテントなどの物資は持っている癖に、生存のための新しい技術も、技術を開発するだけの根気もなかった。トウキョウが夢中になっているのは、椰子の皮から繊維を取って服を作ることや、家具作り、野生の花を使ったレイ作りなどの、文化的というよりは、主婦や老人の趣味に近いものだった。もともと、さほどの努力を要さなくても、命を繋《つな》ぐための食材はその辺に転がっている。だから、たった二十数人のトウキョウ人は退屈を凌《しの》ぐことに難儀し始めていたのだ。腕の入れ墨やパンツを裏返しに穿《は》いたりするのが流行し、小猿を捕まえてペットにするのが粋《いき》だと言われたりもした。ホンコンが食材の枯渇《こかつ》を恐れて、生産性を高めていくのに対し、トウキョウは文化に走った。というより、個人の生き甲斐《がい》探しの方が重要だった。いつの間にか、トウキョウはホンコンに物資をレンタルして、代わりに塩や干物などを手に入れるような暮らしも享受し始めていた。ホンコンの出現が、トウキョウの暮らしを根底から変えていたのだ。

ホンコンたちが素潜りで漁を始めた。入れ替わりに、清子は海から上がり、濡《ぬ》れた体を浜風で乾かしながら、今夜の宴ではどんなご馳走《ちそう》が食べられるだろう、どれほど楽しいことがあろうかと考えた。蒸しバナナ、タロイモの団子、椰子酒、トカゲのステーキ。あの子たち、野豚でも生け捕ってこないかしら。清子の口中に唾《つば》が溜《た》まった。そして、誰が自分の夫となるのだろうと想像して愉《たの》しんだ。三番目の夫、ノボルが去ってから一カ月は経《た》っている。

清子は、日本で住んでいた地名にちなんでチョーフと名付けた、島の中で最も高台にある掘っ立て小屋に戻った。夫の位牌《いはい》に報告する。位牌といっても、トーカイムラで拾った白い石に、焼けさしの木で名前を書き付けただけの代物《しろもの》だ。

「隆さん、あたし今日嫁ぎます。四度も結婚できると思わなかったわ。いつまでも天国で見守っていてね」

クルーザーなんかに狂うから、私がこんな目に遭ったのだ、と隆を憎み、恨んだ日々もあったが、とうに忘れた。隆は島に漂着して一年と少し経った頃、謎の死を遂げたのだ。サイナラ岬の崖《がけ》から大岩の上に落ちて死んだ。後に、二番目の夫となったカスカベが、嫉妬《しっと》して突き落としたのだ、という噂もあったが、清子は気にならなかった。隆よりカスカベの方がずっと好きになっていた。無人島にこのままいるのなら、どうせ一人ずつ消えて行くのだ。順番が早かったということでしかない。

隆と清子がクルーザーで那覇《なは》港を発《た》ち、世界一周の旅に向かったのは、五年前の六月だった。船の上で一年も暮らすのは嫌だわ、とごねる清子に、隆は夢のようなことを約束した。クルーザーで各国の港を巡る冒険が終わったら、オーストラリアに移住しよう、と。リストラに遭う前に二割増しの退職金を貰《もら》って、隆はさっさと会社を辞めた。当時、四十七歳。清子は不安だった。クルーザーで暮らす不安、冒険が終わったら金は幾ら残るのか、という将来に対する不安、そして隆がこれほどまでに身勝手な男だと気付かなかった自分の見立てに対する不安。だが、ヨット歴の長い隆は自信満々で、船中では清子をこき使った。それがわずか三日目には嵐《あらし》に遭って数日間漂流が始まったのだから、人生はわからない。漂流中の隆は男らしく、絶望する清子を励まして諦めなかったが、島に着いてからは逆転した。芋を掘り出したり、ツルムラサキに似た植物を見付けて試食したり、蛇の皮を剝いだり、清子がサバイバル本能を全開させたのに対し、胃腸の弱い隆は食中毒を繰り返してすっかり弱り、椰子酒《やしざけ》を飲んで寝ているだけの人間になり下がってしまった。そして、若い男集団がやって来た途端、清子に色目を使っている、と猜疑心《さいぎしん》しか働かせない男になったのだ。隆が早く死んで、ホンコンたちと会わなくて本当に良かった、もっと堪えられなかったに違いない、と清子は優しく微笑《ほほえ》んだ。

カスカベは、まだ二十一歳の初々《ういうい》しい若者だった。左官業が嫌で与那国島のバイトに応募したのに、あれなら親方に殴られる方がなんぼかましだったと、死ぬまで文句を言っていた。隆がいても平気で清子にまとわりつき、何度でも交わろうとした。片時も離してくれない鬱陶《うっとう》しさと裏腹の嬉《うれ》しさ。息子ほどの年齢の幼い男を可愛《かわい》がるのは、清子には初めての喜びだった。だが、カスカベは獰猛《どうもう》で容赦のないところがあり、清子を追い駆け回す男たちすべてを憎み、喧嘩《けんか》を吹っかけた。カスカベが死んだのは、二年前の夜中。やはりサイナラ岬から落ちて死んだ。あの時は悲しかった。清子は本当にカスカベを愛していたのだから。カスカベの死後、清子は自己イメージを変化させていった。男を死に追いやる魔性の女。若い男たちに乞《こ》われ、悲劇を生む女として生きる実感に酔ったのだ。

しかし、さあ、これからはいろんな若い男と愉しむわ、と張り切ったのも束の間《つかま》、カスカベの死がすべてを変えてしまった。島内の雰囲気が一変したのだ。籤引《くじび》きのせいだ。清子はやっと本質にいき当たり、恨めしく思った。

隆、カスカベと清子の周囲の男たちが怪死を遂げた後、アタマとオラガが清子の家にやって来て、誰か次の夫を選んでくれ、と懇請したのだった。特に好きな人はいないわ、と清子がにやにやして答えると、二人は顔を見合わせ、「それでは希望者による籤引きにします」と告げた。夫になる期間は二年で、二年経つとまた籤引きをする、と言う。それでは人身売買のようだと思ったが、嫌とは言えなかった。ホンコンが島にやって来て、トウキョウが集団自衛意識を強めている時分でもあったので、共同体に対して我を通す勇気がなかった。もっとも、自衛意識など、すぐに霧散したが。

三番目の夫ノボルはこうして籤引きで選ばれた。が、中学にも碌に通わず、コンビニの前で座り込むことと、意味のないVサインを繰り返すしか能のなかったノボルは、頭が悪い上に怠惰だった。清子は、出来の悪い息子が家にいるみたいで、蹴《け》り出してやりたい欲望に始終駆られ、島に来て初めてにして、最悪のストレスを感じたものだ。バイバイ、隆さん。バイバイ、カスカベ、愛してたわ。バイバイ、ノボル、最低野郎。清子は心の中で三人の夫に別れを告げ、黒いワンピースを脱いだ。棚の上から隆の白いワイシャツとチノの短パンを取った。黄ばんでいるし、ところどころ破れているが、最もダメージの少ない服だ。万が一、助けが来て、島を脱出する時には、この服を着ようと大切に仕舞ってあった。ワイシャツの下に、犬吉が貝と珊瑚《さんご》で作ってくれた可愛いネックレスを付けた。犬吉は、島で最年少の二十二歳。犬が大好きなのに島には一匹もいないから、と長い間元気がなかった。今は椰子の実や貝殻などのアクセサリー作りに生き甲斐を見出《みいだ》して頑張っている健気《けなげ》な子。清子は犬吉が新しいアクセサリーを作って持って来る度に、お返しに性の相手をしてやったものだ。

清子は二年前に止まったままの、隆の腕時計を眺めた。十一時七分を差している。島で一番長く動いていたのが、隆のこのオメガ・シーマスターだった。十一時七分が、島の時間が止まった時だ。以来、時間なんて関係なく暮らしている。ホンコンたちが日時計を作り、それに合わせて作業しているのは聞いているが、何と不自由なことだろうと思う。

清子は浮き立つ気持ちで、コウキョ前広場に向かった。広場は、小高くて平べったい岬だ。流れ着いた当初は、そこに旗を立てれば飛行機から目立つだろうと考えたが、布が勿体《もったい》ないので自然にやめてしまった。岬の真ん中に建つ現コウキョは、まだ新しい。四方に柱を立て、椰子の葉を被《かぶ》せただけの簡素な建物だ。前コウキョは、ニッパ椰子で屋根を葺《ふ》いた、島一番の立派な建物だったが、昨年の台風であっという間に倒壊してしまった。元大工見習いのサカイが作ったのだが、サカイは完成直後に、椰子《やし》蟹《がに》を食べて食中毒で死んでしまった。ということは、公共の建物の建設に血道を上げる者がいなくなった、ということでもあった。

広場にはすでに、トウキョウの住人が全員集まっていた。ブクロが三人、ジュクが四人、シブヤ六人、キタセンジュ二人、チバ二人、後は一人暮らしの者がそれぞれ二人。全部で十九人。トーカイムラのワタナベは連絡が取れなかったので来ていない。この中から、希望者のみが参加する、厳正なる籤引きで清子の夫が決められるのだ。清子の正装を見て、若い男たちが厳粛な面持ちになった、と思うのは気のせいだろうか。すると、自作の貝のネックレスをし、椰子の実の腕輪を何本も重ね付けした犬吉が、後方を指さした。

「ホンコンが来たよ」

「あ、ワタナベがいやがる」

コウキョ前広場の丘の下に、いつの間にかホンコンが集まっていた。中に、ワタナベの顔も見える。しばらく会わないうちに髪の生え際《ぎわ》が後退したが、歯は抜けていないようだ。ワタナベは例によって嘲笑《ちょうしょう》を浮かべ、清子を見遣《みや》った。痩《や》せた体に張り付いたランニングシャツは元の色がわからないほど黒ずんでいる。艶《つや》のない髪を浜風になびかせ、ワタナベは一層嫌な顔になっていた。

黒い短パン一丁のヤンが手を挙げ、これから面白いことやるんだろう、と言いたげな顔で誰にともなく笑ってみせた。口許《くちもと》から頑丈そうな黄色い犬歯が覗《のぞ》く。ヤンが顎で合図した。朝、オダイバで出会った中年男が、バナナの葉にくるんだ物体を恭《うやうや》しく捧《ささ》げ持って前に出た。焼けた肉の匂《にお》い。トウキョウに動揺が走った。野豚じゃねえか、野豚だよ、と囁《ささや》きが聞こえた。中年男が棒きれで砂混じりの地面に書いた。「祝」。例によって立派な字だった。アタマが書けないのを見て、オラガが返した。「謝謝」。

ウッスとアタマが肉の塊を受け取って、もどかしく開くのを皆で覗き込む。豚の腿《もも》らしき部位がちょうど良い色合いで焼けていた。久しぶりの動物性蛋白質《たんぱくしつ》に、清子の脳味噌《のうみそ》が早くも酩酊《めいてい》する。トカゲや蛇のように淡泊でもなく、骨もない、野豚の丸焼き。この狭い島のどこに野豚がいるのか。見つけ出して捕らえることができるなんて、ホンコンは凄《すご》い。ホンコンの実力を見せ付けられて、トウキョウは衝撃を受けていた。ワタナベも前より肥えた気がする。司会進行のオラガが、厳粛な声で言った。

「籤引き参加者を募りますが、清子さん、何か言いたいことはありますか」

「どんなことがあっても、ワタナベとノボルは入れないでください」

ノボルがそっぽを向き、ワタナベがへへへっと笑った。オラガがずり落ちる眼鏡をそっと持ち上げ、困惑した表情になった。オラガの眼鏡はとっくにフレームが折れているので、蔓《つる》で頭に巻き付けている。珍妙な姿だった。オラガは「オラガオラガの我《が》を捨てろ」が口癖で、この名になったのだが、元の名前など、ここでは誰も知らないし、意味がない。

「そういうことだそうです。では、籤引きに参加したい人は手を挙げてください」

しんとした。清子は顔を挙げて人数を確認する。一、二、三……六人。たったの六人しかいないことに、正直気落ちした。ホモ夫婦のチバの二人組と前夫のノボルを抜かしたとしても、若い男が残り十六人もいるのだ。あれだけ舐《な》めてやった犬吉も手を挙げずに、遠い海を眺めている。清子は屈辱に唇を嚙《か》んだ。

地面に二枚貝が六個、人数分伏せられていた。年長順に開けていき、裏に印があれば、新郎となる。手を挙げた男たちが、はしゃぎながら、ゲームのような気軽さで順番に開けていく。一昨年《おととし》の籤引きは、もっと厳粛で緊張に満ちていたのに、と清子は悔しく思った。当たり籤を引いたのは、四番目に引いたＧＭだ。ＧＭは、推定年齢二十七、八歳。与那国島のバイトの時は、地方の国立大学の学生だと名乗っていたらしい。が、もう誰も真実かどうかわからない。ＧＭは、漂着した時のショックで記憶喪失になってしまったからだ。持ち物にＧＭとイニシャルが入っていたので、ＧＭと呼ばれている。与那国島を脱出する時は、ＧＭが積極的でリーダー然としていたと聞いたのはかなり後のことで、それが信じられないくらい、島では寡黙《かもく》で目立たない男だ。どこのグループにも属さず、マッサージ師として一人で生きている。清子も何度か揉《も》んで貰ったことがあったが、ツボの押さえ方はあまりうまくなかった。

「ＧＭ、頑張れよ」

髭《ひげ》だらけの若い男たちから祝福されたＧＭは、戸惑った目で清子の顔を見た。これまで清子の寝床に忍んで来なかった男は三人しかいないが、ＧＭもその一人だった。籤を引く時も、一人だけ生真面目《きまじめ》だったではないか。清子はＧＭが夫になったことに、期待と不安を感じた。どんなセックスをするんだろうか。自分はＧＭだけで堪えられるかしら。

「これより、清子さんとGMの結婚式を執り行います」

オラガが宣言した。拍手が湧《わ》き、お祭り気分が盛り上がってきた。今夜のために椰子酒をたっぷりと用意してあった。椰子酒の作り方は簡単だ。椰子の新芽の先を切って果汁を集め、発酵させるだけで出来上がる。だが、椰子の木に登るのが面倒だし危険なので、酒好きなジュクの連中の仕事になっていた。

ホンコンがじわじわと、しかし遠慮がちに宴会の輪に近寄って来た。野豚を貰った以上、むげにできないと、オラガが手招きした。ヤンが真っ先に来てGMの肩を叩《たた》き、祝辞らしき言葉を述べた。続いて清子の肩を叩く。その時、爪《つめ》の先が真っ黒な指が清子の首筋をそっと這《は》った。清子が振り向くと、ヤンが耳許で何か囁いた。おそらく、ホンコンに来ればいい目を見せてやる、とか何とか。清子はヤンに抱かれる自分を想像して、体が熱くなった。トウキョウの若者では物足りないのだ、と気付く。もっともっと違う体験。いつもと違う男。この島で唯一《ゆいいつ》の女として暮らしているうちに、島にいる男を全部合わせたものより巨大な欲望を滾《たぎ》らせた存在になった気がする。島全部を呑《の》み込んでも足りない欲望。いったいどうしたらいいのか、と清子は頼りなげなGMの背中を見た。洗剤がないので、繊維の奥にまで汚れが入り込んだ薄緑のTシャツの背は薄汚い。記憶を失った若い男は、島で女を娶《めと》ったことを喜びと感じているのかどうか。

「清子さん」ワタナベが話しかけてきた。「あんた、ホンコンに来なさいよ。こんな奴《やつ》らといるよりもっと楽しいよ」

「何が」

「いろいろ。ここじゃ言えませんよ。それにね、凄いプロジェクトがあるんですよ」

ワタナベははっきり言わずに、背後のホンコンを窺《うかが》った。野豚の飼育でもしているのか、と清子は思った。あるいはコウモリを捕る罠《わな》とか。コウモリを捕るのは至難の業だ。

「教えてよ」

「やらせてくれれば」

「何言ってんのよ。あたし、結婚したばっかなのよ」

「よく言うよ、島の娼婦《しょうふ》が。ババアだってあそこが緩くたって、女が一人だっていうから、ちやほやされてんじゃねえの」

ワタナベは口を歪《ゆが》めた。清子は怒りで頭に血が昇ったが、こんな嫌われ者に怒ったって仕方がないと余裕で笑った。

「あ、バカヤロ。笑いやがって。俺を舐めんなよ」

ワタナベはぶつくさと吐き捨て、ホンコン衆の後ろに座った。清子は心中で決意する。ワタナベが島の最後の男になったってセックスなんかしてやらないんだから。

宴会になった。手先の器用な者が椰子の実で作ったコップに椰子酒が注がれ、ホンコンが持って来た豚が供される。ツルムラサキもどきの海水煮浸し、椰子油で焼いたタロイモのパンケーキ、蛇でダシを取ったスープ、椰子蟹の海水煮、トコブシなどの馳走《ちそう》が並ぶ。酒が進むうちに余興の部に入り、シブヤのバンド「トウキョウドーム」が登場した。棒きれをマイク状に削ったものを口に当て、カメちゃんと呼ばれる男が喋《しゃべ》る。カメちゃんは与那国で野生馬に蹴られ、漂着した時は背中に蹄《ひづめ》の形をした紫色の痣《あざ》があって、しばらく消えなかった。

「どうも。トウキョウドームです。今日はおめでとうございます。ええ、僕ら、籤に外れて残念ですが、これも音楽に生きろってことだと勝手に解釈してます」

「籤引き入ってねえだろ」とワタナベが叫び、カメちゃんが頭を掻《か》いた。

「ええ、それはともかく、トウキョウ島の伝説バンド、トウキョウドームです。音楽志向はばらばらですが、とりあえずインストルメントの問題があるんで、やれるとこからっていうことで、ラップやろうと思います」

いえーい、と誰かが合いの手を入れた。どうも、とカメちゃんが手を振る。

「インストルメントの問題ってのは、どうしてもギターが作れないってことすね。椰子の実削ってやってみたんですけど、ウクレレみたくなっちゃって。でも、肝心なのは弦ですよね。弦って偉大です。ちなみに野豚に髭とかってありますでしょうか。ヤンさん」

ワタナベが通訳したらしく、ヤンが愉快そうに声高く答えた。

「没有《メイヨー》」

「弦は羊の腸だぞ、バカ」

誰かが注釈した。カメちゃんは、顎《あご》を突き出して笑った。

「あ、そうですか、はい。じゃ、歌います。最初のナンバーは『馬の糞《ふん》』です」

才能のないこと夥《おびただ》しく、清子は聞いている振りをしているのも馬鹿馬鹿《ばかばか》しかった。が、ホンコンたちは胡坐《あぐら》をかいて楽しそうに聞いている。次はブクロの「アイランダー・ランダル」で、こちらはア・カペラだった。男三人が「鉄腕アトム」とか、「セーラームーン」などを叙情たっぷりに歌う。皆、聞き惚《ほ》れて涙を流すのを、ホンコンたちは興味深げに観察していた。次はジュクとキタセンジュ・グループによる組み体操だった。栄養不足の貧相な体が扇状に広がったり、ぐらぐら揺れる櫓《やぐら》を作ったりする。清子も立ち上がって、マイクの棒きれを摑《つか》んだ。「サン・トワ・マミー」を歌う。

歌い終わる頃には涙が止まらなくなっていたが、男たちは俯《うつむ》いて何も言わなかった。熱心に拍手してくれたのは、ホンコンたちだった。トウキョウの冷ややかさを感じて、清子は島内の雰囲気の変化を奇異に思った。何もかもが、一昨年と違ってきていた。島の女王として君臨できるのも、時間の問題かもしれない。

「新郎新婦、そろそろ、退場願います」

途中で夫婦は座を抜け、初夜のために清子の家に行くことになっている。ヤンが手を挙げて、何か言った。ワタナベが得々と訳した。

「再来年の籤引《くじび》きにはホンコンも参加させてくれ、と言ってます。我々は島の発展に寄与しているので、我々にも権利はあるはずだ、と」

椰子酒のせいで目許が赤くなったオラガが、清子に聞いた。

「清子さん、どうしますか」

トウキョウ人は皆、はっとした様子で清子の顔を窺っている。首肯すればトウキョウは面白く思わないだろうし、断ればホンコンは気を悪くするだろう。難しい立場になった清子はオラガに切り返した。

「あなたはどう思うの」

「それは清子さんの意思だから、僕らには何とも」

三番目の夫と結婚した時から、清子の意思は通らなくなっているのに、ホンコンの要望には意思を要求されている。清子はトウキョウ人の狡猾《こうかつ》さに気が重くなった。

「少し考えますから」

誤魔化《ごまか》しやがって、という表情で笑いながら、ワタナベが通訳した。ヤンが鋭い目付きで清子を睨《にら》んだ。肝が冷える。悪意あるワタナベが何と伝えたかが不安だった。

日が暮れて、チョーフへ帰る道筋が暗い。振り返ると、コウキョ前広場の焚《た》き火《び》が赤々と見えた。周囲で黒い人影が踊ったり奇声を発したりしている。清子は疲労を感じた。島でたった一人の女は、島で一番の年寄りでもあった。新郎のGMはひと言も発せずに、清子の後を付いてくる。

「あなた、何か言ってよ」

相変わらず押し黙っているGMの手を取ると、小刻みに震えているのがわかった。人身御供《ひとみごくう》じゃあるまいし、何よ。清子は腹立たしかった。若い男たちにいいようにされている気がする。利用する時はする癖に、一番争いの少ない方法で清子の奔放さを封じ込めて平和を保っている。カスカベを突き落としたのも、トウキョウ人全員に違いない。こんな知恵ばっか働かせてどうするのさ。さっきまで感じていた幸福感が減じていくのを寂しく思いながら、清子は家に入った。薄暗い。火を熾《おこ》して明かりを灯《とも》すのも面倒で、清子は乾いた椰子《やし》の葉を敷き詰めた新床に倒れた。椰子酒の酔いは、足に来る。

「ああ、疲れた。あんたたち男って何を考えているのかしら。あたしが邪魔なの、それとも必要なの」

GMは何も答えない。しばらく待っていたが、清子はいつしか寝入ってしまった。深夜、息苦しさに目が覚めると、体の上にGMが乗って、乳房に縋《すが》り付いていた。やっぱりきたか、と清子は一応優しく言ってやった。

「重いじゃない。あんた、いきなりやらないでよ」

だが、GMは清子の巨体にしがみ付き、わななかいた。泣いているのだった。清子はびっくりして、月明かりでGMの顔を見た。剃《そ》り残した髭が黒い影を作っている。目尻《めじり》に溜《た》まった涙を拭《ふ》き、GMが言った。

「すいません。俺、何か急に悲しくなっちゃって。俺、島に来て、人と寝たの初めてだったから、やっとわかったというか」

「何がわかったの」

「死ぬほど、寂しかったということです」

「みんな寂しいんじゃないの」

「そんな簡単なことじゃないです。清子さんにはわからないんじゃないですか」

GMは赤子のように丸まって、清子の体に寄り添った。狭いベッドが軋《きし》んだ。とはいえ、清子のベッドは、元大工見習いのサカイが組木で作り上げた、島で一番頑丈で、豪華なベッドだった。勿論《もちろん》、サカイ自身が清子と使おうとしたからだった。

「そうかしら。あたしだって女一人で不安よ、寂しいわ」

「俺、必死にここに泳ぎ着いた時、ほっとして浜から動けなかったんです。ああ、助かったと思って。そのまま眠って起きたら、自分がどこの何ていう人間だったか、全くわからなくなっていました。それは、恐怖なんてものではないです。言葉や習慣は出てくるんだけど、自分についての記憶だけが欠落している。名前も、両親のことも、何をしていたのかも、どんな町に住んでいたかも全く思い出せない。怖いです。みんな、この島で生きるのに、日本での自分を基盤にして生きてるじゃないですか。アタマはしょっちゅうバイクの話をするし、犬吉は自分の飼っていた犬に会いたがっている、あと恋人とか、学校の話とかして、皆楽しそうに、いつか帰るって決心を固める。でも、僕には何ひとつ思い出せない。日本人だったことも、誰と仲が良かったかも。わかっているのは、GMという頭文字だけ。それは辛《つら》いです。僕にはこの島の記憶しかないのかと思うと、よく自殺しないで生きてきたと思います。僕がマッサージ師になったのも、人の体に触れたかったのかもしれない」

「まだ駄目なの、記憶の方は」

GMが頷《うなず》く。清子は急に哀れになり、GMの骨の浮き出た背中をさすってやった。GMは深い溜息《ためいき》をひとつ吐《つ》いた。

「有難うございます、すみません、ほんとに」

「いいわよ。だって、あなたはあたしの夫になったのよ。家族じゃない」

「嬉《うれ》しいです」

GMは安心したのか、すやすやと寝息を立て始めた。清子は困惑してベッドを下り、椰子の葉で葺《ふ》いた屋根の隙間《すきま》から見える皓々《こうこう》たる満月を眺めた。島に来て二年間の、清子を巡って争った男たちの狂乱を思い出したのだった。あれはセックスを求めただけではなかったのかもしれない。若い男たちは、寂しさに飢えて自分を奪い合ったのだ。生き甲斐《がい》を見付けて、その寂しさと折り合いを付けたのだとしたら、自分の存在はどうなる。自分の寂しさはどうやって埋めればいい。籤引きで夫を選ばれるだけなんて。清子は床にくずおれそうになった。自分もセックス以外の生きる目的を見付けなければ島でサバイバルできないかもしれない、という生存の根幹が揺るがされた恐怖だった。鼾《いびき》が聞こえた。清子のベッドを占領して、GMが体を伸ばして眠っている。

その様は安心しきっている。清子は寝顔を見るうちに、身裡《みうち》に新しい力が湧くのを感じた。あなたの記憶を私が取り戻してあげる。生き甲斐を見付けた瞬間だった。

翌朝、気配を感じて目を開けたら、GMが自作の盆らしき板に青いバナナを炙《あぶ》った物を盛って、清子の傍らに立っていた。面映《おもは》ゆそうに清子の寝起きの顔を見つめている。

「朝飯、食べませんか」

よく気が利《き》くじゃない。感心して清子は起き上がった。ノボルに見せてやりたいような甲斐甲斐しさではないか。GMの顔が、これまで見たことのない輝きに満ちていた。案外、綺麗《きれい》な顔をしている、と清子は好ましく思って眺める。髭《ひげ》をあたったGMの顔は、不細工な男ばかりの島では珍しいほどの美形だった。

「俺、昔こんなことをしていたような気がして、懐《なつ》かしいんですよ」

「おうちにお年寄りでもいらしたのかしらね」

自分で言って、清子は気を悪くした。二十歳も年の違う男と一緒に暮らす現実が重くのしかかってくる。

「わかりません。でも、誰かの世話を焼いていたような記憶がちょこっとあるんです」

「ゆっくり掘り当てましょうね」セラピストになったみたいだ。「ところで、あなたのGMという名前だけど、何だろう」

さあ、と暗い顔でGMは首を傾《かし》げた。

「新しい名前を付けたらどうかしら。あたしが付けてあげる」思いもかけない提案だったのか、GMは嬉しそうな表情をした。「ユタカってどうかしら。あなた、少し竹野内豊に似ているから」

GMは竹野内豊を知らなかったようだが、安堵《あんど》したように嘆息した。

「生まれ変わった感じがします。僕はこの島で生きていけると思う」

清子がユタカと結ばれたのは、その夜のことだった。交わりは、カスカベの激しいものとも、ノボルの一方的なものとも違い、愛情と信頼に満ちて優しかった。清子はユタカという夫を得て、島で唯一《ゆいいつ》足りなかったものを育《はぐく》む決心をした。愛。問題は、二年後にまた籤引きがあることだった。ユタカも抗議する、と言ったものの、自信はあまりなさそうだった。明るく豹変《ひょうへん》したユタカを見て、自分も清子に幸せにして貰《もら》いたいと考える男も増えるだろうし、ホンコンの提案が重くのしかかっていた。提案を拒否した場合、想像もできない困難が待っている気がするのだ。

ユタカとの結婚生活は順調過ぎるほどだった。ユタカは甘え上手で、清子の機嫌が悪い日などは悲しそうに俯き、清子が声をかけてくれるまでじっと待っていた。さんざん焦《じ》らした清子が、「ごめんね」と顎を掬《すく》ってやったりすると、ほっとしたように肩を落として笑う。そんな時、清子は、何て可愛《かわい》い男だろうとしみじみ思うのだった。健気《けなげ》で耐える女がもてるのはこういうことだったのか、とわかって、自分が強い男になったような気がした。ユタカ同様、清子も生まれ変わったのだった。つまり、アホのノボルは論外として、隆は、自信過剰の銀行マンで傲慢《ごうまん》だったし、カスカベはセックスマシーンだった。彼らに比べると、ユタカは控えめで優しい、理想の夫だった。

三カ月後、清子は早起きしてトーカイムラに向かった。トウキョウ人は誰も近付かなくなったが、白浜は遠浅だから貝類が容易に採れる。放射能に汚染されているのでは、と誰もがトーカイムラで採れる食材に尻込みしたが、椰子もバナナもだんだんと少なくなり、ホンコン側まで足を延ばさなければ、食材が確保できなくなっていた。ユタカが貝が好きだと言ったこともあり、清子は思い切って遠出する気になった。ジャングルを歩くこと三時間、途中で食べられそうな昆虫や植物を採ったが、島の食べ物は数年前と比べて格段に少なくなっていた。これもホンコンが来たからではないか、と自分たちの乱獲を棚に上げ、清子は腹立たしく思った。

浜が見えた。だが、ドラム缶がひとつもなくなっているのはどういうことだ。清子の顔から血の気が引いた。誰も知らないうちに船が来て回収していったのだろうか。まさか、まさか、と動悸《どうき》がする。トーカイムラはホンコンが怠りなく見張っているはずだった。船が来たので、ホンコンがトウキョウに報《しら》せないで自分たちだけ脱出したことも考えられた。一瞬、怒りで頭がくらくらしたが、今朝もオダイバにホンコンたちがいたではないか、と思い直し、清子は浜に駆け下りた。男が一人、波打ち際《ぎわ》で海を眺めていた。

「清子さん、珍しいっすね」

ワタナベだった。結婚式の時に見かけて以来だから、三カ月ぶりだろうか。ワタナベはぼんやりした目をして何かを嚙《か》んでいた。口の中が赤い。

「何を食べているの」

「ビンロウ」

「どこに生えているの、教えてよ」

ワタナベは何も答えず、ただくちゃくちゃと音をさせて笑っている。ホンコンが煙草《たばこ》を開発したらしい、という噂《うわさ》もあった。ホンコンとトウキョウの経済格差は広がる一方だったが、自生しているビンロウジュだったら、共有の財産ではないか。是非とも欲しい。清子はもう一度頼んだ。

「場所を教えてくれない。教えてくれたら」

「やらせてくれるってか。もういいっすよ、あんたのマンコに頼らなくたって良くなったんすから」

どういうことだろう。清子は胸騒ぎがして、浜を走った。ドラム缶のあった場所には、砂の上に引き擦った跡があった。ホンコンがどこかに運んだらしい。辺りを見回していると、ヤンが岩陰から現れた。両手を大きく広げ、清子を歓迎するような素振りをしながら、黄色い歯を見せて笑った。清子は目礼する。こいつらは何か企《たくら》んでいる。怖《おそ》ろしかったが、好奇心が勝って清子はヤンに近付いた。ヤンが何か言い、清子の手を取った。

「何ですか。どこに連れて行くの。あたし、夫がいるんだからね」

後から来たワタナベが、へへへっと嘲《あざけ》った。ヤンが清子の手を引っ張って、岩陰の波打ち際にある物を見せた。清子はあっと叫んで、砂の上に膝《ひざ》を突いた。船が二艘《そう》。その横に立派な斧《おの》や鋸《のこぎり》などが転がっている。何ひとつ所有していなかったホンコンは、金属をドラム缶の蓋《ふた》で調達し、武器などよりもっと有用な物を作り上げたのだ。島内の木を切り出し、削り、船に組み立てた。天晴《あっぱ》れ、と清子はヤンの顔を見上げてしまった。ヤンが清子に何か言った。ワタナベが通訳する。

「今日、これで脱出する。あんたを乗せていってもいい」

清子は呆然《ぼうぜん》として船を眺めた。これまでもサカイを中心に、皆で筏《いかだ》を組んだことはあった。が、潮の流れが速くて、蔓《つる》で巻いただけの貧相な筏では外海に出られないということでとっくに諦《あきら》めていた。それにサカイは死んでしまったし、トウキョウ人は遭難の時のトラウマが激しく、救援を待つのみで誰もそんな冒険をしたがらなかったのだ。トウキョウの造った貧相な筏と比べ、ホンコンの船は安定の良い箱形をしており、板の合わせ目はドラム缶から作ったらしい金属の楔《くさび》でしっかりと留めてあった。

「どうします、清子さん」

ワタナベが返事を迫る。ヤンが清子の顔を覗《のぞ》き込んだ。小さな目の奥に、狡猾で卑《ひ》猥《わい》な光がある。万が一、洋上で慰み者になって捨てられたら、と妄想が湧《わ》き上がり、清子は頭を抱えた。しかも、清子には大事な男がいる。ユタカと離ればなれに暮らすなんて考えられなかった。それほどまでに、四度目の結婚は清子に幸福感をもたらしていた。ヤンが背後のジャングルを指さして叫んだ。

「このまま島にいたら飢え死にする、女のあんただから連れて行くんだ、と言ってます。他のトウキョウは一人も乗せないそうです。早く決めた方がいいっすよ」

ワタナベが悩んでいる清子を意地悪そうに見遣《みや》った。どうする。助かるチャンスなのか、それとも死に向かうのか。清子は頭を垂れて考え続けた。ホンコンたちが櫂《かい》や食べ物を積み込んでいる。どの顔も楽しそうで、ホンコンに付いて行けば、死ぬことはなさそうに思えた。自分が助かれば救援も頼める。ユタカと再会したら、言い訳すればいい。ホンコンに拉致《らち》された、と。清子は顔を上げた。

「連れて行って」

ヤンが満足そうに頷き、清子の手を取って船の舳先《へさき》に誘った。清子は船の縁《へり》を摑《つか》み、トウキョウ島を仰ぎ見た。あれだけこんもりしていた緑が心なしか貧相に見えた。衰退していく島。バイバイ、みんな。バイバイ、ユタカ。不意に、救出される時に着るはずだったワイシャツと短パンではなく、普段着のワンピース姿であることを残念に思った。

2　男神《おがみ》誕生

海は荒れていた。尻《しり》の真下にうねりを感じるのが怖《おそ》ろしく、清子は沖に出てからずっと、中腰のままだ。船は、波に持ち上げられ、落ち、浮上、持ち上げられ、落ち、浮上、を延々と繰り返していた。振り落とされまいと船縁《ふなべり》を握り締める清子の眼前に、今度は大波が立ちはだかった。叫ぶ間もなく、ちゃちな箱形の船は、巨大な怪物の背のごとく不吉に盛り上がる波の階《きざはし》に、辛くも乗っかった。頂点を極めた後は、波の谷間に向かって滑り落ちて行くジェット・コースター。恐怖に戦《おのの》きながらも、少しでも遠くへ遠くへ、と前に身を乗り出してしまうのは焦《あせ》りだろうか。それとも勇気か。掌《てのひら》が汗で湿っていた。島からの脱出、そして日本へ。いや、住人のいる島へ。夢にまで見た、無人島からの帰還の瞬間を早く味わいたくて仕方がない。

大波をやっとこさ乗り切ったヤンが、「成功了《チョンコンラー》!」と叫び、舳先《へさき》から得意げに清子の顔を見遣《みや》った。清子は微笑《ほほえ》み返したが、黄色い犬歯が目立つヤンの顔は、タスマニアン・デビルか、原始の犬を思わせて好きではない。ヤンを始めとするホンコンの男五人は、手製の櫂《かい》をめったやたらと漕《こ》いで、外海に出ようと必死だ。島を巡る海流と、折からの強風が前進を阻《はば》む、初手から苦しい航海の始まりだった。

もう一艘《そう》の船は、男六人の漕ぎ手がいるので、清子を乗せたヤンの船より少し先を行く。その船が、波の谷に嵌《はま》って見えなくなった。無事かどうか確かめたいが、それどころではなかった。気を抜けば、こちらも危ない。清子は、荷物の入った籐籠《とうかご》を抱えて祈った。運を天に任せるのは、これで二度目だ。最初は隆との航海。南無阿弥陀《なむあみだ》仏《ぶつ》、南無阿弥陀仏。横波を受けて、船は転覆しそうになった。清子が抱えていた籐籠の中から、椰子《やし》の葉で編んだ三角錐《さんかくすい》の笠《かさ》が転がって海に落ちた。笠を作るとは、さすがに器用なホンコンたち、とこんな時に限って妙な感慨。笠はしばらく浮かんでいたが、やがて波に呑《の》まれて消えた。清子は、他の荷が落ちないように、籠をしっかり抱き締めた。清子に課されたのは、籠の中の水や椰子の実、食料雑貨を守る役割だった。

それは、ヤンの腹心ムンから、身振り手振りで命ぜられた。ムンは人一倍体毛が濃いので、眉《まゆ》が繋《つな》がり、顔中が黒い剛毛に覆《おお》われている。ヤンと、寡黙《かもく》で毛だらけのムンが一緒にいると、原始の犬と熊《くま》が一対になったようで禍々《まがまが》しく、目を背けたくなる。

清子は大きく上下する船から、苦心してトウキョウ島を振り返った。トーカイムラ沖合いから見る島は、老婆《ろうば》の乳房のように平べったくてだらしがない。あんなところに五年も暮らしたのだ。食物採集の明け暮れ。肌に塗る化粧品ひとつない原始生活。二度と、トウキョウ島には戻りたくない。清子は、島でたった一人の女として厚遇され、トウキョウの間で君臨していたことも忘れ、自分を憐《あわ》れんだ。清子を頼り、ひたすら帰りを待っているはずの夫、ユタカのことなど、さっぱり念頭から消え去っていた。

「バカヤロー。てめーら、みんな死ねー」

波を越えて、微《かす》かに声が届いた。一センチに満たない大きさに見えるワタナベが、トーカイムラの浜辺から怒鳴っているのだった。ワタナベは、船に乗り込もうとした時、ヤンに鍋《なべ》の木蓋《きぶた》で殴り倒されたのだ。ワタナベは、余程意外だったのか、へらへら阿《おも》ねった。

「何だよ、ヤンさん。力が強えなあ」

禿頭《はげあたま》の中年ホンコンが、両手の指を折って数え上げた。十二。二艘の船は六人ずつしか乗れない、と言っているのだ。

「連れてってくれよ。俺だって、船を作るの手伝ったじゃないか」

ヤンが清子を指差して何か言った。中国語がわからなくても、明らかだ。ヤンは、ワタナベの代わりに、女の清子を選んだのだ。畜生、と暴れるワタナベを、他のホンコンたちが櫂で叩《たた》きのめした。いい気味だ。ワタナベなんか死んじまえ。清子はさっさと船に乗り、ワタナベがいたぶられる様を眺めていた。

しかし、出航して三時間以上経《た》っても、波と格闘しているだけで、なかなか外海に出られないのは予想外だった。さすがのホンコンたちにも、焦りが見られる。最初は、何と素晴らしい出来だ、と驚嘆した船も、見慣れてみれば筏《いかだ》を板で囲っただけの代物《しろもの》で、帆すらない。この先、どれだけ保《も》つだろうか。清子の心中は黒々とした不安でいっぱいだ。

ムンが何か叫んで右手を指差した。先行した六人グループの船がバラバラに砕け散っていた。海に投げ出されたホンコンが三人、船の破片にしがみ付き、ヤンに手を振って助けを求めている。他の三人はとうに沈んだのだろう。だが、ヤンは仲間を顧みず、海に浮かんだ荷物を拾え、と指示した。船に這《は》い上がろうとする仲間を、同胞が櫂で突いて乗せまいとする。清子はオダイバで見かけた、顎鬚《あごひげ》のホンコンと、腹の出た中年が、悔しそうに罵《ののし》りながら海に沈んで行く様に、目を覆った。しかし、定員オーバーで皆が死ぬ訳にはいかないのだ。仲間を見殺しにし、ぷかぷか漂う椰子の実をできる限り回収し、また波との格闘が始まった。清子は疲れ果てて、いつの間にか眠っていた。

ふと気付くと、日は暮れ、船は穏やかな洋上を漂流していた。五人のホンコンたちは、疲れたのか、皆、口を開けて眠っている。舳先のヤンとムンは仰向けに、後ろの三人はそれぞれ縁に凭《もた》れて熟睡している。漕ぎ手の眠った船は、凪《なぎ》の海にゆらゆら漂っていた。清子は船の後尾からこっそり排尿した。ついでに立ち上がって四肢を伸ばし、周囲を眺めた。見渡す限りの大海原。島影はない。トウキョウ島を脱出したはいいが、この先どうするのだろう。海の上に小さな船でぽっかり浮かぶ不安と恐怖と言ったら、気が狂いそうだった。ホンコンたちを叩き起こして、しっかり漕げ、と叱咤《しった》したくなる。

トウキョウは、島をトウキョウ島と呼び慣わしていた。が、ホンコンたちは単に「蛋《タン》」、つまり「卵」と称していると聞いたことがあった。確かに、無人島は卵でもあった。殻に覆われた一個の生命体。自分たちは殻を破って飛び出した幼鳥なのだろうか。しかし、この幼鳥はいずれ死ぬだろう。清子は暗い気持ちになって、籠の中から小さなマンゴーを手に取った。清子の住まいであるチョーフの丘に、貧相なマンゴーの木が一本あったことを思い出し、急に島が懐《なつ》かしくなった。現金なもので、ユタカはどうしているだろうと切なくて仕方がない。ちょうど今頃、ワタナベが注進に及んでいるはずで、ユタカは自分の裏切りを知るだろう。どれほど傷付くことか。記憶喪失が悪化しなければいいが。清子は意気消沈しながら、マンゴーを囓《かじ》った。ばちんと頬に衝撃があった。

「不可以《ブーコーイー》」

ヤンにいきなり頬を張られたのだった。ヤンの全身から汗と潮の混じったきつい臭《にお》いがする。清子は顔を背けて、囓りかけのマンゴーを籠に戻した。すると、ヤンは清子の戻したマンゴーを拾い上げ、再び手渡すではないか。しかも、汚い歯を剝《む》いて笑っている。どういう意味か、と清子は怯《おび》えてヤンの犬面《いぬづら》を見上げた。ヤンが、清子のワンピースの裾《すそ》をめくった。来た、遂《つい》に。清子は観念して周囲を窺《うかが》った。四人のホンコンたちは眠っていて微動だにしない。微かに、ムンが身じろぎしたように見えたが、ヤンは、仲間など全く気にしない様子で、ワンピースをまくり上げ、清子を背後から犯した。ヤンが一方的に腰を動かす間、清子は鼻を摘《つま》みながらマンゴーを手に、船尾から上半身を乗り出して海を見ていた。ヤンの性交は下手糞《へたくそ》で自分勝手、三番目の夫、ノボル以下だと馬鹿《ばか》にしながら。好きでもない男との性交は慣れっこなので、涙も出なかった。犬だ、犬。清子は、結婚式の夜、コウキョ前広場でヤンに抱かれる自分を想像して体を熱くしたことなど都合好く忘れ、嫌悪《けんお》を募《よ》らせた。大量の精液を清子の体内に射精し終わったヤンは、満足げに性器を清子のボロ切れと化しつつあるワンピースで拭《ぬぐ》った。振り向きざま、他のホンコンたちに怒鳴る。驚いて目を覚ましたホンコンたちに、ヤンは太陽の沈む方角の逆を指差した。皆、嫌々、櫂を取った。東に向かうつもりらしい。だったら、いつかは日本に帰れるかもしれない。清子はほんの少し希望を抱いて目を閉じた。

しかし、十日以上経っても、一艘の船、一機の飛行機とも遭遇することなく、箱船の孤独な漂流は続いた。数日前に水も食料も底を尽き、船に近寄る魚を櫂で叩いて漁をする有様だ。清子は空になった籠を頭から被《かぶ》って陽射《ひざ》しを避け、船尾の狭い空間でぐったりしていた。磁石も持たずに航海するのが馬鹿馬鹿しくなったのか、ホンコンたちも櫂を握ることなく、体力を消耗しないように、ひたすら床に横たわるだけの集団に成り下がっている。有難いことに、最初の頃は日に二度は清子を犯すことを日課にしていたヤンも、近頃は船尾にさえ近寄らない。他のホンコンたちも、ヤンが怖いのか、清子に関心を示そうとはしなかった。やがて、本格的な飢餓が始まったら、真っ先に自分が食われるだろう、と清子は自分の肉付きが恨めしくてならなかった。食物がないから痩《や》せたとはいえ、清子はまだ一番太っていたからだ。

「前面好像是一座島《チェンミエンハオシアンシーイーツォタオ》！」

ムンが叫んだ。清子には見えないが、遥《はる》か彼方《かなた》に、島らしき点が見えたらしい。空腹で動けなかったはずのホンコンたちが飛び上がって海の彼方を眺め、一斉に歓声を上げた。ヤンが櫂を振り回す。男たちは、これまでと打って変わり、イーアル、イーアル、と勇ましいかけ声をかけながら、島を目指して力強く漕ぎ始めた。二時間も漕ぎ続けるうちに、清子の目にも島影がはっきり見えた。大洋の真ん中にぽこんと飛び出た臍《へそ》。「島《タオ》！　島《タオ》！　真的是島《チェンダシータオ》」と、ヤンが満面の笑みで叫んだ。清子も籠を放り投げて、感激の涙を流した。苦しい航海だったが、やっと助かる。たとえ無人島だとて、このまま船上にいては死を待つしかないのだから。大きな島だったら、住人がいるかもしれない。戦略的に重要ならば軍隊が。最早、どこの国の軍でも良かった。電話、無線、インターネット。清子は通信機器をあれこれ思い浮かべ、うっとりした。「もしもし、あたし。お母さん？　あたし、生きてたのよ」。生きていれば七十九歳の母親は、娘の生還をさぞかし喜んでくれることだろう。清子の妄想は俄《にわか》に芽吹き、この苛酷《かこく》な体験を他人にどう説明したものか、と悩み始めた。手記を書いて出版するしかない、という結論に達した時、清子はほっとして笑いだした。

島が、あともう少しというところまで近付いて来た。高さ数メートルの白い崖《がけ》が海岸線沿いに延び、その上にこんもりとしたジャングルが見える。人影はないが、どんな土地でも陸地は陸地。清子は、足裏で踏む土の感触を思い出して身震いした。とにもかくにも、上陸さえすれば、後はホンコンの生活力で何とかなるはず。

突然、黒い雲が広がり、頭上を覆った。大粒の雨。ホンコンたちが櫂を漕ぐ手を休めて口を大きく開け、数日ぶりの雨水を貪《むさぼ》る。幸先《さいさき》がいい。清子も雨をたっぷり飲んだ。南洋の雨は甘く、温かった。ホンコンたちはじゃれ合いながら、薄汚れたパンツやランニングを脱ぎ捨て、雨水で体を洗い始めた。清子も躊躇《ためら》いなく黒いワンピースを脱いだ。清子が全裸になっても誰も気が付かない様子で、土砂降りの雨の中ではしゃいでいる。何しろ、もうじき島に上陸できるのだ。清子は体を清めた後、船底に溜《た》まった雨水でワンピースを踏み洗いした。何度踏んでも、泥色の水が消えなかった。

ところが、雨はますます激しくなり、一向にやむ気配がない。ヤンの血相が変わった。船底に水が溜まり、船が沈みそうになったのだ。漕ぐのを中止し、全員で溜まった雨水を汲《く》み出す作業にかかったが、如何《いかん》せん、道具は椰子のコップや掌。滝のごとく降り注ぐ雨には到底、太刀打ちできなかった。大波にも風にも耐えた箱船はあっけなく雨に負け、ずるずると海に沈み始めた。島までの距離は、数百メートル。船を捨てて泳ぐしかない。ヤンが真っ先に海に飛び込んだ。遅れじ、と清子も意を決して飛び込む。これが大洋の真ん中ならば、清子は死を覚悟しただろう。しかし、島は目の前にあるのだ。清子は久しぶりに抜き手を切って、海原を進んだ。水腹が重いし、ワンピースの裾が絡《から》まって泳ぎにくかったが、ここまで来たなら陸地で死にたい。とうとう、足の先が海底の岩に触った瞬間、清子は誰にともなくVサインを高く掲げていた。生き抜いたのだ、トウキョウ島から帰還したのだ、と。頑張った自分が誇らしくてならなかった。

誰も手を差し伸べようとしないので、苦労して岩礁《がんしょう》に這い上がった清子は、ほっとして周囲を見回した。ホンコンたちは、すでに全員無事に上陸を果たし、ヤンが「成功了《チョンコンラー》、成功了」と飛び跳ねている。ムンがするすると椰子の木によじ登って実を落とし始めた。清子は男たちの間に入って必死に実を奪い合った。ようやく手に入れた椰子を、思い切り石にぶつけて割る。清子は椰子の実から溢《あふ》れる果汁を一気に飲んだ後、安堵《あんど》のあまり、砂浜にばったりと倒れて眠り込んでしまった。

翌日、猛烈な喉《のど》の渇きで目を覚ますと、ホンコンたちは全員どこかへ消えていた。すでに陽が傾きかけている。どうやら一昼夜眠りこけていたらしい。清子は、あちこちに転がっている割れた椰子の実を拾い、中の蟻《あり》ごと汁を飲み干した。蟻酸《ぎさん》までもが、旨《うま》く感じられた。清子は、海岸からジャングルに続くホンコンたちの足跡を辿《たど》った。

ここではぐれたら、生きていけないのはわかっている。小高い丘に立ってジャングルを見下ろすと、煙がひと筋見えた。あそこにヤンたちが野営しているのだろうか。それとも、住人か。人喰いだろうと、野蛮だろうと構わぬ。清子はジャングルの中をひた走った。広場に出た時、清子は猛烈な既視感に襲われた。いつかどこかで見た光景。中央で焚き火《たび》が燃え、周囲を四、五人の男たちが囲んでいる。一人だけ立った男の穏やかな声が聞こえてきた。日本語。商社の人間か、それとも観光客か。清子は駆け寄ろうかと思ったが、自分のやつれ果てた姿が気になって一瞬、躊躇《ちゅうちょ》した。

「誰が最初に死ぬんだ、誰が最後に残るんだ。僕らはそれに怯えて生きている、そうだろう。だったら、僕らの中で最初に死ぬ者は幸せか、不幸か。どうだ、どう思う？　答えを言おう、不幸だ。なぜなら、僕らの努力の実りを見ないで死ぬから。そして、孤独がもたらす至福もまた、知らずに死んでしまうからだ。しかし、最後に死ぬ者の不幸もある。孤独か？　違う。さっきも言ったように、孤独は至福の裏返しでもある。怖がってはいけない。答えは、この島の富と僕らの努力の結果を、誰にも残せず死ぬことにある。男には、次世代に伝えたい本能がある。それは強く、極めて重要なものだ。そこで男は初めて、己の死を認められるからなんだ。最初に死ぬ者、最後に死ぬ者、僕らの間に差は存在しないということを認識した上で、皆で共に生きよう。共生しなければ、次世代を残せない僕らは壊滅するだろう」

清子は、思わず声を上げた。ジュクの集落の連中だ。何と、この島はトウキョウ島だった。あんなに苦労したのに、戻って来てしまったとは。海から島を眺めたことなどなかったから、トウキョウ島の形状がわからなかったのだ。苦しい航海だったが、ただ海流に乗って、島の周囲をぐるぐると巡っていただけとは。清子は失意のどん底に突き落とされたが、すぐさま我に返った。ワタナベが自分の裏切りを触れ回ったのは間違いないから、歓迎されるはずはない。こうなった以上、ホンコンと合流して様子を見た方がいい。清子は踵《きびす》を返しかけた。

「あ、清子さんじゃない」

ダクタリと呼ばれる男が清子に気付いて大声を上げた。ダクタリは、以前、動物病院で手伝いをしていた過去から、その名が付いた。二十七歳。無人島に漂着してから精神の均衡を崩し、椰子酒《やしざけ》浸りになった。つまり、ヤシ中《ちゅう》に。いつも呂律《ろれつ》が回っていないのに、今日のダクタリの口調はしっかりしている。清子の出現に、焚き火の周囲の若い男たちがわっとどよめき、姿を見て口を半開きにした。怯えて後退《あとずさ》った者さえいたので、清子は自分の変化が気になった。鏡のない島での生活は、男たちの反応で確かめるしかない。それにしても、滔々《とうとう》と喋《しゃべ》っていたのは誰だろう。説教好き、格言好きのオラガか。皆をまとめるリーダーなど、トウキョウにはいないはずだ。男が目を瞠《みは》った。

「清子さん」

清子は啞然《あぜん》とした。ユタカだった。哀《かな》しそうな目をし、肩を落として歩いていたユタカは、強い眼差《まなざ》しを持った姿勢の良い男に変貌《へんぼう》していた。ユタカは清子の方にゆっくりと歩み寄って来た。歩き方にも、威厳が漂っている。

「ごめんなさい、ユタカ。ホンコンに拉致《らち》されて、無理矢理、船に乗せられたのよ。船の上では奴隷《どれい》みたいに扱われて死ぬかと思ったけど、帰って来られて良かった」

清子は、出発直後に考えた言い訳をした。脱出に失敗したら、こう言おう、と。しかし、まさか二週間後に戻るとは思わなかったので、すっかり忘れて舌がもつれた。

だが、ユタカは寛容だった。

「何という奇蹟《きせき》だ。あなたに再び会えるとは」ユタカは、ジュクの連中を振り返った。「みんな、この人の生還を喜ぼう。トウキョウでたった一人の女性なんだ。大切にしよう」

ジュクのヤシ中たちが立ち上がり、拍手した。糾弾を覚悟していた清子は、意外さにたじろいだ。ダクタリがわざわざ清子の手を取って、焚き火まで連れて行ってくれた。掘っ立て小屋に貴重な毛布を取りに行く者もいれば、温かな椰子酒を注いで手渡してくれる者もいる。清子はぼんやりと彼らの親切を享受《きょうじゅ》していた。ジュクのヤシ中たちは、一日中酔っているから、島で最低の碌《ろく》でなしと言われていたのだ。ユタカがにこにこ笑った。

「清子さん、僕はあなたの失踪《しっそう》に感謝しているんだよ」

「どうして」

「ワタナベ君が、あなたがホンコンたちと脱出したと伝えに来てくれた。少し、嫌な言い方だった。それを聞いて怒った者もいたが、僕は悲しかった。あなたは、島の惨《みじ》めな思い出しか持てないことで悩んでいた僕を救ってくれた恩人だ。そのあなたがいなくなったのだから、僕はどうしたらいいか本当にわからなかった。恥ずかしい話だが、ふた晩泣き明かしたよ。ここから逃れたい、と切に願った。死まで考えて、パニックに陥った。すると、不思議なことに記憶が蘇《よみがえ》ったんだ。島の思い出を否定した瞬間に、日本の思い出が蘇ったのさ。島は嫌だが、ここにいなければ僕は死ぬ、という強迫観念が、日本の記憶を失わせ、その逆が日本を蘇らせた」

供されたバナナを貪り食べていた清子は訳がわからなかった。理解できたのは、ユタカは、日本でのユタカ、つまりGMという頭文字を持つ人間に戻ったということだった。印象が以前と違うのはそのせいだ。

「全部、思い出せたの？」

ユタカは嬉《うれ》しそうに微笑《ほほえ》んだ。幸福感に満ちて、見る者を思わず幸せにするような甘い笑みだった。

「僕の名前は、ユタカではなく、森軍司だ。勿論《もちろん》、前のようにユタカと呼んでくれてもいいよ。僕は、盛岡市に住んでいた。岩手大の院生で、専門は経済学。学生結婚をして、一歳八カ月の娘がいた。その子のために、与那国島にバイトに来たことを思い出したよ。妻は弘美。同じ院生だったが、もう卒業しただろうな。娘の名は沙也加。産まれた時の体重は二九九八グラム。父の名は義康、母は公恵だ。弟は文司《ぶんじ》という名前。子供の頃、ナイフで指を切ったことがある。これがその傷だ。傷の由来を思い出した時は泣いた」

ユタカは左手の人差し指を高く掲げた。聞いている男たちは涙ぐんでいたが、清子は啞然としている。あんなに寡黙《かもく》だったのに、よく喋る男だ。あんたはあたしの乳房に縋《すが》り付いて、寂しいよう、と泣いたじゃないの、と詰《なじ》ってやりたい気分だが、逆にその記憶を欠落させているかもしれない面倒な状況になったのが癪《しゃく》で仕方がない。ユタカのアイデンティティは、完全に日本人の森軍司に掏《す》り替わっていた。

「ユタカ」清子は意地で自分の付けた名を呼んだ。「あなた、マッサージの仕事、どうしたの」

「ああ、ヒーリングだね。やってるよ。こちらにおいで」

ユタカは清子を手招きした。ユタカは清子の額に手を当て、目を瞑《つむ》った。ユタカの体臭がした。夫の体が懐《なつ》かしくて、身を寄せかけた清子は密《ひそ》かな力で押し戻され、気を悪くした。更に寄りかかってみたが、ユタカは慌《あわ》てて体を離す。ユタカはすでに清子の夫ではなく、弘美という妻を持つ森軍司に変わっていた。清子は悔しさに唇を噛《か》んだ。回帰の契機が自分の脱出にあったのだとしたら、皮肉としか言いようがない。自分はユタカを得て、ユタカに頼られる自分という生き甲斐《がい》を発見したのに、戻って来れば、ユタカは自分のせいで自分を必要としなくなっているのだから。ただでさえ疲れているのに、考えれば考えるほど、清子の頭はこんぐらかった。

「少しは気分が良くなったかい。僕のヒーリングは効くそうだよ」

清子は適当に頷《うなず》いた。早くチョーフの自分の部屋で、ひと眠りしたかった。トウキョウ島に戻ったなら戻ったで、普段の生活が待っている。

「モリさん、杜氏《とじ》の件ですが、どうしますか」

ダクタリが聞いた。トウキョウの間で、「さん」づけで呼ばれた者は、自分たち夫婦以外誰もいなかったはずだが、たった二週間足らずの間で全《すべ》てが一変したらしい。

「きみしかいないよ。杜氏になれるのは」

ユタカがダクタリの肩を叩《たた》くと、ダクタリは晴れがましい表情をした。清子は、ダクタリの素面《しらふ》の顔を眺めて皮肉った。

「ダクちゃん、どうしたの。酔ってないじゃない」

ダクタリは頭を掻《か》いた。

「ジュクには、酒造りの村として生きてほしいんだ。皆に生き甲斐を持ってほしい、と説いて回っている。じゃ、また来るよ」

さっきのは説教だったのか。清子はややうんざりして、四番目の夫を眺めた。早く次の夫を探さなくてはならない。酒浸りでないのなら、ダクタリでも構わない。清子はダクタリの澄んだ眼差しを見つめたが、ダクタリは清子の熱い視線に気付きもしなかった。皆が、一心に見つめるのは、島でたった一人の女、清子ではなく、ユタカの颯爽《さっそう》とした長身だった。清子はユタカに嫉妬《しっと》に似た感情を持った。

「モリさん、失礼します」

男たちが礼儀正しく返した。清子はユタカの後を追った。ユタカは、使命を帯びた人らしく急ぎ足で歩くので、長い航海で足腰の弱った清子は、なかなか追い付けなかった。

「ユタカ、待って」

ユタカは振り返って、清子の全身を眺めた。その目に、清子を値踏みする色がある。決して性的な値踏みではなかった。清子は警戒した。ユタカはこの島を牛耳ろうとしている。ヤシ中の役立たず、と蔑《さげす》まれていたジュクをすでに手なずけたではないか。今後、ユタカの機嫌を損ねたら、トウキョウでは生きていけないかもしれない。清子は、あちこちに目を配って晴れ晴れと歩くユタカの後ろ姿を見ながら、そんなことを考えていた。

途中、シブヤのカメちゃんと犬吉に出会った。二人は「モリさん」と嬉しそうに駆け寄り、清子を見て凍り付いた。二人の視線に敵意があるのを感じ、清子はユタカの背に隠れた。ユタカが早速、機先を制して説く。

「清子さんが生きていて良かったよ。島で唯一《ゆいいつ》の女性なんだから、大切にしないといけない。ね、そうだろう」

カメちゃんと犬吉は急に畏《い》敬《けい》の念を籠《こ》めて、清子を見た。二人が去った途端、ユタカが耳許《みみもと》で囁《ささや》いた。

「シブヤの連中にはね、文化を担当させているんだ。主にファッションと音楽だよ」

「あんな才能ない子たちによくやらせるわね」

清子は呆《あき》れた。

「才能は問題じゃないんだ。この島で如何《いか》に生き抜くか、なんだよ。それは生き甲斐だ。以前のあの子たちみたいに、自分だけの生き甲斐じゃなくて、島民のための島民による島民の生き甲斐、なんだ。でないと、僕らは皆死んでしまう。外に脱出するばかりが生き抜くことじゃない。そうじゃないかな、清子さん」

ユタカの最後の言葉に毒が混じっている気がした。清子は怖《おそ》れを感じて立ち止まった。その手をユタカが取って、オダイバの浜を見下ろす崖《がけ》の端まで引いて行く。突き落とされるのか、と清子は踏ん張ったが、ユタカは下を見ろ、とばかりに清子の肩をぐいと押した。浜を覗《のぞ》かされた清子は、はっとして口に手を当てた。浜に立った五本の柱に、ホンコンたちが縛り付けられていた。ヤンとムンは暴れたのか、顔や腕から血を流していた。清子は気分が悪くなった。まるで江戸時代の刑罰だった。元暴走族のアタマや、粗暴で知られるジェイソンが、棍棒《こんぼう》を片手に見張りをしていた。

「あんな酷《ひど》いことをしなくたっていいんじゃないの」

「だって、あなたを拉致したんでしょう。それは良くないことだよ。治安はブクロの連中の受け持ちだから、彼らに任せたんだ」

清子は蒼白《そうはく》になった。ばらばらだったトウキョウは、ユタカの記憶喪失が治ったと同時に、物凄《ものすご》い速さで結束を固めつつあった。

「ワタナベはどうしたの」

「ああ、彼はトーカイムラから一歩も出ることを許されてない」

誰に、という問いは敢《あ》えて発さなかった。聞くまでもない。コウキョ前広場で、数人が大きなニッパ椰子の葉を運んでいた。どうやら、コウキョの建設が再開されたらしい。

「きみの家はそのままだよ。僕は今、コウキョに住んでいるんだ。僕はどこでも良かったんだけど、皆があそこに住んでくれって頼むので仕方なくだよ。風が強くて参るけど、見晴らしはとてもいい」

コウキョは、トウキョウの寄り合い所だったはずだ。ユタカがそこに住むよう要請されたということは、正式なリーダーとして認められたのだろう。ユタカが真ん中から分けた髪を、竹野内豊そっくりの仕草で掻き上げた。悔しいことに、清子の胸は少し高鳴った。

「清子さんの役割だけどね。今、考えていたんだが、あなたには稀少《きしょう》価値がある。たった一人の女性という価値だ。だから、女王になってくれないだろうか。そうすれば、皆はあなたを敬い、慕うよ。この島に欠けているのは、愛なんだ。あなたが皆に愛を与えてくれれば完璧《かんぺき》になる。そう思わないか」

「愛って何」

ユタカは胸に手を当てた。

「すべての男を愛してやってくれ」

娼婦《しょうふ》ということか。清子は混乱し、ユタカに尋ねた。

「ユタカ、あなたは何なの」

ユタカは答えない。やがて清子は、ユタカはトウキョウ島の神になるつもりなのだと理解した。島の女から女王へ。神の託宣ならば仕方がない。諦《あきら》めが早くも清子を支配していた。卵。ホンコンの呼んでいた島の名が、トウキョウより相応《ふさわ》しい気がしたが、清子は神にどう説明しようかと迷い、言葉を飲み込んでしまった。

3　納豆風《なっとうかぜ》の吹く日

島の北東部から吹いて来る風は、時折、腐臭を孕《はら》んでいることがあった。堪えられないものではなかったので、トウキョウの連中は、それを納豆風と呼んでいた。が、納豆風が吹く日は、皆、嫌な気分になって、言葉も少なかった。翌日、異様な暑さになることが多いのと、北東部にサイナラ岬があるせいだった。誰が言いだした訳でもないのに、何となく禍々《まがまが》しいことが起こりそうな予感がして(実際、何かしら起きた)、その夜は決まって椰子酒《やしざけ》の需要が増した。サイナラ岬は、トウキョウの墓場だからだ。

サイナラ岬は、潰《つぶ》れた腎臓形《じんぞうけい》をしたトウキョウ島の、右側上部にちょこんと飛び出した扁平《へんぺい》な疣《いぼ》のような岬だ。海岸隆起によって切り立った崖《がけ》が百メートルほど続き、その崖の高さは、約三十メートル。崖下には、波蝕台《はしょくだい》が広がっていて、潮の満ち引きで巨大なテーブル状に露出したり、海水に浸って見えなくなったりしていた。この波蝕台のせいで、サイナラ岬に寄せる波だけは白く豪快に砕け散るのだが、ぎざぎざの岩棚が広がっているにも拘《かか》わらず、サイナラ岬から落ちた死体は、いつの間にか消えてしまう、不思議な場所だった。清子の夫、隆とカスカベの転落死体、食中毒で死んで、岬から投棄された元大工見習いのサカイの亡骸《なきがら》。すべて、綺麗《きれい》さっぱりなくなった。波蝕台に引っかかれば、そこで白骨化するはずだが、その様子もない。きっと、崖下に隠された洞穴があって、そこに嵌《はま》っているのだ、と文字通り穿《うが》った見方をする者もいれば、沖に流されて海流に乗ったに違いない、ともっともらしく主張する者、付近を回遊する鮫《さめ》に食われた、と興がる者もいた。しかし、崖下に降りて確かめることはできないのだから、真実はわからない。また、誰にもその気はなかった。だから、サイナラ岬は、おぞましくも怪しいトウキョウ島のミステリースポットとして畏《おそ》れられ、あるいは、罪悪感の象徴として忌避されてもいたのだった。事故死とされた隆の死にしても、カスカベの不自然な死についても、トウキョウの男たちは固く口を閉ざした。それどころか、記憶にも留めていない振りをしていた。しかし、清子の考えは単純だった。サイナラ岬は、無人島に閉じ込められたトウキョウの悪意の捌《は》け口《ぐち》なのだ、と。

清子は、長い航海で消耗した体を引きずり、チョーフの丘を這《は》い登っていた。意識が朦朧《もうろう》として、何も考えられなかった。辛《つら》い航海をしたのに、トウキョウ島にまた戻って来てしまった徒労感が、その場に昏倒《こんとう》したくなるほど、清子を苛《さいな》んでいた。その時、納豆風が吹いたのだった。清子は立ち止まって、動物のように鼻をひくつかせて臭《にお》いを嗅《か》いだ。

一年以上も前に納豆風が吹いた時、こんなことが起きた。翌日、来《きた》るべき災厄に対して身構える清子の前に、一人の男が現れたのだ。当時ブクロに住んでいたが、今は追い出されて一人住まいをしている、若禿《わかは》げで短軀《たんく》の冴《さ》えない男。確か、ヤマダかスズキかサトウかサイトウ。仮にヤマダとするが、ヤマダはマゾ男だった。やらせてください、と清子に礼儀正しく頭を下げ、太った野ネズミの死骸《しがい》を床に置いた。次いでヤマダは、大切そうに太目の藤蔓《ふじづる》を取り出し、今日はこれで自分の体をぐるぐる巻きにしてください、そして、わたくしめのペニスを力一杯引っ張っていただけませんか、と丁寧に頼み込んだ。清子は、ヤマダに以前、オダイバに連れ出され、黒い小石に顔を埋めた自分の尻《しり》を思いっきり踏み付けてください、わたくしめにはそれが似合っているのでございます、と頼まれたことがあった。その仕事はえらく汚れて疲れたし、今回の太い蔓を巻き付けることだって面倒そうなので嫌だったが、久しく動物性蛋白《たんぱく》質《しつ》を摂取していなかった清子は食い気に負け、渋々引き受けたのだった。清子は、ヤマダのリクエスト通り、腹だけが膨れた栄養失調気味のヤマダの裸体を蔓で締め上げた。貧相な焼き豚のごとく縛り上げられたヤマダは、はあはあと涎《よだれ》を垂らし、蔓と蔓の間からペニスを飛び出させた。ところが、そのペニスを引っ張った途端、清子はヤマダに向かって嘔吐《おうと》してしまったのだ。植物しか食していない清子の青臭い吐瀉物《としゃぶつ》は、ヤマダの顔に見事に引っかかった。ヤマダは、恩寵《おんちょう》と思ったのか、喜悦の表情を浮かべて射精したが、清子は、なぜ自分が嘔吐したのか、全く理由がわからなかった。だが、それがまさしく災厄そのものだったのだ。程なく、清子は、カスカベがサイナラ岬から落ちた時、その両足が蔓で縛られているのを目撃したことを思い出すことになるのだから。つまりは、納豆風は、封印している記憶を呼び覚ます役割を果たしていた。その記憶とは無論、普段は全く表に出ない、いや、忘れなくては生きてはいけないトウキョウの真っ黒な部分、悪意や攻撃性に纏《まつ》わるあれやこれやだった。

今日の納豆風はかなり臭い。清子の脳裏に、思い出したくない絵が浮かんだ。俯《うつぶ》せに倒れている隆の痩《や》せこけた肉体。引き潮で露出した岩棚に脳漿《のうしょう》を飛び散らして、駆け出すかのような形に足を開き、上半身と下半身が逆方向に捩《ねじ》れた無惨《むざん》な姿。あれが、隆との永遠の別れだった。なのに、清子は思わず笑った。崖下に横たわる隆は、コント55号にそっくりだったから。次に、カスカベ。カスカベは仰向けで、しかも崖下からかなり遠くの方に落ちていた。崖の上から見ただけだし、血だらけだったから、よくわからなかったが、両足が蔓で縛《いまし》められていたのだけは見えた。隆の時と違い、清子は、カスカベー、生き返ってー、あたしをもう一回抱いてー、と崖の上から力の限り、何度も泣き叫んだものだ。悲しくて胸が張り裂けそうだった。自分たちの愛が、嫉妬《しっと》と生存本能に駆り立てられた男たちの凶暴な力で砕かれたのだ。しかも、多人数で両手両足を持ち、せーの、と崖から放り出したとしか思えない残酷なやり方で。清子が愛したエキセントリックなカスカベは、トウキョウたちから、隆を殺した報い、自分たちを荒らぶらせた報い、としての制裁を受けた。しかし、その時、清子の中に、男たちへの憎しみと共に、たとえようもない優越感が同時に芽生えたことは、誰も知るまい。自分がいるからこそ、男の本能が剝《む》き出しにされるのだ、という。触媒として生きるのも、女の甲斐性《かいしょう》ではあるまいか。清子にとって、サイナラ岬は悪意の捌け口だからこそ、闘争する男の姿そのものを思い起こさせる、昂奮《こうふん》させられる象徴でもあった。サイナラ岬のことを考えると、密《ひそ》かに濡《ぬ》れるのは、そのせいだろう。

清子は、不吉な納豆風を嗅ぐまい、と鼻を摘《つま》み、懐《なつ》かしの我が家に入ろうとした。

すると、小屋の前に、あたかも売家札であるかのような立て札が突き刺さっているのに気付いた。沈む寸前の太陽光で、板に書かれた文字を読んだ清子は絶句した。焼いた木ぎれの先で「公衆便所」と大書してあった。しかも、激しい悪臭がする。清子は小屋の入り口で立ち竦《すく》んだ。どうやら、入り口付近に大便があるらしい、それもひとつやふたつではない。踏まないように跨《また》いで入ると、今度は小便臭い。清子の小屋は、公衆便所に変わり果てていた。納豆風だと思ったのは、実は糞便《ふんべん》の臭気だったのだ。しかも、小屋は滅茶苦茶《めちゃくちゃ》に荒らされていた。清子の私物は一切なくなり、島で唯一《ゆいいつ》の贅沢品《ぜいたくひん》だった居心地良いベッドも、運び出されている。ホンコンたちと一人だけ島抜けした、裏切り者の清子の小屋を、皆で蹂躙《じゅうりん》したに違いなかった。普段はおとなしい癖に、こういう時だけ団結する奴《やつ》ら。これも象徴としてのサイナラ岬だ、と清子は悔し涙を拭《ぬぐ》った。自分はもう、たった一人の女という稀少《きしょう》価値をなくしたのだろうか。それは、清子にとって島におけるアイデンティティの喪失と同義だった。清子は体を震わせた。

「清子さん、あんたの家、酷《ひど》い状態でしょう」

振り返ると、夕闇《ゆうやみ》の中、海を背景にしてオラガが立っていた。オダイバの浜に、オレンジ色の太陽が沈む瞬間。美しい風景を背にしているのに、オラガは、ユタカにリーダーの座を奪われたせいか、元気のない老猿のように見えた。いや、自分の方がもっと悄気《しょげ》ている。清子は、オラガの同情を引くために、その場で蹲《うずくま》った。演技だけでもなかった。泣こうにも泣けず、これからどこに行って何をしたらいいかもわからないくらい、途方に暮れている。少なくとも、私物くらいは返して貰《もら》わないと、自分はトウキョウの最貧者になってしまう。いても立ってもいられない不安があった。今の清子は、蛇頭の密航船でトウキョウ島に捨てられた時のホンコンたちと、まるで同じだ。着の身着のままになってしまったのだから。

　これまで清子は、島のたった一人の女という稀少価値に加えて、大富豪でもあった。トウキョウでは、物持ちが最も尊敬され、羨望《せんぼう》の的となる。特に、金属持ちが最高の分限者とされた。隆と沈没寸前のヨットから運んだナイフや鍋《なべ》、飯盒《はんごう》、フォークなどが、清子の地位を自《おの》ずと高めていたのだ。だから、島で一番見晴らしの良いチョーフの丘に総ニッパ椰子の涼しい小屋を建てられたのだし、清子が若い男と遊び歩いても、誰も何も言えない空気だってあった。金属持ちは清子と、あと数える程しかいなかった。壊れた携帯電話を持っている者が六人、スプーンが一人、折り畳みナイフが一人。それも、神の恩寵のように偶然ポケットに入っていたのだった。隠し持っている島民がいる、という噂《うわさ》もあったが、狭い島の中ではすぐにばれた。隠していることが明らかになれば、せこい奴、と村八分にされて、今度は欲しい物も借りられなくなる。互いに情報を公開してレンタルし合うしか、生き延びる術《すべ》はない。とりわけ清子は、隆の死後、隆の服や小物も私有したから、トウキョウ一番の大富豪だった。清子との結婚が憧《あこが》れの的になっていたのは、セックスだけでなく、清子の道具を我が物顔に使えるという利点もあったはず。それが、たった二週間の航海ですべて失ってしまったとは。清子は泣きながら喚《わめ》いた。

「あたしの荷物はどこに行ったのよ」

「モリさんが持って行きましたよ」

「泥棒だわ。それって、泥棒じゃない」

「だって、結婚してたでしょう。だったら、共有じゃないのかな」

オラガは首を傾《かし》げた。蔓で固定した眼鏡のレンズの片方にヒビが入っていた。それが、オラガを狂人ぽく見せていたが、オラガ自身は大真面目《おおまじめ》だった。

「でも、ユタカは記憶を取り戻して別人になっちゃったじゃない。もう、あたしの夫じゃないのよ。やっぱ泥棒よ」

オラガの説明によると、ユタカはすべての金属類を没収し、管理することにしたのだとか。それでは秀吉の刀狩りと同じである、とオラガが遠慮がちに異を唱えると、天下統一しなければ共存共栄できない段階にきている、我々に鉄が作れるか、と逆に論破されたのだそうだ。ユタカは、清子の金属類を全《すべ》て手に入れたことを正当化し、二度と返さないだろう。清子は腹を立てた。しかし、とりあえずは横になって休まなければ、この命さえ尽きそうだ。

「悪いけど、今日、泊めてくんない。行くところがないのよ」

清子はオラガに懇願した。オラガは、シブヤ・グループに属していた。アクセサリー作りの犬吉や、バンドのカメちゃんらが暮らすシブヤは、他に三人のメンバーがいる。犬吉の弟分のシンちゃん。シマダという名の、腹に回虫でもいそうな顔色の悪い男、ヒキメという釣り好き。全部で六人。トウキョウでは最大のグループだ。性質が比較的温厚で、趣味に走っている男たちばかりなので、置いて貰えそうだと踏んだのだが、オラガは清子の顔を見ながら、うーん、どうかなあ、聞いてみないとなあ、と煮え切らない。なかなか首を縦に振らないオラガに苛立《いらだ》って、清子は科《しな》を作った。

「あげるものはあたし以外に何もないけど、どうかしら。いつでもどこでもオッケー、ということで」

「いや、僕らはちょっと」

オラガが、さも嫌そうに手を振ったので、清子は気を悪くした。清子さんが来てくれるなら露天風呂《ぶろ》も作る、召使を付ける、と各グループから熱烈なラブコールを受けたのはいつのことだったか。凋落《ちょうらく》。嫌な言葉が口を衝《つ》いて出そうだった。清子は、オラガの後を必死に付いて、シブヤ・グループの集落まで何とか辿《たど》り着いた。シブヤ・グループは、島の下部、オダイバ浜の南の丘で暮らしている。ニッパ椰子と倒木を組み合わせた小屋がふたつ、軒を並べていた。ひとつは居住棟、もうひとつは作業場というふたつの小屋は、二年がかりで建設され、やっと半年前に完成したのだった。落成パーティが三カ月間にわたって繰り広げられ、やっとそのどんちゃん騒ぎが終わったばかりだ。が、終わってみたら、酔った男たちが泥壁を蹴破《けやぶ》ったり、便所の板を踏み抜いたりで、再び修理に着手した、という噂があった。

歩いているうちに倒れそうになった清子は、小屋の軒先に凭《もた》れかかったが、シブヤ集落は、ちょうど夕食の準備に追われていて、清子のことなど誰も気にする様子はなかった。男たちが、共同の炊事場で火を熾《おこ》したり、タロイモを灰に埋めたり、椰子の実を割ったり、甲斐甲斐しく立ち働いている。清子を気遣って声をかけたり、水や食料を持って来てくれる者さえもなかった。清子は、以前から感じていた微妙な変化、トウキョウたちはたった一人の女である清子を疎《うと》み始めたのではないか、という不安を感じた。しかし、清子は考えることをやめた。圧倒的な疲労の前では、ほんの先の未来など、どうでも良かったのだ。清子は、貝で美しく装飾された犬吉の作業小屋まで這い、その軒下で気を失った。

夜中、納豆風《なっとうかぜ》がまた吹いた。それは一瞬のことだったが、あまりの臭さに目を覚ました清子が、意を決して島の黒々とした夜気をもう一度吸い込んだ時には、微《かす》かに、腐敗臭が残っていただけだった。しかし、悪意がざわざわと音を立てて通り過ぎて行ったような、嫌な感覚だけは残り、もう一度眠りにおちた清子は、サイナラ岬の波蝕《はしょく》台《だい》に頭蓋《ずがい》を割って横たわる自分の姿を崖《がけ》の上から眺める夢を何度も見ては、うなされ続けていた。納豆風の中に、汗と潮の臭いが混じっているような気がしたのも、夢だったのだろうか。

頬に雫《しずく》が落ちて、清子は目を開けた。激しく飢え、また喉《のど》が渇いていたから、水分に敏感になっている。清子の周囲に、六人の男たちが集まって、寝顔を見下ろしていた。頬に落ちた雫は、男たちの汗らしい。オラガ、犬吉、カメちゃん、シンちゃん、シマダ、ヒキメ。カメちゃんは、瓢簞《ひょうたん》と長い弦を組み合わせた、楽器とも食器とも付かない奇天烈《きてれつ》な代物《しろもの》を胸に抱き、ヒキメは浦島太郎のごとく、藤蔓で作った手製の魚籠《びく》を腰から提げて釣竿《つりざお》を手にしていた。オラガは変わらずヒビ割れた眼鏡を掛けていたが、レンズの内側が暑さで曇っていた。犬吉は、アクセサリー代わりらしい黄色と緑の細い縞蛇《しまへび》を首に巻き付けており、シンちゃんは、犬吉のダミーよろしく、そっくりの格好で仕種《しぐさ》までも似せていた。ただし、シンちゃんの首には蛇はいない。いつもと変わらぬ、トウキョウ島の暑い朝だった。

「清子さん、あんた何も知らない？　何も見なかった？」

オラガが口を開いた。

「ちょっと、その前に水をくれない？」

答えようにも、口中が渇き切って舌も回らない。手真似《てまね》で頼む清子に、シンちゃんが椰子《やし》の実を割った容器に貯《た》めた雨水を持って来た。親切というより、単に話を聞きたいが故《ゆえ》の行動に思えなくもない。温く、硫黄《いおう》の味のする水だったが、数週間ぶりの真水を、清子は貪《むさぼ》るようにして飲んだ。飲んで落ち着くと今度は、何て気の利《き》かない連中だろう、と腹が立ってならない。トウキョウ島における生態系を完璧《かんぺき》にする存在、天然記念物に指定されてもいいトウキョウ島のトキ、たった一人の女である自分を、こうも軽く扱ってくれるとは。危うく死ぬところだったではないか。こいつらは、今後、女を見ずに死んでしまっても構わないのか。が、突然、清子は思い至った。もしかすると、トウキョウたちは、自分の二週間の不在の間に、女など面倒な存在でしかないのだから要らない、と結論付けたのではないだろうか。「公衆便所」と立て札を掲げられ、無惨な廃墟《はいきょ》と化した自分の家が、その証明なのではあるまいか。そう思って六人の顔を一人ずつ見回すと、確かに、彼らは清子に何の関心もなさそうだった。どころか、視線に憎しみすら感じられるのは、なぜ。老いて醜くなったのだろうか。清子は何とか自力で起き上がり、下手に出てみることにした。

「お水、有難うございます」しおらしく頭を下げる。「本当に助かりました。ところで、何のことかしら」

清子の変化に驚いて、全員が顔を見合わせた。

「昨日の夜、ホンコンたちが全員逃げちゃったんだって。アタマがこの責任取るって、サイナラ岬に向かったらしいよ。誰も止めなかったって。今頃、死んじゃったんじゃない」

蛇の小さな頭を撫《な》でながら、犬吉が幼稚な口調で答えた。誰もが粗暴で頭の悪いアタマを侮蔑《ぶべつ》しており、事の重大さをよそに笑っている。

「あいつには飛び降りれねえよ」

ヒキメがしゃがれ声でのっそり言った。またしても、清子の脳裏に蘇《よみがえ》るカスカベの足に巻き付けられた蔓《つる》。あれを巻いたのは、アタマではあるまいか。事あるごとに、カスカベとアタマは反目し合っていた。アタマの両手両足を蔓で縛り、ホンコンたちと、えいと崖から放り投げたら、どんなに気持ちいいかしらん。それまで勝手に死ぬんじゃないよ。清子は自分の悪意を巧妙に隠して尋ねた。

「どうやって逃げたの」

「見張りも立ててないんだもん、楽勝でしょうよ。奴ら、柱ごと砂から引き抜いて、蔓をぶっ千切って、逃げたんですよ。ホンコンには敵《かな》わない」

オラガは諦《あきら》めた風に答えたが、ユタカの失策が愉快なのか、含み笑いをしていた。狂人めいた風貌《ふうぼう》が、さらに狂って見える。争いを好まない、と明言していたオラガにも、変化が萌《きざ》しているのかもしれなかった。

「どこに逃げたんだろう」

清子は独りごちた。縦七キロ、横四キロの狭い島の中だ。清子はホンコンの行方が気になった。ホンコンたちは黒い塊となって、トウキョウの集落を掠《かす》めて行った。トウキョウたちを皆殺しにしようと思えばできただろうに。半裸のヤンとムンが先頭となって、ホンコンたちが灌木《かんぼく》の茂みを駆けている様が想像できた。

「トーカイムラには、まだワタナベが住んでいるから、あの辺りじゃないかって言ってる」

「でもさ、もともとトーカイムラは、ホンコンの領土じゃない。治外法権でしょう」

シンちゃんに反論したのは、シマダだった。しかし、刀狩りまでしている以上、ユタカが黙っているはずはない。

昨夜の納豆風は、ホンコンたちが通過して行った時の臭《にお》いだったに違いない。もしかすると、あの汗と潮の混じった腐臭は、ヤンが自分を発見して、覗《のぞ》き込んだ時に吹いた風だったのかもしれない、と清子は思った。だったら、起こして連れて行ってくれたら良かったのに。ホンコンにまで見捨てられたら、生きていけなくなる。清子は焦《あせ》った。

話が終わると、六人はそれぞれの趣味に没頭するべく、今にも解散する姿勢を見せた。食料でも恵んでくれないかと待っている清子には、誰も注意を払わない。こっそり、灰の中を掻《か》き回して食べ残しのタロイモでも探そうかと思ったが、それも惨《みじ》めだった。水のお蔭《かげ》で、やっと人心地が付いた清子は立ち上がった。

「ユタカはどこにいるのかしら」

「モリさんは対策本部です」

オラガが、コウキョの方角を指差した。ユタカのことだから、大袈裟《おおげさ》な名前を付けて、粋《いき》がっているのだろう。ふん、尊大で嫌な奴だ。

「僕らも行かなきゃならないから、一緒に行きましょうか。皆で捜索することになっているんだって」

「あたしは行かないよ」

オラガが意外そうに清子の顔を見た。誰もが、無一物になった清子がトウキョウで生きていくには、ユタカの助けがなければ難しい、と考えているのは明らかだった。

だが、まっぴらだ。トーカイムラに行ってホンコンたちと暮らし、また船を作って航海に出る方が良い。島からの脱出というだけでなく、あらゆる意味で、ホンコンの側に自分が生き延びる可能性があった。女として生きるためにも。なぜなら、ヤンは自分を欲してやまなかったではないか。女は、触媒になどなる必要はなく、勝手に本能を滾《たぎ》らせてくれる男たちと暮らした方が楽しいのだ。何しろ、トウキョウときたら、清子というしち面倒臭い存在を疎み始め、集団から遠ざけようとしているのだから。

トウキョウこそが「蛋《タン》」。つまり、一個の卵なのだった。卵でしかない無人島に、さらに卵が住む馬鹿馬鹿《ばかばか》しさ。

「清子さん、どこに行くの」

オラガの問いを無視して、清子は一人、島の中央に広がる、なだらかな山に向かう道を歩き始めた。トーカイムラに向かうつもりだ。途中、清子はマンゴーの木を見つけて、まだ青い果実を口に入れた。不意に、自宅であるチョーフの丘にあったマンゴーの木を思い出して、涙が滲《にじ》みそうになった。ユタカと暮らした三カ月間は、幸せの絶頂だったのに、それを大きく変えたのは、他ならぬ自分だということに気付いたのだった。自分がホンコンたちと船で脱出したことが、トウキョウ島の運命を大きく変えた。トウキョウとホンコンが決定的に分裂し、清子を失って悲嘆に暮れたユタカが記憶を取り戻してリーダーになったのだから。争いは、ますます熾烈《しれつ》になっていくことだろう。その時、どちらに付くべきか。清子は、マンゴーの大きな種を茂みに吐きながら、そんなことを考えていた。

急に気分が悪くなった。嘔吐《おうと》。空腹が過ぎたのかと思ったが、果物を見るだけでも気分が悪くなる。下腹も張って痛い。変だわ、と清子は腹を擦《さす》った。この違和感は、経験があった。妊娠の初期症状。清子は、二十代の終わりから三十代初めにかけて、三回も流産していた。だから、悪阻《つわり》の感覚だけははっきりと覚えている。妊娠しにくい体だから、おそらく二度と子供は授からないだろう、と医者に言われて諦め、隆と二人で生きていく決心をしたのだ。それが無人島に来てからの放埒《ほうらつ》さに輪をかけていたのだが、まさか今頃になって妊娠することがあり得るだろうか。四十六歳にして出産とは。それに、子供だとて、ユタカの子かヤンの子か、わからないのだ。微妙な時期だった。清子はマンゴーの木に寄りかかり、最後の生理がいつだったか思い出そうとしていた。

樹木が揺れ、誰かがこちらに近付いて来た。ホンコンか、ユタカの一団か。そのどちらかで、自分の態度を決めなくてはならない。清子は頭を巡らせて、人物が現れるのを待った。よく通る朗らかな歌声がした。

「はいほー、はいほー、おー死んじまえ。サイナラ岬でそーっとね。はいほー、はいほー」

ユタカが歌いながら、二人の人物を引き連れ、ジャングルの中から現れた。一人はサイナラ岬から飛び込もうとしたアタマだった。アタマは恐縮しきっているのか、卑屈な様子で目も上げない。もう一人は、女だった。驚いた清子は目を凝らしたが、誰かわからない。ずんぐりした清子と違って、すらりと背が高く、髪が短かった。しかも、女は、清子が二枚持っていたうちの、更紗《さらさ》の方のワンピースを着ていた。救出時に着るには、綺麗《きれい》過ぎるという理由で、隠し持っていた服。隆と世界一周の航海に出る前、インドネシアに試験航海に行った隆が買って来てくれたジャワ更紗のドレスだ。それにしても、この島に女がもう一人いたとは。

「あら、清子じゃない。ぼーろぼろ。いい気味」

ワンピースを着た女が野太い声で、清子をからかった。ワタナベだった。ワタナベは、ワンピースの裾《すそ》を両手でつまみ、いやんいやん、と首を振りながら、ぎっしりと生えた下草が裾に絡《から》まるのを避けて歩いている。

「あんた、何であたしの服を着ているのよ。早く返してよ」

清子はワタナベに摑《つか》みかかった。ワタナベは、「やめてよ」と清子を払い除《の》けた。力は遥《はる》かに強く、清子は下草の中に仰向けに倒れた。下着を着けていないし、着ている服は襤褸《ぼろ》なので、頭に血が昇る。

「あたし、これから女として生きることにしたのよ。あんたなんか失格よ。あんたは、ただのエロババアじゃない。ホンコンなんかとつるんじゃって、裏切り者のエロババアよ。女の資格ないわ。それも脱ぎなさいよ。あんたは、野生の猿みたく裸で生きるといいのよ」

ワタナベの髪の生え際《ぎわ》はさらに後退して、骸骨《がいこつ》のような細長い顔が、科《しな》を作って喋《しゃべ》るからさらに醜くかった。ユタカが、まあまあとワタナベを押さえた。

「ワタナベ、返してあげなさい。清子さんは、たった一人の女性なんだから」

「じゃ、あたしはあたしは、何を着ればいいの」

質《たち》の悪いオカマのように、ワタナベは唇を尖《とが》らせて文句を言った。ホンコンに見捨てられたワタナベもまた、別の人生を選んだということか。

「あんたも大事だよ。島民は皆、大事さ」

ユタカがまた適当なことを言う、と清子は嫌悪《けんお》に顔を歪《ゆが》めそうになったが、辛うじて堪《こら》えた。こちらも同じことをしなければ、自分ばかりかお腹《なか》の子までが生きられない。清子は、早くも胎児のことを思う自分にびっくりした。これが女なのよ。またしても、得も言われぬ優越感が湧《わ》き、清子はワタナベを鼻で笑った。

「ふん、だ。みっともない女ね。顔見たことあるの。真っ黒で醜いわよ。お肌なんか、がーさがさ」

ワタナベが頬を両手で挟み、いやーん、悔しい、と叫ぶ。

「清子さん、大丈夫？　顔色が悪いよ」

ユタカが心配そうに眉《まゆ》を顰《ひそ》めた。先に会ったのがユタカなら、仕方がない。コイントスのように、自分の運命を決めようと思っていた清子は、ユタカを手招きした。

「ちょっと二人だけで話があるのよ」

何さ、と怒るワタナベと、魯鈍《ろどん》のように口を開けて黙りこくっているアタマから離れ、ユタカが近寄った。微妙に距離を取っているのに気が付いたが、清子は構わずユタカの形の良い耳に囁《ささや》いた。

「あたし、妊娠したらしいのよ。あなたの子よ」

ユタカの顔に驚きが走るのを観察しながら、清子はまたも土壇場《どたんば》で運命を決めた自分を、これでいいのか、いいのだ、と自問自答し続けていた。それは、崖《がけ》の上から、波蝕台《はしょくだい》に横たわる自分を眺める夢の気分に少し似ていた。

第二章

1　棄《き》人《じん》

九月十一日（島に来て一年三カ月）早朝雷雨、後快晴

今日の私が一番食いたい物は、苺ジャムを厚く盛った食パンです。ジャムの甘み、苺の粒が歯に挟まる感触、そして食パンの柔らかさを思い出すと、切なさに身震いするほどです。苺ジャムはコンビニで売っているような、不自然に赤い色をした低級品で結構。保存食でありながら、贅沢な食品でもあるジャムは素晴らしい。質はどうあれ、真っ白な砂糖を大量に消費して作られたジャムはまさしく文明です。この際、使用するパンは、ヤマザキの六枚切り食パンに限ります。六枚切りの理由は、八枚切りでは薄過ぎるし、四枚切りでは苺ジャムがパンに負けてしまうからです。なお、ヤマザキパンも素晴らしい。大衆的なブランドではありますが、万人の口に合うべく企業努力を怠っていません。柔らかいのに水っぽくない軽さがあり、特に、パンの固い耳は秀逸であります。そもそもパンの耳は、微妙に口中の水分を奪い取って、早く水分の多い柔らかな白い部分に歯を立てたいと願う欲望を誘うために存在しているのですが、ヤマザキのそれは、欲望を拒むでもなく、媚びるでもなく、何ともバランスが良いのです。ヤマザキパンも、日本が誇る偉大な文明なのです。

二番目に食いたいのは、同じくヤマザキの八枚切り食パンにバターを塗り、上にうっすらと雪のように砂糖をまぶしたサンドイッチです。これは、食パンが薄い方が美味です。勿論、おやつですが、明治生まれの祖母がよく作ってくれました。それにしても、祖母よ、私はどうしてこんな野蛮な島に一人取り残されているのでしょうか。私は文明が懐かしい。文明がなければ、人間の脳味噌は退化する一方で、獣に戻るのだということがよくわかりました。老人性痴呆で逝ったあなたを、高校生の私は、随分と冷たく扱ったものです。今更ながらに申し訳なく思いますが、あなたの混乱した最後の数年より、私はさらに惨めで貧しい晩年を迎えました。何卒、現世での私の罪科をお許しください。

私が三番目に食いたい物は、同じくヤマザキの四枚切り食パンを軽く焼き、バターを塗り付けてからハムを載せたトーストです。バターの量はマッチ箱ほど。溶けたバターがトーストの表面から内部に染みていき、いまだ溶けない黄色いバターの角がだんだん丸くなる様を思い浮かべると、涙が出ます。ハムは安物でも、いえ、あってもなくても構いません。小さな茹で卵で結構。厚めのトーストにバターを染み込ませ、茹で卵とコーヒーが欲しい。ああ、私は突然、喫茶店のモーニングセットが食いたくなりました。トーストで思い出しましたが、八枚切り、もしくは六枚切り食パンを焼き、細く刻んだキャベツを炒めた物を大量に載せて塩胡椒してから、マヨネーズをちょっと載せたサンドイッチもいけます。そうです、私は死ぬ前にほんのちょっとでいいから、食パンが食いたい。私は米飯よりパンが好きなのです。芋だのバナナだのトカゲだの、素材をそのまま焼いたり煮たりして食らう野蛮な食事には飽き飽きしました。私は文明が大好きなのです。小麦を育て、粉を作り、練って発酵させ、オーブンで焼くという行為。何という長い営みでしょうか。それこそが文明であります。私は甘い甘いジャムと砂糖を味わいたい、ハムトーストにかぶりつきたい、バターを塗ったトーストの匂いを嗅ぎたい。清子は春日部と出て行ったきり、一週間帰って来ません。今頃、獣と化して互いの性器を舐め合い、食欲を満たしているのでしょう。女は文明にほど遠い存在であります。

ワタナベこと渡辺実は、トーカイムラの浜に転がっているドラム缶の陰で、隆の日誌の中の、気に入りの個所を読んでいた。これで何百回目だろうか。島の生活に退屈すると、隆の日誌を開きたくなる。ワタナベにとって、隆の日誌はバイブルであり、エロ本であり、映画で、テレビだった。隆の遺《のこ》した文章は、読む度にワタナベの内部に何がしかの強い衝動をもたらした。食欲と性欲と感情。あるいは、ごっちゃになったすべて。清子についての記述が子細ならば、強い憎しみと性欲が起こり、食物について書いてあれば、強烈な食欲に襲われて、必ず悲しくなった。性欲はともかく、これほどまでの食欲がどうして、と不思議に思ったワタナベが、それは隆と自分の食物の好みが似通っているせいだ、と気付いたのはかなり後だった。

ワタナベも、飯よりパンの方が好きだった。ただしワタナベは、バターでもジャムでもマーガリンでもマヨネーズでもなく、食パンの表面にスプーンの背面を器用に使ってケチャップを塗りたくったものを好んだ。というより、それが子供の頃のワタナベの常食であり、味覚の原点だった。だから、この「九月十一日」の苺《いちご》ジャムのくだりは、ワタナベの口中に、干涸《ひか》らびた食パンの食感と、ケチャップの甘みと酸味を蘇《よみがえ》らせ、次いで、薄暗く寒いアパートの部屋で、袋に数枚残った食パンを、三歳年下の弟と奪い合い、カゴメケチャップのチューブを絞ってパンになすり付けている子供時代の悲しい記憶を呼び覚ました。その時の侘《わ》びしさと歓喜の味覚を思い浮かべるうちに、ワタナベの性器は勃起《ぼっき》したが、射精まではいかなかった。ワタナベは、清子とカスカベが互いの性器を舐《な》め合っているところも想像しようとしたが、今ではそんな妄想よりも遥《はる》かに、子供時代のケチャップの味覚の方が強烈さでは上回っていた。それに、この日誌に書かれたカスカベはとうに死んでしまったのだから、記憶などとうの昔に薄れ、妄想は育たなくなっている。

射精に失敗したワタナベは、締まりのない唇の端から唾液《だえき》をこぼしながら起き上がり、周囲を見回した。虚《うつ》ろな気分だった。長く続く白浜に青い海、点在するアルミ製のドラム缶がぎらぎらと日光を反射している。その景色はシュールな絵のように美しいのに、ワタナベが満足できる味覚は島中のどこにもないのだ。トマトは島に自生しておらず、バナナもパイナップルもケチャップの代用にはならない。そして何より、白いパンも砂糖もトウキョウ島には絶対に存在しないのだった。女は一人いても。いったいどういうことだ、とワタナベは独りごちた。俺はケチャップが欲しいのか、女が欲しいのか、そしてなぜ何も得られない世界で満足して生きていられるのか。訳がわからなくなったのだった。急に哲学的になって混乱したワタナベは、焦《あせ》りながら汚い指で苛々《いらいら》と日誌のページを繰った。

ワタナベが、自分にも味覚の記憶が存在することに気付いたのは、隆の日誌によってだった。さらに、ワタナベは、日本で何の気なしに食べていた食物についても、様々な知識を得たのだった。例えば、ケチャップが日本古来の調味料だと思い込んでいたのは大きな間違いだったことや、子供時分にケチャップを付けて齧《かじ》っていた乾麺《かんめん》は、一度茹《ゆ》でなければ食べられない代物《しろもの》であったことなどを。無知故《ゆえ》に、これまで周囲から馬鹿《ばか》にされ、不味《まず》い物しか食えず、女の一人ものにすることができなかったのだ、とワタナベは得心し、真実を教えてくれた隆に感謝していた。

もし、隆が本物のグルメだったなら、ワタナベの食生活とも言えない貧弱かつ単調な食体験からは、そこに書いてあることは何ひとつ理解できなかっただろう。が、幸いにして、隆はいわゆるB級グルメだった。隆の日誌には、食物に纏《まつ》わるせこい恨み言や細かい願望がくだくだと書いてあったのだ。特に、サイナラ岬から落ちて死ぬ数カ月前からは、不貞を働いて平然としている清子への呪詛《じゅそ》や性的な妄想は姿を消し、あれが食いたい、という記述が一気に増えた。最初は、具体的だった。ふっくらエッジまでとろりとチーズがかかったピザーラのイタリアンバジルピザが食いたいだの、維新號《いしんごう》の蟹《かに》シュウマイが懐《なつ》かしいだの、満留賀《まるか》の鍋焼《なべや》きうどんに入っている、ふやけたエビ天を食いたいだの、と。しかし、それも次第に、ハンバーグ、トンカツ、カレーライス、ラーメンが呪文のごとく繰り返されるようになり、まるで小学生の男の子の日記のようだった。そして、死ぬ直前の数週間は、「九月十一日」に見られるように、食物と文明について、考察とも思考とも付かない感想に終始していた。つまりは、碌《ろく》に学校にも通わなかったワタナベは、隆の日誌によって、意識せずとも文明についても学んだことになる。とはいえ、ケチャップパンくらいしか食への執着を持たないワタナベは、文明という概念すらも知らなかったし、現在このトウキョウ島にいる以上、考えても仕方がないことだった。だが、隆の「文明とは食物に如実《にょじつ》に表れている。文明はこの島には皆無である」とする考えだけは、確実にワタナベの頭脳と魂と肉体を冒したようだった。そして、それは島でただ一人の女、清子という存在とどういう訳か不可分だった。もしかすると、自分に隆が取り憑《つ》いたのかもしれない、とワタナベは、四年間にわたって日誌を熟読したせいで、多少良くなった頭で考えたこともあった。だから、自分は清子の動向に固執し、清子を憎み、清子を犯そうと常に狙《ねら》っているのだ、と。だが、この答えは、隆の日誌には書いてない。

しかし、ひとつだけ、有用な発見もあった。それは、旨《うま》い食い物を知らないお蔭《かげ》で、何の執着もない自分は、誰よりもトウキョウ島で生きるのに適している、という発見だった。なぜなら、他の連中も隆と似たり寄ったりで、顔を合わせれば、ホープ軒のラーメンが食いたいだの、吉野家の牛丼《ぎゅうどん》の夢を見た、だのと愚痴をこぼしては弱っていった。が、ワタナベは、口にできるものがあるだけで満足なのだ。そして、何もせずにふらふらと生きていられるのならば、日本にいるよりもずっと幸せだ、と思うことさえあった。しかも、ワタナベは親に捨てられ、島では仲間からトーカイムラに追い払われ、島を脱出するホンコンからも捨てられた。永遠に誰からも捨てられ続ける自分は、孤独が常態なのだ。ということも、無人島の暮らしに適している、とワタナベは考えた。つまりは、隆の日誌を読みさえしなければ、ワタナベは誰よりも快適な無人島生活を送ることができたはずだった。

ワタナベが隆の航海日誌を盗んだのは、かれこれ四年前のことだ。虫が知らせたのか、偶然にも、隆がサイナラ岬から落ちて死ぬ三日前の夜だった。急に若い男たちに追い駆け回されるようになった清子は、浮かれていつも不在だったから、食中毒で衰弱した隆が一人で寝ている小屋に、ワタナベが忍び込むのは造作もなかった。ニッパ椰子《やし》を組んだ壁の隙間《すきま》から射《さ》し込む月の光を頼りに、ワタナベは隆の寝ているベッドの脇《わき》に積まれた果物を、できる限り、短パンのポケットに捻《ね》じ込んだ。具合の悪い隆のために、清子が用意したのだろうが、すでに墓前の供物《くもつ》のように萎《しな》びていたところを見ると、かなり前に置いたに違いなかった。次いで、島一番の物持ちである隆夫妻から何か掠《かす》め取ってやれ、と棚の上を物色している時、盗んでくれと言わんばかりに置いてある分厚いノートが、目に入った。

隆が航海日誌を命より大事にしているのは、トウキョウの誰もが知っていた。トウキョウにおける唯一《ゆいいつ》の紙、唯一の記録が、そこにあったからだ。だが、ワタナベは航海日誌など屁《へ》とも思わず、大便を拭《ふ》くために、そしてトウキョウの奴《やつ》らを悔しがらせるために奪うことにした。特に、オラガこと坂本は小説家志望だったと聞いているし、一緒に島に来た奴らの中には、週刊誌の仕事をしていたライターとやらもいるらしい。そいつらは、何度も隆のもとに足を運び、ノートの紙を少しでも分けて貰《もら》うべく頼んでいたというではないか。ふん、どうせこっそり記録でも書いておいて、脱出した後、金儲《かねもう》けするつもりなのだろう、とワタナベは考え、島から紙が消える瞬間を悲しめ、と嘲笑《あざわら》った。が、ワタナベが分厚い日誌を手に取った途端、ベッドで眠っているはずの隆が身じろぎし、笑うような目でこちらを見たような気がした。ワタナベはぎょっとして薄闇《うすやみ》を窺《うかが》ったが、隆は固く目を閉じ、苦しそうな寝息を立てていた。気の迷いだと疑いを打ち消し、ワタナベは盗品を抱えて一目散に逃げたのだった。

翌朝、ワタナベは、寝床にしている棕櫚《しゅろ》の木の下で、隆の航海日誌を開いた。ほぼ一年ぶりに読む文字は、もともと読解能力が極度に低いこともあって苦痛以外の何物でもなかった。ワタナベはすぐに放り投げ、日誌を枕《まくら》にしてもう一度寝た。暑さに堪えられなくなって昼頃目を覚ましたワタナベは、気を取り直して航海日誌の最初の部分を読み始めた。読みやすい字で丁寧に書いてはあったが、クルーザーでの苦しい漂流と、おのれの操縦自慢しか書いてないので、馬鹿馬鹿しくなって読むのをやめた。ばかりか、航海日誌の部分の大半を破り取って、海で小魚を掬《すく》うのを試した後、役に立たないことがわかって癪《しゃく》に障《さわ》り、ふやけた紙を大便を拭くのに使用してしまった。それは、非常に快適だった。

数日後、退屈のあまり、ワタナベは再び日誌を開いた。航海日誌の大半は破ってしまったが、島に流れ着いてからの部分を読み始めたワタナベは、少し面白く感じた。隆は、自分たち与那国島組の一団が島に漂着したことを大ニュースとして扱い、ワタナベにも触れていたからだ。隆は、島で皆が力を合わせて生き延び、助けを待つことの重要性を書いていた。

九月二十八日（島に来てから三カ月と十七日）　快晴、夕方スコール救出終了。昨夕、台風が接近。大荒れの浜を眺めていたら、沖合で沈みかけた漁船を発見した。船からわらわらと人間が飛び込んだのが見えたので、急いで松明《たいまつ》を作り、清子と共に徹夜で誘導した。泳ぎ着いた者は全員疲労困憊しているが無事。全部で二十三人の若者を浜で救出したことになる。しかも、有難いことに全員日本人だった。聞いてみると、与那国島から脱出したらしい。バイトを嫌っただけの若い人たちが、ほんのちょっとの冒険心で船出したためにこんな災難に遭うとは、全く気の毒なことだ。

眼鏡の蔓が壊れた以外、比較的元気な坂本君の話によると、当初は三十人近くで出発したということだから、七人もの尊い若い命が海の藻屑となって消えたことになる。合掌。遺体が漂着しないのは海流の関係か。

まだ名前は全部把握していないが、二十歳になるかならないかくらいの少年（八尾君）が、海水を沢山飲んで肺炎を起こしたようだ。体力のある河原君、渡辺実君、春日部君、酒井君らが、食料や薪などを探しに早速ジャングルに入ったと聞く。頼もしいことだ。特に河原君には、一人でも多くの仲間を助けようとする義侠心を感じた。感激。

僕ら夫婦にとっても、二十三人もの若者が新しく仲間になったことは、心強いし嬉しい。清子も、島に着いてからはしばらく、心細さと絶望とで、よく泣いていたものだ。命がやっと助かった喜びも束の間、無人島と知った時の落胆は、本当に辛いものである。しかし、僕ら夫婦は、若者たちが来てからとても強くなった気がする。僕ら夫婦は、彼らの両親になろう。よき相談相手になり、庇護し、共に助け合って、いつか必ず来る救助を待ちたいと思う。希望を捨てるな。この言葉を座右の銘にしたい。

バカめ。「九月二十八日」を読み終わったワタナベは、思わず噴き出したのだった。河原君というのは、河原義幸。今現在、トウキョウ島では「アタマ」と呼ばれて、「オラガ」こと坂本が理論派なら、武闘派の雄として、皆に一目置かれる存在になっているからだ。アタマは群馬の「族」で、自分の一年後輩だ。なのに、ワタナベを無視し続けている。それは、うっかり「暴走族の頭」だった、と島民の前で嘘《うそ》を吐《つ》いてしまったせいもあるし、怠け者のワタナベが嫌われているので関わり合いを持ちたくないという理由もあるらしい。だが、ワタナベはそのことでアタマを脅迫し続けていた。

そもそも、与那国くんだりでバイトすることになったのは、アタマの誘いだった。アタマは、暴走族の頭どころか、ワタナベ同様、バイクなど運転できないし、持ってもいない。要は、ぐれていたい気分だけの「族」だった。実績のない人間はどこでも馬鹿にされる。ワタナベとアタマは、地元のヤクザになった先輩たちにいいようにこき使われていた。若い女の調達や、盗撮のセッティング、など下の下の仕事だ。ある日、ワタナベとアタマに、街宣車に乗るよう指令がきた。ちょうど相撲協会の八百長問題が起きていた頃で、八百長疑惑のある曙《あけぼの》関に街宣をかけるというのだ。ワタナベとアタマは、特攻服に着替えさせられ、街宣車に乗り込んだ。片道二時間の道中は、「宇宙戦艦ヤマト」を大音量で流し、ジュースを飲んだり、テレビを見たりで、物見遊山《ゆさん》気分で楽しく過ぎた。が、曙の部屋の前で、面倒見が「ハワイへ帰れー、曙、ゴーホーム」などと街宣した後、ことが起きた。近所の公園横に街宣車を停め、ワタナベとアタマが、近くのコンビニに弁当を買いに行かされた帰り、浴衣《ゆかた》姿の異様に太った男たちに周囲を取り囲まれたのだ。二人は、特製幕の内弁当七個と爽健美《そうけんび》茶《ちゃ》五百ミリリットル入り七本を投げ出して、ＪＲの駅に逃走したのだった。それを聞いた面倒見が、顔を潰《つぶ》された、あいつら殺してやる、と激怒したとの噂《うわさ》が流れ、気の弱いアタマが「本州から逃げようや」と、与那国島の野生馬調査のバイトを探してきたのだった。勿論《もちろん》、ワタナベも、面倒見やヤクザが怖かったが、海を渡るほどのことでもないだろうと高を括《くく》っていた。しかし、一人になりたくないアタマが、「サーフィンとかやれるかもしれないし、島の女を引っかけて永住できるかもしれない」と誘うので、一緒に行く気になったのだった。

それが、今や、外面《そとづら》のいいアタマはちゃっかりリーダー面をし、ワタナベは放射性廃棄物があると噂される浜に追いやられている。しかも、何もしなくても島で充分食べていけることがわかった途端、アタマを含め、若い男たちは島でたった一人の女、清子を追い駆けることに血道を上げているのだった。ワタナベを抜かして。

隆が清子の行状に気付かない訳はない。ワタナベは意地悪い笑みを浮かべて、日誌のページを繰り、清子に関する記述を探した。日誌は後半から「ですます体」になり、格段と読みやすくなっていた。

二月九日（島に来てから七カ月と二十九日）　雨後曇り

島は異様な熱風と湿気に覆われています。嵐が来るのでしょうか。低気圧のせいか、私は朝から気分が悪くてなりません。全身の汗が引かないので、皮膚がぬるぬるした鱗で被われているような気がします。おまけに、昨日食べた木の実のアクが強かったのでしょう。腹がしぶっています。私は用便と入浴を兼ねて、弱った体に鞭打ち、オダイバ浜に降りました。清子に助けて貰いたかったのですが、清子は一週間も家を空けています。海水浴の後、地面に落ちたマンゴーなどを朝食用に拾って小屋に戻って来ると、中から男女の話し声がするではありませんか。

「清子、服脱げよ」

「駄目よ、あの人帰って来るわよ」

「いいじゃんか。おっさんに見せてやろうぜ」

清子と春日部の声でした。私は動悸を抑えて、小屋の窓に回りました。二人の噂は勿論耳に入っていますが、半信半疑だったのです。すると、大きな白い動物と小さな黒い動物が、ベッドで絡み合っているのが見えました。私は、まさか、と我が目を疑いました。動物と見えたのも無理はありません。二人は吠え、噛み合うかのように激しく、のたうち回っているのでした。驚いたことに、一週間見ない間に、清子の体は前よりも豊満になり、生気が溢れていました。大きな乳房は左右に揺れ、腰は脂ぎっているのに締まり、陰毛は前より黒く濃くなっていました。大きく開いた清子の脚の間に小柄で筋肉質な春日部が身を埋め、二人は激しい上下動を続けています。これは本当にあの清子なのだろうか。私は立ち去ることもできずに凝視し続けましたが、次第に怒りで震えてきました。

昔の清子は貞淑な妻でした。私の方針に逆らうことなく、私を立ててくれました。

世界一周の航海にも、文句ひとつ言うでなく付き合ってくれ、いい女房だと何度も思ったものです。なのに、島に漂着してからの清子は、いいえ、あの若者たちが来てからの清子は、全く違う女になってしまったのです。

行為が終わり、春日部は清子に優しくするでもなく、さっさと自分の下着を穿くと出て行ってしまいました。あまりの身勝手さに、私はそんな男と付き合う清子に腹が立ったくらいです。私は嫌々、小屋に入りました。清子は裸のまま、気怠くベッドに横たわっていましたが、私の姿を見て目を背けました。

「お早う。どこに行ってたの」

「浜だよ」

「見てたんでしょう、知ってるわ。あなたもやりたい?」

驚いたことに、私はその気になっていたのです。清子の豹変を薄気味悪く思い、獣だと軽蔑していた癖に、実は、私は清子のそういう姿に魅了されたのでした。今まで知らなかった妻の姿に衝撃を受けつつも、私は妻の性の虜になりたいと願っていたのでした。いいえ、本当はすでになっておりました。実は、私は清子が誰かに抱かれて帰って来る度、清子が誰に抱かれ、どんな風に乱れたのか、聞かずにはおれなかったのです。そして、私も清子を抱いて、清子の中にあって、私は気付かなかった清子の獣性に体で驚き、喜びを得たかったのです。しかし、私は清子を抱くことはできませんでした。いざ、抱こうとすると清子が拒むのです。理由はわかりません。この時もそうでした。私が清子の体に触ろうとすると、手を払い除けるのです。

「やめてよ。疲れたの」

「お前は島の男全員と寝ているんだろう。俺だっていいじゃないか」

私の声は震えていたと思います。しかし、清子はあっけらかんと答えるのです。

「あんたは年寄りじゃない。若い男に敵う訳ないわ」

私は愕然としました。勿論、五十近い男が二十代の男の体力に敵う訳はありません。しかし、清子は私の妻なのです。なぜ、このような残酷なことが言えるのだろうと悲しくてなりません。

「酷いことを言うなあ。お前は女房だろ」

「あなただって、若い女とさんざん遊んだでしょう」

清子はそう言い捨てると、横を向いて目を閉じました。私は棕櫚を敷き詰めた床に座り込み、どうしてこうなったのだろう、と考え込んでいました。妻が豹変しただけではありません。若い連中も変わったのです。彼らは私たち夫婦と会って、折角上陸できた島が無人島だとわかった途端、半ば自棄糞でトウキョウ島と名を付けました。

それから、変化が始まったと私は考えています。ものに名前が付けば、意味が生まれ、認識され、世界が確立するのです。私はその過程を目撃しているのです。彼らは、被災者気分で臆病に縮こまっていた癖に、何をしても咎められないとばかりに、主体的に暴走を始めました。その焦点となったのが、清子の取り合いでした。私は、四十歳を過ぎた清子が、若者たちに性の対象として見られるようになるとは思ってもいませんでした。若干の懸念はなくもなかったが、夫である私という歯止めがあるのだから、と甘く考えていたのです。そして、当の清子が男たちに追われることで別人のように変わる、とも思っていませんでした。清子も私も、自分たちを思慮深い大人だと思っていたのに、実は何も知らない幼児のようなものだったのです。それほど、新しく生まれる世界は自由で残酷なのです。

「二月九日」分を読み終わったワタナベは、隆に同情するどころか、俺だけはやってないぞ、と腹を立てたのだった。今すぐ、隆のところに行って、自分はやってないから是非やらせてくれ、と頼みそうになったほどだ。そして、清子に問い詰めたくなった。トウキョウ中の男を相手にしたのに、自分だけを寄せ付けようともしないのはなぜだ、と。腹が膨れた変態男ヤマダも、超チビのキヨシも、馬鹿《ばか》なアタマも、お前はやらせた癖に、どうして俺にやらせない。ワタナベの清子に対する攻撃性は、性欲と表裏一体で、腹を立てれば立てるほど、清子を刺し貫く自分を想像して昂奮《こうふん》した。ワタナベは、白豚のように太った清子を地べたに這《は》い蹲《つくば》らせ、背後から激しく突く妄想を逞《たくま》しくするうちに、射精してしまった。はあはあと荒い息を吐きながら、ワタナベはまたページを繰った。清子のことさえ書いてあれば、何度でもいけそうだった。これはいいエロ本を手に入れた、とワタナベは嬉《うれ》しくなった。それに、隆の気持ちがダイジェストのように変化するのが面白くてならない。が、後半は食物のことばかりなので、この時点では、性的な描写のみ読んだ。しかし、最後のページは読まざるを得なかった。一行目にひどく共感したからだった。

十月四日（島に来てから一年三カ月と二十三日） 快晴

今日の私が一番食いたい物は、カーネルクリスピーであります。揚げ立ての熱々に、たっぷりとケチャップをかけて、飽きるほど食いたいです。コーラと一緒に。それが叶うのならば、死んでも構いません。これほど体力が衰えている時、心に浮かぶのがケンタッキーやマクドナルドの食品であることは自分でも意外でした。最後に食いたい物は、和風の永谷園の梅茶漬けとか、豆腐かなあ、と常々思っていましたが、現実はそうではないのですから、人間とは不思議なものです。

それにしても、今日は暑い。暑さがぶり返したのだと思いますが、私には堪えられそうもありません。体感温度は摂氏四十度を優に超えていると思われます。夕方のスコールを強く望みます。五十歳に近い私は、近い将来、熱中症か食中毒で死ぬでしょう。いや、そんなに待てない人がいることが、私を傷付けます。いや、もう傷付く段階も過ぎました。私は馬鹿でした。早くサイナラしたいです。

サイナラ。そうだ、馬鹿だよ、おっさん。ワタナベは、カーネルクリスピーとケチャップという記述のせいで涎《よだれ》を溜《た》めながら、せせら笑った。うちの母ちゃんだって、父ちゃんと俺たち兄弟を捨てて、蕎麦屋《そばや》の出前持ちと逃げた。父ちゃんも滅多に帰って来なかった。俺と弟は何を食って生きていたと思う。どうやって成長したと思うんだ。女なんか信用するな。ワタナベは、薄汚れた部屋で、弟と電気毛布にくるまって暖を取っていた冬を思い出した。その電気毛布も、電気代未払いでしばしば使えなくなったものだ。その時の寒さに比べれば、常夏《とこなつ》のトウキョウ島など天国だ。食い物も豊富だし、うるさいことを言う奴《やつ》もいない。

突然、ワタナベの頭の中で、火花がスパークした。俄《にわか》に、隆に対する清子の裏切りと、自分の母親の裏切りが同種に思えた。さらに、清子が自分だけを嫌悪《けんお》して遠ざけていることも、隆の境遇と同じだと感じたのだ。もしや、隆は自分に読ませるためにこの日誌を書いたのではあるまいか。だから、「ですます体」に。ワタナベは、盗みに入ったあの夜、隆は自分を見て安堵《あんど》したのだと勝手に解釈した。自分は隆の後継者なのだ。ワタナベの背筋がぞくぞくした。

「おい、ワタナベ」

不意に、背後から声がかかった。ワタナベは、皿代わりの椰子《やし》の葉の下に隆の日誌を隠して振り返った。上半身裸、膝上《ひざうえ》でカットしたジーンズ姿のアタマが、にやにや笑って立っていた。数週間ぶりに会うアタマは、短髪が伸びていた。額が狭い上に剛毛なので、見るからに暑苦しい。

「お前、禿《は》げたな」と、アタマが先にかました。ワタナベは何も言わずに、にやにや笑ってみせた。すると、気弱なアタマが先に目を伏せた。陽射しが眩《まぶ》しい振りをしている。こいつはいつもそうだ。先制攻撃しかできないアホなのだ。ワタナベは、アタマの頭蓋《ずがい》の輪郭を視線でなぞった。アタマが居心地悪そうに身じろぎした。

「お前は知らないだろうけどさ、昨日、清子の旦那《だんな》が死んだ。北の断崖《だんがい》から落ちたんだ」

「サイナラ岬か」

アタマは驚いたように眉《まゆ》を上げた。

「うまいネーミングじゃんか。使おうぜ」

「勝手に使えよ、バカ」

ワタナベは、アタマがさも自分が考えたかのように「サイナラ岬」と言い触らし、挙げ句、自分にまた頭が上がらなくなるのだろうとそこまで考え、ついまた笑いを洩《も》らした。隆の日誌の一部が蘇《よみがえ》った。「ものに名前が付けば、意味が生まれ、認識され、世界が確立する」。ワタナベは、それが早速実践されたことに昂奮した。だが、アタマは嫌な顔をした。

「おめえの笑い方、ほんと感じ悪いな。まあ、いいや。今日の夜、清子さんの家で葬式だってさ。来いよ」

「行くか、そんなもん。で、何であんな場所で死んだんだ」

「噂じゃ、カスカベが落としたって」アタマは目の端に怯《おび》えを露《あら》わにした。本当は小心者だった。「いくらなんでもまさかと思うけどな。それから航海日誌がなくなったって清子が騒いでいる」

「清子とカスカベが始末したんじゃねえか。都合の悪いことが書いてあるから」

ワタナベの示唆《しさ》に、アタマはっとした表情をした。葬式の時分には、この話は皆に知れ渡っているだろうとワタナベは考え、なぜか自分が隆の代わりに清子と闘っている気がした。

2　夜露死苦《よろしく》

奇妙な葬儀だった。崖下《がけした》に墜《お》ちて砕けた隆の遺体を収容する気などさらさらなかったらしく、元大工見習いサカイが清子との同衾《どうきん》を夢見て作ったベッドの上には、大きな流木がでんと載せてあるだけだった。木の瘤《こぶ》に炭で目鼻が描かれ、横山やすしを思わせる白い船長帽が被《かぶ》せられていた。飛び出た太い枝には、オメガ・シーマスターが嵌《はま》っている。清子は、流木を亡骸《なきがら》に見立ててでも、とりあえず隆の葬式を終えてしまいたかったのだろう。貝殻や木の葉っぱ、何だって良かったはずだ。何せ、お前は、早く男とやりたいだけなんだから。好奇心に負けて、結局葬儀に出向いてしまったワタナベは、底意地の悪い想像をして、葬式だというのに、それが癖のにやにや笑いをしてしまった。

五人も入ればいっぱいになるニッパ椰子《やし》の小屋に、清子とカスカベ、ノボル、アタマ、そして真ん中に、オラガと髭《ひげ》だらけのマンタさんが突っ立っていた。十月に入っても蒸し暑く、人口密度の高い小屋の中にいる連中は汗だくだ。マンタさんが、流木に向かって最敬礼をした。マンタさんは、気が触れた、という噂《うわさ》が立って、普段は北の森で一人暮らしを余儀なくされている。綽名《あだな》の通り、平べったい顔をした三十になるかならずの男で、両手で思いっ切り引っ張ったように小さな目が吊《つ》り上がり、鼻先が尖《とが》った宇宙人のような奇妙な顔付きをしている。最近、その目尻《めじり》が一層上がって視線が虚《うつ》ろになり、始終ぶつぶつといろんな種類の神に祈っている、というので、ワタナベ同様、男たちの共同生活から締め出されたのだった。が、お経の真似事《まねごと》ができる人間が一人もいないために招集がかかったらしく、やけに張り切っていた。

マンタさんが、かしこみかしこみ、はんにゃーはらみたしんぎょー、なんまんだぶ、なんまんだぶー、と、お経様《よう》のものを唱え始めた。出鱈目《でたらめ》らしいが、一応途切れずに滑らかなので、雰囲気だけは作り出せている。中に入り切れないので、チョーフの小屋を取り囲んだトウキョウ島民が慌《あわ》てて手を合わせたが、皆虚ろで頼りなげな表情をしていた。年長で穏やかだった隆の死が衝撃なのだろう。小屋の入り口から中を覗《のぞ》いていた犬吉が、ワタナベに気付き、一瞬怯《おび》えた表情になった。高校二年生の身でトウキョウ島の島民となった犬吉は、島で一番年下ということで、清子同様、弱者ながら特権階級でもある。隆が気にかけて、始終小屋に呼んでは息子のように可愛《かわい》がっていたからだ。

「どけろ」と、ワタナベが言う前に、犬吉は自ら場所を譲った。アタマがしかつめらしい顔で、小屋の奥にある棚を背に立っていた。ワタナベが来たことに気付き、知らん顔で横を向いた。へへっ、またとぼけてやがる。ワタナベはアタマの小心さを嘲笑《あざわら》った。

マンタさんが小さな貝を繋《つな》いだ数珠《じゅず》もどきの紐《ひも》を揩《す》り合わせて、「喪主の方、何かひと言、お願いします」と言った。ベッドの横に蹲《うずくま》っていた清子が立ち上がった。一度も見たことのない、柄の沢山ある民族衣装のようなドレスを纏《まと》っている。それがジャワ更紗《さらさ》だという知識も、また知りたいという欲求も皆無なワタナベは、清子がまだ潤沢に物を持っていることに激しく嫉妬《しっと》した。着の身着のままで泳ぎ着いた与那国組に比して、隆と清子は沈没寸前のヨットから、かなりの生活用品を運び込めたのだ。しかし、男たちは女らしさを感じさせる清子の姿に圧倒されたのか、正視さえできない有様だった。すっかり忘れていた文明の豊かさ、華やかさを再確認して、声を上げて泣く者さえいた。

清子は、ノースリーブの袖刳《そでぐ》りから露《あら》わになった白く太い腕を流木の方に伸ばし、大きな声で叫んだ。ワタナベは、小学校の卒業式の時にやらされた「呼びかけ」という行事を思い出した。

「隆さん、これまでありがとう。あなたと暮らした年月を考えています。ちょうど二十年間でしたね。きっと、二十年目にも銀婚式とか金婚式みたいな言葉があるんでしょうね。何婚式って言うんでしょうか。東京にいたら、二十年目のお祝いをしていたわね。二人でイタリアン・レストランに行って、美味《おい》しいワインを空けていたわよ、絶対。だけど、最後の一年余りを、同じトウキョウでも、こんな誰も住んでいない南の島で暮らすことになるなんて、思ってもいなかった。ねえ、あなたも、私たちの結婚生活がこんな場所で終わりを告げるなんて、思ってもいなかったでしょう。いいえ、私はあなたの世界一周の旅を恨んでなんかいませんよ。だって、伴侶《はんりょ》じゃありませんか。一緒にいるのが務めじゃありませんか。だけどね、寂しいです。あなたはどうして先に逝《い》ってしまったの、私を一人こんな島に残して」

清子がさめざめと泣きだしたので、カスカベだけでなく、自分たちとの疚《やま》しい関係の数々を熟知している島民は、内心、白々しいと思っているのだろうが、つい貰《もら》い泣きをしている。隆が死んでしまってようやく、自分たちが如何《いか》に年長の隆を頼っていたかを自覚したのだろう。へん、遅いぞ。隆の日誌を読んでいたワタナベは、自分が隆を年寄りだと馬鹿《ばか》にし切っていたことなどすっかり忘れ、あたかも隆の薫陶《くんとう》を受けたのは自分だけであるような錯覚に陥っていた。正統な隆の遺志を継ぐ者、それは俺なのだ。隆の考えを、持ち物を、そして妻を自由にできる者、それも俺だ。なのに、清子はカスカベのような下等物件と一緒になっていやがる。

ワタナベは、憎しみと蔑《さげす》みの籠《こ》もった目を清子に向けた。白豚、俺は知ってるんだぞ、お前が隆を裏切り、そこにいるカスカベと亭主の前で白昼堂々まぐわっていたことをな。それに、何がイタリア料理だ、何がワインだ。お前の亭主は苺《いちご》ジャムを塗ったパンを食えたら死んでもいい、と日誌に書いているじゃないか。死ぬ三日前は、カーネルクリスピーだぞ。マンタさんが、泣いている清子を慰めようとしたのか、黒い毛が密生した細腕を清子の肩に置き、邪慳《じゃけん》に振り払われている。その様を目撃したワタナベは、清子が嫌って相手にしなかったのは、自分とマンタさんだけだと気付き、一層腹立たしくなった。双方とも、島の共同生活から放擲《ほうてき》された人間だったからだ。しかも、マンタさんは、異常なほど痩《や》せ細った搾《しぼ》り滓《かす》みたいな男だった。

だが、ワタナベが送った憎しみの念は、どういう訳か、身を屈《かが》めて泣いている清子を擦り抜けて、流木の枕頭《ちんとう》に立っていたカスカベに向かったらしく、カスカベが般若《はんにゃ》を思わせる目をこちらに向けた。嫌な奴《やつ》だ、と内心吐き捨てながらも、ワタナベは目を合わせぬように下を向いた。カスカベには、与那国島できついバイトをしていた時に、「薄気味悪い野郎だ」と因縁を付けられ、宿舎の裏でぼこぼこにやられていた。だから、苦手というより、怖《おそ》れているのが正しい。

カスカベは、足立のヤンキー中のヤンキーと自称しており、群馬出身のワタナベとアタマを舐《な》め切っていた。カスカベの金髪に染めた坊主頭《ぼうずあたま》は島で伸び、今やぼうぼうと逆立った髪のほんの先っちょだけが、金茶色に染まっているのが不気味でもある。しかも、剃《そ》り込みの部分が遅れて伸びているので、額の両脇《りょうわき》に真っ黒な短毛が飛び出しているのが、鬼の角に見えないでもない。鋭い目付きを強調するために眉《まゆ》を剃りこぼっているのかと思ったら、もともと薄く、ほとんどないも同然の眉が、髪の黒さと目付きの悪さと相俟《あいま》って不気味な凶相を作り上げていた。カスカベが、唇の横を親指で掻《か》きながら、面倒臭そうに言った。

「おう、みんな。今日は集まって貰ってありがと。今日から、チョーフをシンアヤセと呼んでくれないか。頼むよ。俺の故郷なんだよ。それとさ、おっさん死んじまったのは悲しいけど、これから皆で力合わせて頑張ろうや。おっさんにこの島はキツイよな。最後、あんな自殺みたいなことになっちまったけど、それも無理はないほど、げっそりなってたしな。自然のなりゆきって言ったら、ちょっと酷《ひど》いかもしれんが、サバイバルちゅう言葉もあるから、皆、あまり気にすんなよ。それから、清子のことだけどな。清子は島でたった一人の女なんだから、誰かが保護して可愛《かわい》がらなくちゃならない。俺が面倒見ることにしたんで。そこんとこ、ヨロシク」

カスカベが隆に代わって清子の夫になり、この島を牛耳る、と言っているのも同然だった。全員が頷《うなず》きながらも、恐怖の表情を浮かべていた。カスカベが清子に執心するあまり、邪魔になった隆を突き落とした、と誰の脳裏にもこの想像が、いや映像が浮かんでいるのだ。それに、清子がカスカベのものになったということは、清子に手出しする男をカスカベが容赦なく殺す、ということでもある。隆の真の後継者はこの自分なのに。ワタナベは苛々《いらいら》したが、この場ではどうにもできないことはわかっていた。

カスカベが、手下のノボルに合図した。ノボルは一見して、薄馬鹿とわかる。シンナーのやり過ぎが原因なのか、もともと頭のネジが一本足りないのか、あるいは両方なのか、半開きの口を締めることができずに、数本足りない前歯から、しゅーしゅーと息を洩《も》らしながら、拙《つたな》い口調で叫んだ。

「コウキョ前広場に、椰子酒と椰子蟹《がに》を用意してますんで、皆さん、飲んでやって、いや、飲んで行ってください」

島民は、どやどやとコウキョ前広場に向かった。チョーフの丘より、徒歩で十分程の平たい岬（オダイバ浜を見下ろす形になっている）が、コウキョ前広場だ。すでに陽が落ちて、焚火《たきび》が煌々《こうこう》と広場を照らし出していた。焚火の周囲では、カメちゃんやダクタリなどが精進落としの準備をしていた。ワタナベの腹が鳴った。この際だから、三日分くらい、たらふく飲み食いしてやろう、と企《たくら》む。ワタナベは打ち沈んだ島民に紛れて移動した。火の当たらない暗がりに座っていると、半分に切った椰子の実に椰子酒が注がれたものが回ってきた。当然、一番多いのを、選んだ。

アタマが立ち上がって、北の方向を指差した。

「えー、皆さん、椰子酒は行き届きましたかあ。皆さんにお知らせがあります。昨日、隆さんが不幸な最期《さいご》を遂げられた北の岬ですが、今日からサイナラ岬と呼ぶことにします。よろしいでしょうか」

ぱちぱちと拍手が湧《わ》いた。こうして地名が付く度に拍手で承認することになっていた。俺のネーミングじゃねえか。ワタナベは不機嫌な顔で、こっそり椰子酒を飲んだ。献杯の前だったが、そんなことはどうでもよかった。飲める時に飲んでおかないと、嫌われ者の自分はどんな目に遭うかわからない。背後から、わっしょい、わっしょい、と威勢の良い声が聞こえてきた。ワタナベが振り向くと、隆に見立てた流木をカスカべとノボルが御輿《みこし》のように担《かつ》いで、こちらにやって来る。

「火葬にするぜ。せーの」

カスカベが勢いよく、流木を焚火の中に放り込んだ。乱暴に投げ込んだため、火の粉が舞い上がり、火の周囲にいた者が悲鳴を上げ、カスカベがけたたましく笑った。その笑い声が夜空に響いて、島民は皆、逆に俯《うつむ》き、暴政の始まりを意識した。トウキョウ島に真性ヤンキー文化がもたらされた、記念すべき夜だった。だが、カスカベの後から到着した清子は、表面はしゅんとしているが、やっと隆から解き放たれたのよ、と高らかに宣言しそうなほどにさばさばしている。ワタナベはそれが癪《しゃく》で、清子を睨《ね》め付けていたら、突然、カスカベに後ろからどつかれた。

「ワタナベ、お前、トーカイムラに帰れ」

まだ椰子酒も飲み切っていないのに、追い返されようとしている。ワタナベはにたにた笑いながらも抵抗した。

「何でだよ」

「何でだよ、もねえだろう。糞《くそ》。お前は糞なんだよ。糞は放射能の人体実験にしか使えねえんだよ。てめー、清子に色目使ったら、殺してやるからな」

マンタさんの姿もない。共同生活から追い出された者は、集まりにも顔を出せないということか。畜生。ワタナベは、巨大なザリガニにも見える、グロテスクな椰子蟹の甲羅が炎で焼かれて赤く染まっていく様を名残惜しげに見遣《みや》りながら、焚火から遠ざかった。帰り際《ぎわ》、チョーフの丘の横を歩きながら、だったらまた何か盗んでやろう、と清子の小屋に侵入した。島一番の長者、隆の家には、刃物は勿論《もちろん》、鍋《なべ》や電池もあるという噂だった。だが、隆が生きていた頃は、ナイフもフォークもその辺に放り出してあったのに、隆が死んだ途端、清子はどこかに隠してしまったらしい。ワタナベが苛立ちながら、暗闇《くらやみ》を手探りで探していると、棚の上に船長帽が載せられているのに気付いた。白で鍔《つば》の部分だけが紺色、しかも金の三本線が入っている。滑稽《こっけい》な代物《しろもの》だった。ワタナベは帽子を被ってみた。ポマード臭い。たまに帰って来て、自分と弟に小銭を投げ与えてはまた出て行く父親が、この臭《にお》いをさせていたことを思い出す。船長帽を被ったワタナベは、意気揚々とトーカイムラ目指して、太古の闇の中を歩きだした。

十月二十九日（島に来て四カ月と十八日）　終日、晴れ

最近、我が家には若い人たちがよく遊びに来るようになった。私と清子とで、積極的に声をかけているからである。遭難から一カ月経って、命が助かったことを有り難

がる、何でも幸福に感じる時期を過ぎると、今度は無人島にいることに絶望し、精神的に危うくなる。このことは、私たち夫婦の経験を踏まえればよくわかる。その落ち込みを何とか乗り越える手助けをしたい、と私たちは声をかけているのだ。言うなれば、カウンセリングに近い仕事であろう。私も清子も、その仕事を生き甲斐にしている。

夫婦の努力の甲斐あってか、八尾君、坂本君、酒井君、春日部君などが始終遊びに来るようになった。彼らがそれぞれに仲の良い友人を連れて来たりするから、我が家はいつも賑やかだ。清子とも、小屋が狭いので、もう少し建て増ししよう、と話したほどだ。魅力的な各人について、一人ずつ書いてみよう。

最初に遊びに来たのは、八尾君だった。八尾君は島に泳ぎ着いた時、海水を飲んで軽い肺炎を起こしていたが、若いから体力があるのだろう。一週間ほどで回復したのは、非常に幸いだった。八尾君は、現代っ子とでも言うのか、少しクールな面白い少年だ。岐阜の私立高校二年生。島の最年少なのだから、どんなにか寂しいだろうと思い、慰めるつもりで私はこう言った。

「きみはお父さんやお母さんに、さぞかし会いたいだろうね。僕らを両親と思ってくれていいんだよ」

すると、八尾君は首を振るではないか。

「親はどうでもいいす。僕は親を恨んでますから、さっぱりしました。いい縁切りです。それより僕はズッパに会いたい」

ズッパが飼い犬のシーズー犬の名前と聞いて絶句した。八尾君はさらにこう言うのだ。

「この島に来て一番寂しいのは、犬という動物がいないことです」

八尾君は、犬は寿命が短いから、無事帰国できたとしても生きているかどうかわからない、と心配そうだった。確かに、人間のニーズに合わせて品種改良を重ねた犬は、文明の証でもある。私は犬も猫もいない孤島にいるのだ、と感じて寂しくなった。

「でも、女はいるわよ」

清子が冗談めかして言った。八尾君は戸惑ったように黙ってしまったが、清子がわざとのように乳房を見せつける服を着ているような気がして、私は少し嫌な気分になった。八尾君ばかりか、そこにいる若い男たちが皆、顔を赤らめたからだ。しかし、清子も新島民という新しい刺激を楽しんでいるのだろう。確かに、男ばかりでも力が出ない。皆で力を合わせれば何とかなる。脱出も可能だ、救出の日も近い。最近の私は希望を持っている。

坂本君は、二十五歳。今はフリーターだが、小説家志望だそうだ。与那国島の野生馬調査に来たのも、いろいろな経験を積めば、作家としてネタに困ることはない、と思って応募した、と言う。

「だったら、無人島の話を書けば、一躍有名になるよ」

私が言うと、そのつもりです、と小さな声で答えたから、おとなしく見えても芯は強いのだろう。私が学生時代に読んだ大江や三島の話をすると、未読だと言うので非常に驚いた。私の時代の文学青年というのは、何でも読了していたものだ。彼の好きな作家は村上春樹やカート・ヴォネガットだそうで、それは私の方が未読なので、おあいこということになった。坂本君は知的でバランスの取れた、とても感じの良い男ではある。押しはそう強くないが、いずれこの島で生き抜くためには必要な男となるだろう。しかし、紙があったら分けてくれないか、と申し出たのには少々気分を害した。この航海日誌は、私と清子の受難と生還の記録である。また、島の記録を書くのは自分の務めだ、と私は自任しているのだ。

「手段を持つ者しか、記録者にはなり得ないのだ」

私が言ったら、坂本君は少々むっとしたのか、こう言い返した。

「じゃ、最初から持てる者、選ばれた者しか、記録者になれないということですか。

あなたには分け与えるという広い心がないのですか」

この言には、椰子酒を飲み過ぎたせいか、私もむきになってしまった。

「きみが本当に文字で記録したいのなら、アルタミラの洞窟みたいに落書きするか、手漉きで椰子紙でも作り給え」

このように、放言してしまった。後で清子に言い過ぎだと注意され、反省することしきり。しかし、若者との議論は面白い。

酒井君は二十二歳の大工見習い。大工の自分が島で必要とされていることを非常に意気に感じているらしい。良いことだ。前向きに、皆の小屋作りを手伝っている。遺跡に興味がある酒井君は、有名な海底遺跡を見ようと思い、与那国のバイトに応募したのだと言っていた。

「実際は休みは一日もないし、来る日も来る日も馬糞拾いで腰は痛くなるし、服は臭くなるし、馬は獰猛で怖いし、で大変でしたよ。おまけに与那国にはスズメバチがうじゃうじゃいるんです。でかいやつで怖かったです。なのに、馬糞の数にノルマがありましてね。一人二百個。親方が藪の中の馬糞も拾って来なきゃ、ノルマが達成できないぞって言うんですわ。親方ってのは、そのプロジェクトを下請けした業者なんですけどね。ほとんどタコ部屋状態でした。雨が降ると作業は中止ですけど、その時は外出禁止で、日当は支払われないんです。外出禁止の理由は、作業員が逃げるからですよ。それで皆で抗議したのが脱出のきっかけだったんですが」

酒井君は言葉を濁したが、若者三十人が与那国島から古い漁船で脱出を企てるほどの不満があったのだろうから、この事件については、おいおい聞いてみることにする。彼らにとっても、脱出と遭難は大きなトラウマであったはずだから。

酒井君は他にも、面白いプランをいろいろ進言してくれた。皇居みたいな、皆が集まれる建物を建てた方がいい、と言うのだ。酒井君は心情的には右翼なのかもしれない。しかし、確かに、民心を掌握するには求心力は必要だ。私も一考する、と言っておいた。良いブレインが出来た、というのが坂本君、酒井君に対する感想である。

春日部君については、よくわからない。一見したところ、暴走族風とでも言えばいいのだろうか。なぜ私の家に始終来るのかもわからない。碌にお喋りもしないし、ただ黙って、清子の差し出す果物や芋を食らうだけなのだ。もしや、私の持ち物を狙っているのではないだろうか、と醜い想像をしてしまったのは、坂本君の注進によるものだ。

「あいつには気を付けた方がいいですよ。本当のワルです。宿舎には最初、農大の女子学生なんかも来てたんですけど、あいつが部屋に入って来る、と言って、皆逃げ帰ったんです。レイプされた子もいたらしいです。それに、与那国に来たのも、自分の子供を虐待して殺しちゃったから、警察から逃げるためだ、という噂がありました」

「子供だって。まだ若いだろう。二十歳そこそこじゃないのか」

私が驚くと、坂本君は、いやいや、と首を振ったのだ。

「あの手の奴らはすぐガキを作るんですよ。確か、亜瑠琉《アルル》とかいう名前の、ほんの赤ん坊を投げ飛ばしちゃったと聞いてます」

若い親が我が子を虐待する、という話は聞いているが、まさかこの島にそんな男が漂着するとは思わなかった。私は清子に、春日部に気を付けるように、と言おうと思ったが、まさか、四十代の清子が若い男に追い駆けられるとも思えない。しかし、私のショックは、私の島にワルもまた入って来るという事実だった。ピサロのせいで、インディオたちに天然痘が蔓延したのに似てはいないか。コミュニティ建設の希望に燃える一方、一抹の不安もある、といったところだ。


ほう、とワタナベは感心した。この頃から、隆がカスカベを警戒していたことがわかったからだ。オラガも密告屋だなんて上等じゃねえか。船長帽を被《かぶ》って、陽射《ひざ》しを避けながら隆の日誌を読んでいたワタナベは、他人の秘密を盗み読む楽しみにどっぷり浸《つ》かっていた。この日誌さえあれば、あらゆる奴《やつ》らの弱みを握ることができる。昨夜の屈辱も忘れ、全能感に浸ったワタナベは、自分のことも書かれていないかと日誌をぺらぺらめくった。トーカイムラの昼下がりは、ワタナベは行ったことがないので想像することも叶《かな》わないが、アルミのドラム缶さえ転がっていなければ、ワイキキの浜もかくやと思うほどの美しさに満ちていた。青い海。白い砂浜。波の打ち寄せる気《け》怠《だる》い午後、ワタナベは椰子《やし》の葉を敷いた寝床に寝転がったまま、自分についての記述をやっと見付け、いつの間にか昂奮《こうふん》して起き上がっていた。

十一月八日（島に来て四カ月と二十七日）　曇り後晴れ

昨夜から腹しぶる。島の食い物が体に合わないのは、私が虚弱なのだろうか。何を食っても、翌日、腹をくだす。清子が今朝、ジャングルから一匹の蛇を捕まえて来て、私にこのまま食え、とぶんぶん振り回してからかうので、やめてくれ、と叫んだら喧嘩になった。

「あなたはあたしがどんなに必死に動物性蛋白質を得ようとしているのか知ってるの。狩猟採集生活というのは、普通、女が木の実や貝を拾って、男が狩りをして来るのよ。でも、あなたはそうやって日誌を付けて考えているだけだから、あたしが何もかもしなくちゃならないんじゃないの。その癖、折角捕まえた蛇を怖がるなんて、ひどいわ。あたしだって蛇嫌いよ、気持ち悪いわよ。でも、どんなに嫌だって、気持ち悪くたって、生臭くたって、皮を剝いであるかないかの肉を食べなきゃ、救出が来るまでに死んじゃうわ。そんなこともわからないのなら、あなたに無人島で暮らす権利なんかないわ」

権利などある訳がない。あって堪るか。そうなってしまったんだから。大人げないと知りつつも、一気にまくしたてられたので、私もつい言い返した。

「僕が蛇嫌いなのを知っててやってるんだろう。きみは島に来てから変わったよ。前はそんな勇ましい女じゃなかった」

「そうですよ。だって、あなたが何もできないから、あたしがやらなきゃ、あなたばかりかあたしも死んじゃうわ。変わらなきゃ生きていけないのに、どうしてあなたは変われないの。臆病者」

一言えば十返ってくるのが、清子という女の本質だったのか、と私は愕然とした。昔は何も言わない控えめな女だったのだ。まだ清子が振り回している、赤と黒のまだら蛇の肉が白いように、ひと皮剝けば人間はわからないものだ。サバイバルに素晴らしい能力を発揮している清子には感謝しているが、次第に野蛮な人間に変貌しているようで、私には少々怖い。

蛇は遠慮願って、私は浜に向かった。この浜は、私たちも若者たちも漂着した浜だ。いきなり深くなるので、遠くまで行くのは禁物だが、時々シッタカに似た貝がいる。それを採って火に炙って食うしかない。それしか自分が食える動物性蛋白質は島にないのだ。一生懸命、貝を探して歩いていると、向こうから渡辺君がやって来るのに出くわした。一人で笑いながらやって来るので、おや、と思った。地図作りのための島の踏査にも、公共建物の建設にも従事しない、と評判が悪いのを洩れ聞いているのに、何となく楽しそうだったからだ。

「きみは無人島がよく似合うね」

思わず声をかけると、そうすかね、と渡辺君は黄色い歯を剝き出して笑った。

「きみはどうして皆の手伝いをしないの」

さらに尋ねると、渡辺君は、どうすかね、とはかばかしい返事をしない。どうやら、言語能力にかなりの難があると見たので、早速私は声かけをした。

「僕の家に遊びに来給えよ。清子が蛇を食わせるよ。動物性蛋白質を摂らなきゃ、救出が来るまで生き抜いていけないよ」と、清子の言葉をそっくりそのまま言った。

「蛇すか。蛇なんかしょっちゅう食ってますから」

渡辺君がさり気なく返した。

「どうやって食うんだい」

「生のままますよ」

「生のままじゃ、毒とかウィルスは大丈夫なのかな」

「さあ、よくわからないすね」

そのまま浜で別れたが、私は断言できる。この島に救出が来なかった場合（考えるのも怖ろしいが）、最後の一人になるのは、渡辺君か清子のどちらか、ということだ。

凄い男もいたものだ。


ワタナベは嬉《うれ》しさのあまり、手を打った。おっさん、いいこと書いてるじゃねえか。ワタナベの身裡《みうち》に、これまであまり持てなかった新しい感情が湧《わ》き上がった。自尊心。「無人島がよく似合うね」「凄い男もいたものだ」だとよ。俺だってへこたれるんだぜ、おっさん。でも、弱った時はここを読むよ。ワタナベは自分が、裏切って去って行った母親や、碌《ろく》に子供の面倒を見もしないで自身がホームレスになってしまった父親や、ヤクザになってサウナで誤射されて死んだ弟よりも、ずっとずっと価値のある人間なのだと思った。ワタナベは船長帽を被り直した。汚い手で触ったので、白い帽子はすでに薄汚れている。しかし、ワタナベはあの一行を覚えていた。「手段を持つ者しか、記録者にはなり得ないのだ」。俺が持っている、今この手に。ワタナベは歓喜のあまり、浜を走り出しそうになった。

3 糞《くそ》の魂

アルミで作られたドラム缶が大量に転がっている浜を空から眺めたら、巨大な缶ビールがばら撒《ま》かれているように見えるだろう。誰が、いつ、どのように、このドラム缶群を運んで来たのか。一時的廃棄か、定期的廃棄か。トウキョウ島の謎《なぞ》は、トーカイムラに転がっているドラム缶の存在にあると言っても過言ではなかった。が、ワタナベはそんなことはどうでもよかった。カスカベによって、半永久的にトーカイムラに閉じ込められた以上、放射性廃棄物だろうが有害物質だろうが、大量にある缶を利用しない手はなかった。

ある朝、ワタナベは梃子《てこ》の原理を応用してドラム缶を砂から掘り起こし、木陰に集める作業を始めた。缶を動かすと、微《かす》かにちゃぽちゃぽと水が揺れるような音が聞こえた。やけに重かったり軽かったりと、軽重の差があるのも不気味だったが、ワタナべは重ければあちゃーと溜息《ためいき》を吐《つ》き、軽ければへへっと喜んだだけだった。やっとのことで二個集めたが、もたついている間にすでに陽が高くなり、缶の表面は熱したフライパンのようになった。ワタナベは作業を中断して水浴びし、昼寝した。翌朝は薄暗いうちにまた作業を始め、今度は三個。次の朝は疲れたので一個。こうして一週間以上かけ、ワタナベは自分でも信じられないほどの熱意と根気で、何とか八個のドラム缶を集めて並べ、二畳分ほどの囲いを作った。上に流木を渡して、椰子《やし》の葉っぱを載せれば、立派なドラム缶小屋の出来上がりだ。液体の入ったドラム缶は夜中に冷気を貯《た》めるので、直射日光さえ避ければ昼日中まで涼しかった。しかも、夜明けは表面が露で濡《ぬ》れる。ワタナベは直接舌を這《は》わせて、やや塩気を含んだ水分を舐《な》め取り、何が危険だ、便利なもんじゃねえか、と驚喜したのだった。

ドラム缶小屋が出来て数週間後、トーカイムラの浜に突然ノボルが現れた。「何しに来やがった」とワタナベが棍棒《こんぼう》を持って追いかけたら、ノボルはジャングルに逃げ込み、二度と姿を現さなかった。さらに数日後、ワタナベが小屋で寝ていると、外で声がした。

「凄《すご》いなあ。ワタナベさん、カッコイイの作ったね」

犬吉が感に堪えた様子で立っていた。犬吉は、ドラム缶の表面を愛《いと》おしそうに手で撫《な》で、その熱さに身じろぎした。長くなった髪を蔓《つる》でまとめ、上半身は裸だ。

「お前、何しに来たんだよ」

銀色に光るドラム缶小屋を眩《まぶ》しそうに眺めていた犬吉は、ワタナベに睨《ね》め付けられたので後退《あとずさ》った。ワタナベは怖いが、つい好奇心に負けて小屋に近寄って来たのだろう。島の最年少、犬吉は能天気に見えるほど、子供っぽいところがある。

「いいなあ。僕、金属が大好きだよ。島にある金属って限られているでしょう。たまに見せて貰《もら》うと、ああいいなあ、綺麗《きれい》だなあ、と思います」

ワタナベは、犬吉を観察した。栄養状態が悪いのか、痩《や》せて肩胛骨《けんこうこつ》が飛び出した様は、昆虫を思わせた。

「カスカべに言われて来たんだろう」

ワタナベの質問に、犬吉は素直に頷《うなず》いた。

「トーカイムラに船が来るといけないから、誰かが毎日行って見張らなきゃならないんだそうです。サイナラ岬にも誰かが行ってます」

「船が来たらどうすんだよ」

「走ってカスカべさんに報《しら》せに行かなくちゃいけないそうです」

ご苦労なこった。ジャングルを二時間走るうちに、俺は先に行くぜ。ワタナベは肩を竦《すく》めた。カスカベは、万が一、廃棄物を投棄する船が寄ることを考えているのだろう。そして、ワタナベだけが助かることを怖《おそ》れている。ということは、逆もまた、あり得るということだった。オダイバに船が来て、ワタナベとマンタさんを除いた島民全員が引き揚げるという事態が。村八分とはそういうことだ。ワタナベは俄《にわか》に不快になり、犬吉の、底に絶望を感じさせる眠そうな目を覗《のぞ》き込んだ。

「あっちはどうなんだよ」

犬吉はすぐに答えず、顔を曇らせた。陽射《ひざ》しの中に立っているのが辛《つら》いのか、ワタナベの小屋に興味があるのか、薄暗い小屋の中を覗き込む。ワタナベは中に入れてやった。犬吉は嬉《うれ》しそうに乾いた海草を敷き詰めた床に座り、小学生のように細い両脚を抱えた。犬吉からは、日向《ひなた》にいる子犬みたいな子供臭い匂《にお》いがする。

「カスカベさんが街を作ると言うので、皆で建設しています。最近、割とばらばらで暮らし始めてたじゃないですか。気の合った者同士で家を造って。僕もオラガさんたちに誘われて一緒に暮らしていたし。でも、それは許されないんだそうです。みんなマンションに入らなくちゃいけないって」

無人島生活も一年を過ぎた頃から、気の合った者同士がそれぞれに集って暮らすようになった矢先だったのに、マンションかよ。ワタナベは汚い歯を剝《む》き出して笑った。

それに比べて、トーカイムラは何と暮らしやすいことか。自由だし、魚も貝も豊富だ。ジャングルに入れば果実はたわわに実っている。果実を食う虫がいるから、トカゲや蛇、鳥なども集まって動物性蛋白質《たんぱくしつ》には事欠かない。偉大な食物連鎖に囲まれたトーカイムラは、トウキョウ島における真の楽園なのだ。犬吉がか細い声で続けた。

「だから、みんなマンション建設に駆り出されてます。ニッパ椰子のでかい小屋を掛けて、共同生活するんだそうです。サカイさんが音頭を取って、ショッピング・モールとか、いろんな建造物を造るんだそうです。カスカベさんは北千住の街を再現するとか、張り切ってます。あの人は根っからの街好きなんだそうです。自分で言ってました」

「勝手にやれよ。北千住なんて見たこともねえよ、アホ」

ワタナベの呪詛《じゅそ》を聞いて、犬吉は微笑《ほほえ》みを浮かべた。

「ほんとですよね。カスカベさんは威張り散らして、いつも皆を監視して回っているだけなんです。睨《にら》みを利《き》かせて上がりを狙《ねら》うヤクザみたいなもんだって、オラガさんが言ってた。みんな嫌っているけど、暴力的だからどうにもならないんですよ。いつの間にか、みんな係が決められて、伝達係とか、果物係とか、貝係とか、広場でいつも火を守る係もいるんです。僕は、どういう訳か、今日からトーカイムラの見張り係にさせられちゃったんです。僕、オダイバにいるよりいいかな、と思って。あそこにいると、しょっちゅうカスカベさんに会うから嫌なんだ」

俺がノボルを追い払ったから、代わりに犬吉を寄越したのだろう。あのシンナー野郎。ワタナベは、歯抜けのノボルの慌《あわ》てぶりを思い出して薄笑いを浮かべた。

「清子はどうしてるんだ」

ああ、と犬吉は口許《くちもと》を歪《ゆが》めた。

「清子さんはいつもカスカベさんと一緒で、何か派手になりました。いつもけらけら笑っている。前の清子さんみたいに優しくないです。前はよく僕を可愛《かわい》がってくれたりもしたけど、最近はカスカベさんがうるさいから、話したこともないし、目も合わせない」

あいつら、やりまくってるんだろうな。途端、小屋掛けの作業でしばらく忘れていた性欲が蘇《よみがえ》り、ワタナベは喘《あえ》いだ。不意に、犬吉の細い臑《すね》が目に入った。女の脚のように無毛で光沢がある。ワタナベは、犬吉の肩を摑《つか》んで押し倒した。犬吉は必死に抵抗したが、最後は諦《あきら》めたのか、自ら俯《うつぶ》せになった。誰かの慰み者になったことがあるのだろう。オラガか。あいつがチクリ屋だといつか広めてやらねばならない。犬吉が急に協力的になって腰を浮かせたので、ワタナベは難なく犬吉のボロになりつつある短パンを脱がせた。下は裸だ。小さく固い、男児のような尻《しり》が現れると、少しがっかりしたが、ワタナベは迷わず挿入した。男を犯すのは初めてだった。しかし、アルミのドラム缶に映る自分たちの裸体の重なりは、ワタナベを興奮させる。こうやっていつか、清子を犯すのだ、あの白豚女を。隆の日誌に書いてあった、カスカベと清子の性交はこんな感じなんだろうか。勃起《ぼっき》と射精は何度も続き、ワタナベは渾身《こんしん》の力を込めて、犬吉の細い体を突きまくった。気付くと、犬吉は気絶したように動かない。しかも、尻は血だらけだった。犬吉の微かな嗚咽《おえつ》が聞こえたが、ワタナベは急に空腹を感じたので、構わず小屋を出た。椰子の実やバナナを採って戻ると、犬吉はとうにいなかった。今日は儲《もう》けたぜ。ワタナベは満足して、バナナの皮を剝《む》きながら日暮れの海を眺めたのだった。この時間では、犬吉はジャングルで迷うことになる、とは思ったが、すぐに忘れた。

以後、見張り役は途絶えた。ワタナベは、たった一人で暮らした。時折、思い出すのは、隆の葬儀でカスカベに罵《ののし》られたことだった。俺は糞ってか。糞に糞と言われたくねえ。ワタナベは深く根に持った。そして、人生の指針たるバイブル、えげつないエロ雑誌、島民のワイドショー、でもある隆の日誌を読み耽《ふけ》った。暇に任せて隆の日誌を繰り返し読んでいるうちに、当然のことながら、ワタナベは隆の一番暗い面を色濃く受け継いだ。裏切り者である清子やカスカベに対する、真っ黒な復讐心《ふくしゅうしん》。そして、隆の死が精神面の弱さによってもたらされた、という事実を無意識に感じ取ったことが、ワタナベに生来備わっていた、運命を甘受しつつも最低の条件で生き残ろうとするしぶとさを、精神の前面に押し出すことになった。受け身でありながら、拾うものは拾おうとするワタナベのサバイバル本能は今や全開だった。さらに、ワタナベの頭脳には驚くべき変化が起きていた。隆の言葉を反芻《はんすう》し暗記することによって意識が研ぎ澄まされ、事物を抽象化する能力が徐々に備わり始めていたのだ。

ワタナベはトウキョウ島で何が起きているか全く知らされない、完全な村八分状態にある。チョーフ改めシンアヤセはおろか、オダイバに近付くことも許されていないからだ。しかし、そんなことは最早《もはや》気にならない。もともと孤独を何とも思わないどころか、孤独という概念すら持たないワタナベには、他の連中が何をしようと関心がない。カスカベの圧政下、島民たちがどんな芝居を打っているかを、隆の日誌に書かれているように想像しては楽しむだけだ。このため、ワタナベの表情は、常ににやけた笑いが基調となった。唯一《ゆいいつ》の問題は、自己の客観化が欠如していることだけだった。それも孤独の弊害には違いないのだが、どのみち一人きりのワタナベにとっては、それもどうでもよいことだった。とはいえ、外見の客観化に関しては、他の島民よりは遥《はる》かに恵まれていた。ワイキキビーチ、いやランギロアのブルーラグーンもかくやと思えるほどの美しい浜に無数に転がっているドラム缶に、己の姿を映して眺めることができたのだから。鏡一枚持たない他の島民にはあり得ない幸せだとも言えた。永遠に男たちに媚《こ》びていたい清子が知ったなら、片道三時間の距離を転がしてでも、ドラム缶を自分の小屋に置きたいと願うことだろう。

ワタナベは陽光を反射して輝くアルミのドラム缶に自身の姿を映し、満足の笑みを洩《も》らした。元は輝くような白だったとは到底思えないほど薄汚れ、金の三本線などとっくに消えてしまった隆の船長帽を被《かぶ》り、全裸で海亀《うみがめ》の甲羅を背負っている。運の悪い海亀は、どういう訳か浜にのこのこ上がったところをワタナベに捕らえられ、中身を食い尽くされてしまった。陽に当てて充分乾かした甲羅は、浅瀬で貝を拾う時、太陽に背を炙《あぶ》られないためにはもってこいだ。甲羅を蔓で体に縛り付け、全裸で立つ様は我ながら可笑《おか》しい。カ、メ、ハ、メ、ハーと、ワタナベは亀仙人のポーズを取って、一個のドラム缶に映し、一人でさんざん遊んだ。中学生の頃、弟と遊んだのを思い出したのだ。隆ならば、こう書くだろう。

「今日、トーカイムラで渡辺君と出会った。渡辺君は、海亀の甲羅を背負い、一人でアニメの登場人物の真似をしながら戯れていた。思わず、『愉快な格好だね』と声をかけると、渡辺君は頭を掻いて照れた。『俺、暇ですから』。何という余裕だろうか。私は驚きを禁じ得なかった。このような遊びの精神こそが、今の私たちに必要とされている強さではないだろうか。余裕と豊かな生命力。渡辺君こそが、この島で生き残るべき人間だ」

すらすらと頭に浮かんだ文章を口に出し、ワタナベは表現することもできる自分を幸福に感じて、あはは、と笑った。今や、勝手に頭脳を駆け巡る言葉によって広がる世界も、ワタナベの表情に変化を生じさせていた。にやにや笑いが、時たま、爆発的哄笑《こうしょう》に変わるのだ。もっとも、それがどんなに薄気味悪いかは、気付くはずもなかった。

「ひゃー、すげえ格好してんな」

ジャングルの下生えが踏みしだかれる音と共に、男の笑い声が響いた。ワタナベは背後を振り返った。髪と髭《ひげ》がぼうぼうに伸びて痩せ細り、半分にカットしたジーンズ以外は、原始人のように変貌《へんぼう》したアタマが姿を現した。犬吉を犯して以来、誰とも会っていないから、ほぼ数カ月ぶりに人間に出会ったことになる。アタマはワタナベを見て、ひいひいと砂浜を笑いながら転がった。

「俺、半魚人がいるのかと思って、マジびびったぜ」

久しぶりに聞く日本語だった。いつも、目で読んで頭の中で会話しているだけだったから、ワタナベはその新鮮さに驚いた。言語。他人から発せられる、こなれた話し言葉が、ゆっくりと耳に頭に入ってくる快楽。オレ、ハンギョジンガ、イルノカトオモッテ、マジ、ビビッタゼ。これが女の声だったらどうだろう。清子の声を聞きたい欲望に駆られた途端、ワタナベの性器が勃起した。アタマはそれを見て手を打って喜んだ。

「チンコ立ってやんの」

ワタナベは気にも留めずに両手で隠し、反対に聞き返した。

「おめえは立たねえのかよ」

「立たせねえよ。立ったらカスカベに殺されるから、みんな必死に隠してるさ」

アタマはたちまち浮かない表情になった。ワタナベは、科《しな》を作って歩き回る、デブの清子を想像し、憎悪《ぞうお》と欲望を燃やした。清子に関しては、なぜかこのふたつの感情はセットだった。

「カスカベの野郎、どうなんだ」

「あいつ、怖《こえ》ぇよ、マジ。清子といちゃいちゃしやがってさ、それをわざと見せつけるんだよ。誰かが何か言うだけですぐキレるしな。気が狂ってるとしか思えねえよ」

「そうだろな」思わず羨望《せんぼう》が滲《にじ》み出たが、アタマは気付く様子もない。ワタナベはさらに聞いた。「何か変わったことねえか」

「そうそう。二カ月前に大工のサカイが死んだ。てめえで捕まえた椰子《やし》蟹《がに》食って、食中毒。三日三晩苦しんでさ、可哀相《かわいそう》だったぜ」

アタマは言葉と裏腹に明るい表情で言った。言語と表情が食い違うことを、ワタナベは奇異に思った。人間世界の複雑さをしばらくぶりに思い知った気がして、珍しく気分が沈むのだった。自己の客観化の端緒だったが、ワタナベはその微《かす》かな違和感を振り捨てた。

「犬吉、元気かよ。あいつ、生きてっか」

犯した時の興奮を思い出し、自然と目がぎらついたのだろう。アタマが怖ろしいものでも見るように目を背けた。

「元気だよ。相変わらず、洒落《しゃれ》っ気出して歩いてるよ」

男芸者みたいなもんだな。ワタナベは重い甲羅を脱いで、その上に腰を下ろした。

船長帽以外は全裸という異様な姿だったので、アタマは臆《おく》したのか、途中でもいで来たらしい小さなマンゴーの実をワタナベに一個手渡した。ワタナベはアタマに怒鳴った。

「おめー、どの木から採ったんだよ。勝手に採るな、ドアホ」

今や、トーカイムラ付近は、海産物も木も草も砂もドラム缶もすべて自分のもの、という意識になっている。アタマは慌てた様子で曖昧《あいまい》に天空の辺りを指さした。喉《のど》が渇いていたワタナベは、怒りながらもすぐにかぶりついた。べたべたした果汁が貧相な裸の胸を伝い、汗と暑さですぐに張り付いた。早速、小蠅《こばえ》が何匹も胸に止まって足を擦ったが、ワタナベは気にせずに一気に食い終わった。その後、まだ胸に張り付いている小蠅や蟻《あり》を手摑みで口に入れる。アタマは横目でワタナベを眺め、大きな溜息《ためいき》を吐《つ》いた。

「お前、ちょっと見ないうちに、原始人みたいになったな。大丈夫かよ。群馬の仲間なんだからしっかりしてくれよ。一人で暮らすって怖いことだな」

原始人と言われたワタナベは、馬鹿《ばか》にしきって、アタマのむさ苦しい顔を睨み付けた。アタマが愚痴をこぼした。

「俺さ、カスカベ堪えられないよ。あいつ、本当のワルだぜ」アタマは気弱そうに浜を眺めた。「綺麗《きれい》だな、ここ。オダイバは陰気だから、羨《うらや》ましいぜ。ここで海の家とかやったら儲かるだろうな。畜生。ビールとか呑《の》んで、たこ焼き食ったらうまいだろうな」

へっとワタナベはマンゴーの皮混じりの唾《つば》を吐いた。何が、たこ焼きだ。放射能が怖いだの何だの言った癖に。俺を住まわせて人体実験してる癖に。俺と会う度、お前は俺の体の変化を観察してる癖に。糞《くそ》と言われた俺は、とっくに超人に生まれ変わってるんだよ。ワタナベはアタマのいかにも愚鈍そうな顔を軽蔑心《けいべつしん》を隠さずに見遣《みや》ったが、アタマはぼんやりと海を眺めている。

「ところで、何の用だ」

「驚くなよ、ワタナベ」アタマは目を輝かせ、勿体《もったい》ぶった。「あのなあ、中国人が十人ばかり上陸したんだ。もうじきこっちに来るかもしれねえぞ」

ワタナベは信じなかった。

「嘘《うそ》こけ」

「嘘じゃねえ。本当だ」

「じゃ、船はどこにある」

「それがそいつらも捨てられたみたいなんだよ。皆、糠喜《ぬかよろこ》びでさあ。ミユキちゃんなんかおかしくなっちゃって、海に入って行って帰って来ねえ。あいつも死んだんだろうな」

ワタナベは、アタマが何を言っているのかさっぱり理解できなかった。想定外の人間関係には対応できなくなっている。隆の日誌を熟読した限界だった。ワタナベは腹が立って、いきなりアタマの首を両手で絞めた。

「てめー、適当なことを言って俺をスパイしに来たんだろう。俺がどういう暮らしをしているのか、カスカベに報《しら》せるつもりなんだろう。いいか、誰にも言うんじゃねえぞ。俺がここでパラダイスみたいな暮らしをしているってことは」

アタマは、ワタナベの筋張った両腕を摑み、必死に抵抗した。ワタナベが手を離すと、アタマは目に涙を浮かべて激しく咽《む》せた。

「何がパラダイスだよ、大丈夫かよ。人間の暮らしじゃねえじゃんか。俺たちは仲間もいて、挨拶《あいさつ》したり、皆で協力したり、勉強会開いたり、街の暮らししてるもん。チンコ出してるヤツ、一人もいねえもん」

「てことは、お前はカスカベのやり方が正しいって思ってるのか」

再び、ワタナベはアタマの首を絞めようとした。が、アタマは身を翻《ひるがえ》して逃れ、一目散にジャングルに走り込んだ。ワタナベはその背に向かって叫んだ。

「二度と来んな、馬鹿」

「来ねえよ、馬鹿」

ワタナベはアタマの捨て台詞《ぜりふ》を聞きながら、再び海亀の甲羅に腰を落とした。また見張りがやって来るかもしれない。自分の暮らしを邪魔されるのはまっぴらだった。その前に、夜陰に乗じて、カスカベが建設している街の様子を一度見に行った方がいいだろう。オダイバに興味はなかったが、やられる前にやらなければ、という焦《あせ》りがあった。この日初めて、ワタナベは隆の日誌に自分で書き足した。筆記具は燃えさしの木切れだったから、たった二行書いただけだし、日付も定かではなかったが、ワタナベは隆の後継者にやっとなれた気がして満足だった。

「○月○日　晴れ　波はおだやか
きょう、私のキャンプに河原くんがやってきた。河原くんはバカだ」

朝方、ワタナベは異様な物音で目を覚ました。小屋の周囲で大勢の人間の話し声がするのだ。たまさか、こんな夢を見ることはあった。いつも、自分が小学校の校庭の隅にいたり、プールの中にいて、他人のお喋《しゃべ》りを聞いている、という図だった。ワタナベはいかにも受け身の自分が表れた夢だ、とは思いもせず、常に波の音を聞いているせいだろうと思っていた。この朝の状況はまさに夢と同じで、複数の男たちががやがやと何か喋っている。が、目が覚めても、声は止《や》まなかった。混乱して小屋を這《は》い出たワタナベは、自分が全裸だということも忘れて立ち尽くした。十人ばかりの東洋人の男たちが浜にいたからだ。皆、短パンやランニングといった軽装で、手には何も持っていなかった。ある者はドラム缶に跨《また》がって茫然《ぼうぜん》と朝の海を眺め、ある者は浜にへたり込んでいた。またある者は、蟹でも釣ろうとしているのか、棒きれで砂浜をほじくっていた。

男たちは一様に、ワタナベの姿を見てはっとしたように立ち竦《すく》んだが、近くにいた男が声をかけてきた。聞いたことのない言語だったが、ワタナベにはなぜかわかった。「よろしく頼むわ」と言ったのだ。ワタナベが中国人たちと邂逅《かいこう》し、その言語を難なく理解した歴史的瞬間だった。

「お前、いい格好してるな」

一人がワタナベの姿を指さして笑った。邪気のない笑みだったので、ワタナベも照れ笑いした。

「その方が楽だからだよ。服が傷《いた》むと困るしな」

ワタナベの日本語は通じなかった。相手は困惑したように、笑って誤魔化している。

「お前はどうして俺たちの言葉がわかるんだ」

一番年長らしい腹の出た男が、不思議そうに尋ねた。

「どうしてかわからないが、わかるんだ」

ワタナベの答えに、男は驚いたように目を剝《む》いた。

「それは便利だ。俺の名前はタンだ。お前は何という」

ワタナベは、砂浜に字を書いた。渡辺。すると、わらわらと近寄って来た男たちの中でひときわ目付きの鋭い男が叫んだ。

「ドゥーベン」

そうだ、俺は渡辺ではなくドゥーベンだ。日本人なんか捨ててやる。ワタナベは誇らしくなり、こいつらは俺の仲間だ、と強く思ったのだった。目付きの鋭い男はヤンと名乗り、「これは何だ」とドラム缶を指さした。ワタナベは答えた。

「俺にもわからない」

危険物だと考えられていることは、敢《あ》えて言わなかった。ヤンは頷《うなず》き、媚びとも笑みとも付かない表情でワタナベに頼んだ。

「俺たちもこの浜のそばに住んでいいか？」

ワタナベが承諾すると、ヤンたちは早速、トーカイムラにほど近いジャングルの入り口に小屋を建設し始めた。浜にはすでにドラム缶小屋が建っているので、遠慮したと見える。もう一手は、食事の準備を始めた。葉をむしり、実をもぎ、素手で魚を捕まえる。一人が竈《かまど》を作って火を熾《おこ》し、別の男が焚《た》き付けを拾いに行った。あっという間に食事の準備が整ったところで、ワタナベは招待された。ヤンが、真っ先にワタナベに枝に刺して焼いた魚を勧めた。どうやって捕らえたのか、武鯛《ぶだい》の一種だった。ワタナベは、初めて客人として遇されたこと、久しぶりに白身の魚を食したことにえらく満足し、珍しく隆の日誌を読まずに寝たのだった。

翌日から、ドゥーベンとなったワタナベは、海亀《うみがめ》の甲羅を背負い、ヤンの一行と共に島中を歩き回って食物を探した。全員、全裸なので気楽だったし、彼らはワタナベの甲羅を羨ましがりこそすれ、笑う者は一人もいなかった。真のサバイバーたち。ワタナベはヤンたちと行動することで、島の住人として生きる喜びを感じた。筆記具さえあれば、隆の日誌の第二部は自分が書き入れるところだ。しかし、中国人たちは難なく筆記もした。樹皮を剝《は》がして乾かし、燃えさしで標語を大書したのだ。「自力更生」。「艱苦《かんく》奮闘」。

カスカベとほぼ一年ぶりに遭遇したのは、野生のオクラやサツマイモが採れる、島中央の高地だった。カスカベは籠《かご》を持った清子を伴っていた。清子が島の男に襲われることを怖《おそ》れていつも護衛している、という噂《うわさ》は本当だったらしい。傍目《はため》には母と息子のようにも見えたが、いつもの黒いワンピースを着た清子は、自分より背の低いカスカベに手を引かれ、充実した表情で歩いていた。ワタナベは二人の姿を見ただけで、頭に血が昇った。

「ワタナベじゃねえかよ。どしたんだよ、おめえもホンコンの一味になったのか」カスカベの般若面《はんにゃづら》に、蔑《さげす》みと好戦の色があった。「マッパで歩いてんじゃねえよ。こっちは法治国家だぜ」

ワタナベは、言い返した。

「おめえが威張りくさっているのは知ってるよ。カスカベ王朝だってな」

多勢に無勢を感じたのか、カスカベが露骨に嫌な顔をして、清子を背後に隠す仕種《しぐさ》をした。ワタナベと中国人は十人以上いる上に丸裸だ。だが、清子はワタナベの股間《こかん》に目を遣ってから、薄笑いを浮かべた。畜生。俺を嗤《わら》ったな。ワタナベは二人を抹殺したい欲望に駆られ、甲羅を外した。よせよせ、とヤンが笑って、ワタナベを押さえた。

「俺の言いたいことを訳してくれよ。カスカベさんがご機嫌で私たちはみんな嬉《うれ》しいです。島でたった一人の女性、奥さんも綺麗で実に羨ましい。私たちは、ご覧のように何も持たない状況にありますので、このように失礼な格好で歩いております。どうかお目こぼしのほどを。何か珍しい物が手に入りましたら、貢《みつ》がせていただきますが、その節はオダイバに入ることをご許可戴《いただ》きたい」

ワタナベは、清子のくだりだけを抜かして訳してやった。カスカベは猜疑心《さいぎしん》を募らせた様子だったが、喧嘩《けんか》しても損だと思ったらしい。オダイバの方向にひとまず去った。その後ろ姿を見ながら、ヤンはこう言うのだった。

「カスカベの長寿を願おう」

言語と表情の不一致にすっかり慣れていたワタナベは、へへっと甲高い声を上げて笑ったのだった。

第三章

1　島《とう》母《ぼ》記《き》

女は命を繋《つな》ぐ性、などと大袈裟《おおげさ》なことを言われると、ついつい片腹痛くなるのは、子産みに縁がないと長く諦《あきら》めていたせいだった。二十代から三十代初めにかけて、やっと妊娠したと喜んだのも束《つか》の間《ま》、流産を三度も繰り返した挙げ句、ぱたっと孕《はら》まなくなってしまった。なのに、四十六歳にもなって妊娠するとは、いったいどうしたことだろうか。

清子はある日、これは生命の不思議さというより、トウキョウ島の意志ではあるまいか、と気が付いた。島に意志がある、とは誰も思うまい。しかし、島を取り巻く海流から人力で逃れることは、到底不可能だった。助けが来ない限りは、今後、誰一人として島から脱出することはできないのだ。何人《なんぴと》たりと逃さないのが島の意志なら、自分の妊娠も、島が何とか最後の女を孕ませようと企《たくら》んだ結果なのではあるまいか。清子は、自分に存在意義を発揮させようとする島の善なる意志と、一人も逃すまいとする邪悪な意志、とを感じたのだった。

妊娠しなければ、自分は裏切り者として村八分にされただろう。男たちは、トウキョウを見捨てて、一人島抜けしようとした自分を許そうとはしなかった。それが証拠に、住居は蹂躙《じゅうりん》され、荷物は勝手に持ち出され、やっと生還した自分は冷たい仕打ちを受けた。清子は、命からがら島に戻って来た時、誰も水や食べ物をくれようとしなかったことを思い出して身震いした。危うく死ぬところだったのだ。

もしも、清子が一人で脱出して果たせなかったのなら、男たちの対応は違ったはずだ。そう、彼らは、清子がユタカを捨てて、ホンコンと一緒に逃げたことが許せなかったのだ。その憎悪《ぞうお》の芯《しん》は、嫉妬《しっと》にある。清子は、これまでに何度も見てきた、男たちの容赦ない残酷さを感じた。欲しい時は他人を殺してでも欲しがり、共同体を揺るがす争いの元だと感じれば、平気で抹殺する男の性癖。それが自分に向けられたことはなかったのに、あの脱出行で決定的に状況が変わったのだ。

しかも、自分のもうひとつの存在意義は失われつつあった。島でたった一人の女として、三十四人もの男を狂わせた、輝かしくも血腥い過去。男たちは、その過去を葬り去り、見せかけの平和を享受《きょうじゅ》している。女がいないのなら、むしろその方が楽だ、という気分が蔓延《まんえん》していた。生還してから驚いたのは、いつの間にか男同士のカップルが増えていることだった。五年前からのホモカップル、チバの二人組はともかくとして、犬吉とシンちゃん、ダクタリとカメちゃん、すでに三組の「夫婦」が生まれていた。男たちは、一度楽をすれば二度と元に戻ろうとしない、怠惰な生き物だ。島はそれを嫌って、自分に最後の混乱をひねり出せ、と囁《ささや》いているような気がする。だったら、ひねり出してやろうじゃないか。

脱出した時、島は二度と帰りたくない忌《い》まわしいものだったのに、今は最も自分に近しいもの、いや、味方となった。外には出さないが、清子が島にいる限り、愛して尽くしてくれる。清子は、オダイバの浜から島を振り仰いだ。こんもりと茂ったジャングルの樹冠越しに、朝陽が目を射た。眩《まぶ》しさに目を覆《おお》った瞬間、清子は突然、トウキョウ島の意志をさらに強く感じたように思った。お前とひとつになる、というメッセージ。

確かに、清子はトウキョウ島に似ていた。激しい海流に囲まれた孤島の姿は、たった一人の女として生きる清子の厳しさだった。大洋の臍《へそ》のような、平べったい島の形は、平凡な容姿の清子と同じ。島に自生する豊穣《ほうじょう》な食物は、清子の豊かさや優しさ。トウキョウだろうとホンコンだろうと、漂流者を受け入れる様は、清子の放埒《ほうらつ》さ。そして、食べ尽くされて立ち枯れていく椰子《やし》の木やマンゴーは、老い。島は、究極の実りの象徴、さらなる混乱を生じさせる方策、として自分に妊娠を強いたのだ。そうだ、間違いない、と清子は手を打った。こうなれば、何としても無事に子供を産みたかった。子供を産むことでユタカに勝ち、ホンコンにさえも崇《あが》められる絶対的母として、権力を持って生きられるかもしれない。

今朝もトウキョウ島の上空は見事に晴れ渡り、南国の太陽が照りつける厳しい一日が始まろうとしていた。上に張り出したコウキョ岬のせいで、午前中から日陰になるオダイバ浜の陰気な黒い小石も、この時間だけはキラキラと光り輝いている。穴を穿《うが》って紐《ひも》で繋げたら、どんなにか綺麗《きれい》な首飾りになるだろう、と思わせるほどに。

清子は嬉《うれ》しくなって、ふふっと笑った。島が自分の味方だ、いや、島は自分だ、島と同化すれば生きられる、という奇矯な考えが清子に大きな幸福感をもたらしていた。そうよ、せっかく帰って来たのだもの。トウキョウ島の懐《ふとこ》ろに抱かれて、生きていくしかない。トウキョウ島を愛して暮らせば、別の幸せもあるはず。清子は、それが、いつもの自己正当化、ご都合主義だとは思わなかった。やっと自分がトウキョウ島にいる意味を発見した気がして、むしろ厳かな気分だった。

だが、島と同化した自分は、島で一生を過ごさねばならなくなる。ここで残りの人生を過ごすことができるだろうか。清子は少し怖《おそ》ろしくなった。ジャングルに背を向け、目の前の海を眺める。潮が引いて、浜辺に取り残された小魚が跳ねるのが見えた。小骨だらけで不味《まず》い熱帯魚だが、カルシウム摂取のためには必要だ。清子は、まだ温度の上がらない濡《ぬ》れた冷たい浜を歩き、逃げ遅れた小魚やシッタカに似た貝を採ろうとした。足に絡《から》み付いた海草を払おうと屈《かが》むと、腹が重かった。

四度目の妊娠は、どうやら危険な時期を脱したらしい。後は大過なく過ごして、胎内で大きく育て、産み落とすだけだ。清子は、濡れていない左手で、微《かす》かにせり出してきた下腹をそっと撫《な》でた。

問題は、誰の子かわからない、ということだけだった。ホンコンたちとの航海が二週間。その間、清子はヤンに一日二回は犯され続けていた。そして、かつての夫、ユタカと最後に交わったのは、脱出の数日前。何と微妙な時期だろうか。しかし、回数から言っても、ヤンの子の可能性の方が高かった。勿論《もちろん》、ヤンに犯されたことは、誰も知らない。ヤンの子分が知っていたとしても、ヤンを怖れて何も言わないだろう。しかも、ヤンは島のどこかに身を潜めたまま姿を現さないのだから、万が一、産まれて来る子がヤンの子だとしても、しらばっくれればいいだけだった。女って、何て便利な生き物なんだろう。

清子は、先程ちらりと感じた微かな恐怖も忘れて愉快な気持ちになり、黒い小石の上をのたうち回る小魚を素手で捕まえた。身がぱさついて、とても食えたものではないため、ホンコンは煮干しにしていると聞いた。鯛《たい》によく似た形状をしているが、体が薄い桃色で口の回りだけ濃いピンク、という図鑑にも載っていなさそうな珍魚だった。誰が名付けたか、このやたら獲《と》れる小魚を、トウキョウではエロ魚と言い習わしていた。清子は、籠《かご》の中で跳ね回るエロ魚の頭を石で叩《たた》いた。

今は万事がうまくいっていた。島民は皆、清子の妊娠という厳粛な事実に衝撃を受けて、掌《てのひら》を返したように優しくなった。声をかけて労《いたわ》ってくれる者、盗んだ服や物を返してくれる者、食べ物を分け与えてくれる者。進んで重い物を持とうとしてくれる者。椰子酒を届けてくれる者。チョーフの豪邸とは比ぶべくもないが、オラガたちが住むシブヤの近くに、自分のための小屋も新しく建設されたし、サカイの作ってくれたベッドは戻って来たし、生活は一気に楽になりつつあった。言うことはない。復権だ、と清子はほくそ笑む。

だったら、島の意志で妊娠した、誰の子でもないトウキョウ島の子を産むのだ、と声高らかに宣言すべきではないだろうか。その考えは正しい気がした。頭脳が冴《さ》え渡って息苦しいほどだ。

清子は、ユタカの権力が日に日に増大しているのが気に入らない。それは、産まれる子供がユタカの子と認識されているせいもある。子供が産まれた途端、ユタカはまるで王族のように威張りはしないだろうか。自分も、その圧政下に置かれやしないか。しかも記憶を取り戻したユタカは、清子との結婚を解消したいと言いだした。いつか日本に帰るのだから、重婚は法律違反だ、と言うのだ。日本に帰れると思っているユタカのお目出度《めでた》さ加減は、腹立たしい限りだった。島の大いなる意志を感じ取れないユタカには、リーダーの資格なんかない。清子は、エロ魚の頭を叩き割った黒い石を海に放り投げた。

かつての夫、ユタカの豹変《ひょうへん》が気に入らなかった。あれだけ尽くし、愚痴を聞き、寂しさを埋め、記憶が戻るようにカウンセリングをし、抱いて慰めてあげたのに、記憶が戻ったら、違う人間になってしまったのだから。裏切られた思いがしたが、その原因が自分の脱出行だとあっては、何も言えないのが癪《しゃく》に障《さわ》る。子供をユタカに取り上げられたら、どうしよう。脳内を駆け巡っていた多幸感が失《う》せ、清子は暗い顔になった。

「清子さーん、お早うございます」

背後で暢気《のんき》な声がした。オラガとヒキメが立っていた。「トウキョウの浦島太郎」と呼ばれているヒキメは清子に挨拶《あいさつ》した後、自作の釣り竿《ざお》を手にして、引き潮の浜を遠退《とおの》いた沖に向かって行った。近頃は、裸の上に細かく裂いた椰子の葉を腰蓑《こしみの》代わりに巻き付けているため、髭面《ひげづら》のヒキメは、ますますお伽話《とぎばなし》の主人公のように見える。釣り糸は蔓《つる》を細く裂いた物で、針は鋭利な石だ。旧石器時代のような道具だが、馬鹿《ばか》な魚が時々引っ掛かるらしい。もっとも、この辺りで獲れる魚は、身の緩い、不気味な色の熱帯魚ばかりだ。

左のレンズにヒビが入った眼鏡を大事に使っているオラガは、割れたレンズを庇《かば》うように、左手でいつもレンズを覆う癖が付いた。風が吹いても割れる、と気にしているのだ。右目がやぶ睨《にら》み気味なので、始終、薄気味悪い表情を浮かべる男になってしまったが、本人は気付かない。相変わらず、自分は島の仲裁役、インテリ中のインテリ、と思い込んでいる。島に漂着した頃は青白い文学青年風だったのに、と清子は無惨《むざん》な思いでオラガを眺めた。もっとも、鏡などないから、島にいる誰もが、自分の風貌《ふうぼう》の変化に気付くことはできないのだ。ここは、自分のことは棚に上げて、他人を見ては笑ったり憐《あわ》れんだりする、厚顔無恥な場所でもあった。

「お腹《なか》の赤ちゃん、大丈夫ですか」

オラガはアカチャンと発音してから、恥ずかしいのか顔を赤らめた。

「ええ、皆さんのお蔭《かげ》で」

清子の謙虚な言葉に、オラガが得意の台詞《せりふ》で応《こた》えた。

「オラガオラガのガを捨てて、オカゲオカゲのゲで生きろって言いますから」

結婚式で必ずこの台詞を言う伯父がいたのだそうだ。オラガの命名の謂《い》われだが、久しぶりに下の句を聞いた清子は、もっともらしく頷《うなず》いてみせた。どことなく、気品を感じさせる物言いを心がけている。

「そうですね。あたしもゲで生きなくちゃならないわね。妊娠したのだって、本当に奇蹟《きせき》ですものね」

島の、とは付け足さなかった。すると、オラガは左手でレンズを庇い、右手で口許《くちもと》を押さえる怪しい格好で囁いた。

「知ってますか、清子さん。とうとうホンコンのヤツらが目撃されたんですよ。サイナラ岬とトーカイムラの間辺りに集落を作ってるらしいって。昨日、シマダが、サイナラ岬の崖下《がけした》にヤンがいたのを見かけたそうですよ。あいつら、生きてたんですね」

ドキッとした。小さな島にいるのだから、どこかで遭遇して当たり前なのだが、逃走以来、姿を見たという情報がなかったので、何となく安心していたのだった。妊娠をヤンが知ったら、自分の子だ、と言いだしかねない。不安だった。

「ワタナベは一緒じゃないの」

清子の目に表れた険にたじろいだように、オラガが後退《あとずさ》った。

「あいつはモリさんにくっ付いてるじゃないですか」

森軍司。ＧＭことユタカの本名だった。森軍司となってから、ユタカはリーダーシップを発揮して、島で生きる心得を説いて回っている。ホンコンに見捨てられたワタナベは、森軍司に付いて行きさえすれば安心だと思っているのだろう。しかし、中国語のできるワタナベが、これまでの恩讐《おんしゅう》を超えてヤンに注進に行かないとは限らないのだ。ワタナベを何とか、ヤンから遠ざけねばならない。

「ヤンはサイナラ岬の波蝕台《はしょくだい》にいたの？　下によく降りられたわね」

そう言いながらも、ホンコンならば何でもできるだろうと思う。箱船を見た時の驚きは忘れられない。ホンコンは、トウキョウの十倍もの道具を自ら作りだし、百倍もの勇気と好奇心で無人島生活を送っているのだ。生命力でも敵《かな》う訳はなかった。それにしても、ホンコンとの軋轢《あつれき》は、どうなったのだろう。復讐を怖れるでもなく、暢気に「見かけた」などと言っているのだから。清子はオラガに言った。

「ユタカは先手を打って、ホンコンを征伐する気はないのかしら」

オラガは驚いたように、左手を眼前から下ろした。すると、レンズを横切っている稲妻のようなヒビが露《あら》わになった。割れるのも時間の問題だった。そうなったら、オラガは片方のレンズを入れた眼鏡で歩き回るのだろうか、今度は右のレンズを庇って。想像した清子は吹き出したが、オラガは真面目《まじめ》そうに顔を曇らせるのだった。

「征伐ですか、清子さんは過激ですね。そういう気運はもうどこにもないみたいですよ。アタマなんか、もっぱら釣り三昧《ざんまい》だし。こないだジュゴンを釣った、と嘘《うそ》こいてました」

ホンコンと清子が島に戻って来た時、激怒したトウキョウは、ヤンやムンを海岸の柱に縛り付けていたぶったのだった。当時は、してやられたとばかりに、トウキョウ中に激しい怒りが沸騰《ふっとう》していたものだが、自然消滅したらしい。いかにも、飽きやすいトウキョウらしかった。いや、相手が弱っている時にだけ膨張する、暴力の衝動だったのだろう。ということは、この島で弱さを見せてはいけないのだ。清子は急に用心深くなって、また決意を新たにした。

「征伐すべきよ。誰もしないのなら、あたしが征伐隊を結成するわ。なぜなら、あいつらはあたしを拉致《らち》したんだから。ケリを付けずに済まそうなんて、ユタカも甘いことね」

オラガが文句を言いたそうに唇を歪《ゆが》めた。清子が自らホンコンの船に乗り込んだ、とワタナベが喋《しゃべ》りまくっているせいだった。事実なだけに、噂《うわさ》を潰《つぶ》して回りたかった。清子の中に、ヤンだけでなく、ワタナベも抹殺すべきだ、という強い衝動が起きた。しかし、ユタカを説得して、アタマとジェイソンの二大馬鹿にやらせてみようか。しかし、ホンコンには獰猛《どうもう》なムンがいる。返り討ちに遭うのはわかりきっていた。だが、それはそれでも構わなかった。たとえ戦争になろうと、島で一人の女、島母《とうぼ》たる自分は殺されないだろう、とする自信がある。どっちが生き残っても、お腹の子の父親だ、と主張すればいい。

清子はわざとらしく下腹をさすりながら、後ろを振り返った。そろそろ、朝飯の調達のために島民が集まって来る頃だ。ユタカが、のんびりと浜に下りて来たのが見えた。ユタカは朝の海で体を洗うのを日課としているのだ。ユタカが清子とオラガの姿を認め、姿勢を正しながら手を挙げた。勿体《もったい》ぶっていて、気障《きざ》な所作だった。ユタカもいずれ抹殺の対象となるだろうか。清子は、何げなくユタカを観察した。以前は、悲しげな暗い顔をして肩を落としていたのが、最近は記憶を取り戻したせいで、憂《うれ》いを湛《たた》えた意志的な顔に変わっていた。姿勢が良く、堂々としているため、男たちが「モリさん」と慕う理由がわかる気もする。確かに、ユタカにはリーダーの資質があった。だからこそ、ユタカが父親と認められるのは嫌だ、と清子は強く思った。子産みという素晴らしい仕事を成し遂げた自分だけが、崇め奉《たてまつ》られたかった。それには、神話か何かで補強する必要がある、と清子は唐突に思った。島と交わり、島の子供を産んで、島と化した女の物語を書いて伝承していかねばならない。

「母親しか要らない」

清子が呟《つぶや》いたのを、オラガが聞き咎《とが》めたらしく、不審な顔付きをしたが何も言わない。清子は、オラガのか細い腕を摑《つか》んだ。

「オラガさん、子供が産まれるまでの物語を書いてくれないかしら。あなたは小説家志望だったわよね」

隆と清子のチョーフの住まいがサロン化していた頃、オラガや犬吉は毎日来ては隆と話していた。その時、確か小説家志望と打ち明けたはずだ。村上春樹が大好きだと言って、隆と何か口論していなかったっけ。しかし、ここにいるオラガは、ヒビ割れたレンズのせいで頑迷な老人、もしくは真面目な狂人のように見える。オラガは、そんなことなど忘れたかのように、蔓を巻き付けた眼鏡のフレームを調整しながら答えた。

「物語ですか。実は、島史を書くように、モリさんに頼まれているんですよ。でも、どうやって記録すればいいか悩んでいて」

聞き捨てならなかった。ユタカが同じことを考えていたのか、と愕然《がくぜん》とする。が、自分は単なる記録を書いて貰《もら》いたい訳ではない。ましてや、島史などという生温《なまぬる》い名の付いたものでは済まないのだった。なぜなら、ここに暮らさねばならないのだから。

「島史って何を書くの」

「僕らが遭難した経緯や、着いてからのことです。ここでの生活を細かく書け、と言われてます。帰国した時に、その遭難記で稼いで、皆の生活費に充《あ》てるんだそうです。それでちょっと聞きたいことがあるんですがね、清子さん」

オラガが、再びレンズを左手で覆《おお》いながら言った。が、清子は途中から聞いていなかった。引き潮で遥《はる》か遠くに後退した海に、ユタカが岩から全裸で飛び込んだのが見えたのだった。抜き手を切りながら、珊瑚礁《さんごしょう》の中を行ったり来たりする黒く灼《や》けた肉体。何て言ってたっけ。学生結婚した妻がいて、娘が一人だっけ。そりゃ、四十六歳の女が相手じゃ、不満でしょうよ。自分がたった一人の女だったのに、絶対的な女がまた舞い戻って来て、ユタカの心の中に棲《す》まうようになってしまった。それも帰国を夢見ている馬鹿な男の心に。清子は、島と同じ気持ちになった。完全に島と同化した瞬間だった。即《すなわ》ち、ユタカを絶対に島外に出すものかと決意したのだった。

「清子さん、清子さん」

オラガが何か言っている。清子は、やっと振り向いた。

「隆さんが書いていた日誌はどこにあるんですか。申し訳ないんですけど、僕、清子さんの留守中に探したんですよ。でも、小屋にはなかった」

航海日誌。紙と筆記具があれば記録できることに、今初めて清子は思い至った。だが、隆が死んだ時、遺品を整理したが日誌がなくなったことには気付かなかった。もともと、書くことなど好きではなかった自分は気に留めもしなかったのだ。それに、あの時は、隆の死を喜ぶカスカベが、隆の遺品に触ることも嫌がり、自分を片時も離してくれなかった。カスカベとの甘い記憶が蘇《よみがえ》って、清子はうっとりと下腹を撫《な》でた。

オラガは苛立《いらだ》ったようだ。

「あれが島で唯一《ゆいいつ》の紙だったんですよ。貴重な物なのに、どうして失《な》くしたんですか」

「あたしが失くしたんじゃないわよ。誰かが持って行ったんでしょう。あたしの留守中にさんざん掠奪《りゃくだつ》したみたいに」

「あれは掠奪じゃないです。もう清子さんは帰って来ないと思ったからです」

「あら、そうかしら。わかりゃしないわ。紙は誰が持っているの？　あなた、知ってるんじゃない？」

清子はきつい表情を崩さずに言った。オラガは途方に暮れたように首を振った。

「どうして僕がわかるんですか。だって、清子さんの物だったんだから。とっくに失くなってたんじゃないですか」

夫が死んで四年、その存在を忘れていた日誌のことが俄《にわか》に気になった。隆の物は自分の物。つまりは、自分の財産である、島で唯一の紙がどこかに消えたことになる。

「征伐隊はやめて、紙の捜索隊を出しましょうか」

言った端から、オラガの呆《あき》れ顔が目に入った。

清子に何か話したそうに近付いて来たユタカを振り切り、清子は家に戻った。たった三メートル四方、台風が来れば跡形もなく吹き飛ばされそうな、ニッパ椰子《やし》で出来た小屋だが、とりあえず人の目を避けられるのが何より嬉《うれ》しい。清子は焚《た》き火《び》に放り込んでおいた平たい石の上に、エロ魚を置いた。ジュウジュウと音がする。加熱すると、エロ魚は色が抜けて人肌のような色になり、ますます妖《あや》しくなる。不味《まず》いので、野生のレモンをたっぷりかけて食べるのだ。魚が焼けるまでに、前日摘んできたバナナの厚い皮を剝《む》いた。

小屋の入り口から顔が覗《のぞ》いた。犬吉とシンちゃん夫婦だった。新婚らしく、二人は手を繫《つな》いで立っている。揃《そろ》いの木の実のネックレスを付け、新婦のシンちゃんは、犬吉の手製らしい貝の指輪を左手の薬指に嵌《は》めていた。

「清子さん、体調どう」

「いいわよ」

「赤ちゃん、触っていい？」

犬吉が恥ずかしそうに言ったが、清子は首を振った。

「まだ小さいから駄目」

犬吉の落胆した顔を見た清子は、時々行使できる、こうしたささやかな権力が面白くて仕方がなかった。シンちゃんは、犬吉を慰めるように顔を見る。犬吉と似たような細い体格で、滅多に喋ろうとしない。元は、首都圏のフリーターだったと聞いているが、意思表示の極端にはっきりしない男だった。しかも、二人共、態度や物言いがだんだん幼くなっていく。島にいるうちに、知能が退化したとしか思えなかった。しかし、それも島の意志なのだ。清子は意地悪な思いで、犬吉夫婦を眺めた。

「ねえ、清子さん。子供が産まれたら、名前、ズッパって付けてよ」と犬吉。

「ズッパって何」

「僕の犬の名前だよ。お父さんがフランク・ザッパから取ってザッパにしようって言ったんだけど、ズッパの方が可愛《かわい》いと思ってさ」

シンちゃんがそれを聞いて、欠けた前歯を剝き出して笑った。道具がない島では、始終誰かが爪《つめ》を剝《は》がしたり、歯を折ったりしている。しかし、肉体の頑丈さを誇れるのも、時間の問題だった。犬吉もシンちゃんも二十代前半だが、自分の子供が産まれれば、その子が最年少の島民となって、二人ともあっという間に老人になる。清子は、命を産み出すことが如何《いか》に大きいかを認識して、勝利感めいた喜びに浸っていた。

「ねえ、それともうひとつ頼みがあるんだけど」

犬吉が切りだした。シンちゃんは拗《す》ねた様子でそっぽを向いた。清子は、エロ魚をひっくり返してから、犬吉を振り返った。エロ魚は焼け石に薄い皮をひっ付かせ、薄いピンク色の肉を晒《さら》している。それが何となく卑猥《ひわい》で、清子は目を逸《そ》らせた。

「今の子を産んだらさ、清子さん。今度は僕たちの子供を産んでくれないかな。僕がここに通うから。いいんだよ、シンちゃんは我慢するって言ってる」

清子は、驚いて二人の顔を見た。シンちゃんは、嫉妬《しっと》に苦しむ顔を見せまいと俯《うつむ》いたが、犬吉は真剣だった。

「皆、言ってるよ。一人ずつ順番に子供を産んで貰おうって」

冗談じゃないよ。思わず出そうになった言葉を吞《の》み込み、清子は不機嫌になった。子産み機械じゃないのに、トウキョウの男たちは新しい楽しみを見付けたつもりで、無邪気にやって来るのだ。産まれる子供は島の子で、自分は島母だ、と早めに宣言しないと、自分は若い男たちに襲われ続けかねない。命を懸けた妊娠をし続けるなど、まっぴらだった。

「あなたたちって、子供っぽいわね。もう少し勉強して大人になってよ」

厭味《いやみ》を言うのが精一杯だったが、未熟な集団がそのまま未開生活を送っているのだから、厭味だと気が付いたかどうかも怪しい。中でも、ややマシな人間が、ユタカなのだった。清子の機嫌が悪いので、犬吉とシンちゃんは顔を見合わせて出て行った。

清子は、棚を見上げた。隆の遺品であるオメガ・シーマスターが麗々しく飾ってあった。ユタカが真っ先に返してくれたのだった。久しく忘れていた言葉が口を衝《つ》いて出た。

「ねえ、あなた。あたしどうしたらいい」

不意に、隆の葬式の時の様々なことが思い出された。白い流木を遺体に見立てて白い船長帽を被《かぶ》せ、時計を絡《から》ませたっけ。あれ、船長帽はどうしたっけ。清子は付近を見回した。確か、隆は船長帽を大事にしていたはずだが、しばらく見ていない気がする。何年くらい見ていないだろう。いつの間にか、何かしら物が失くなったのは感じてはいたが、一番の物持ちである自分は鷹揚《おうよう》だったし、当時はそれどころではなかった。清子は、焼けたエロ魚が石に焦《こ》げ付くのも構わず、表に出た。ちょうど向こうからユタカがやって来た。オダイバで話せなかったので、わざわざやって来たらしいのはわかっていたが、清子は逆に息せき切って尋ねた。

「ユタカ。隆さんの船長帽って、どうしたっけ」

ユタカは少し嫌な顔をした。

「清子さん、僕は森軍司に戻ったんだから」

「はいはい、モリさん」清子は他人行儀に言った。「船長帽知りません？ 横山やすしが被っていたような白いヤツ。金線が三本入っていて」

ユタカは、男にしては長い優雅な首を傾《かし》げた。

「この間、ワタナベが被っていたような気がするけど、汚くて白には見えなかったな」

ワタナベ。動悸《どうき》がしたが、顔には表さなかった。隆がワタナベに託すはずはなかった。ワタナベが盗んで行ったのではないだろうか。ワタナベが自分の更紗《さらさ》のワンピースを着ていたことも思い出し、清子は無性に腹が立った。一度、トーカイムラまで出向いて取り返さなくてはならない。しかし、ヤンのことがあるので、はっきりと敵対はしたくなかった。ことの複雑さに、清子の顔は歪んだ。が、ユタカは気付かずに勝手に喋っている。

「清子さん、相談があるんだよ。僕は、トウキョウ島の心の故郷を作るべきじゃないかと思ったんだ。隆さんとも関係があるから聞いてくれないか。つまり、この島にないのは、寺とか神社とか共同墓地なんだよ。皆がそこに向かって礼拝し、心をひとつにし、心を綺麗《きれい》にできる聖なる場所」

「コウキョ前広場があるじゃない」

清子は気もそぞろに答えた。

「あれじゃ駄目だ。ああいうだだっ広い広場じゃなくて、ちゃんとしたモニュメントを建てようと思うんだ。でないと、皆の心が落ち着かないだろう。花を手向けたり、祈ったり、詣《もう》でる場所が皆に必要だよ。僕はそれをサイナラ岬に建てようと思っている。あそこでは二人亡《な》くなっているし、何となく聖地の匂《にお》いがする。ね、清子さん、どう思う？」

清子は答えずに、オダイバの浜で思ったトウキョウ島と自分の類似点を考えていた。

サイナラ岬とは、自分にとって何か、ということを。答えは簡単だった。死と災い。最後まで避けたいものだ。ならば、トーカイムラは。要らないもの、禍々《まがまが》しいもの。だとしたら、自分ではなく、ワタナベの象徴だった。なぜなら、自分は島母になったのだから。すぐさま答えた心の声に、清子は驚いた。トウキョウ島は自分そのものではなかった。ワタナベをも内包した自分なのだった。衝撃を受けて、清子はユタカがそこにいることなど忘れて、地面にがっくりと膝《ひざ》を突いた。急に、腹の胎児が重みを増したように思った。

2　イスロマニア

また逆鉾《さかほこ》団地の夢を見ていた。ブランコに揺られながら、スターハウスのてっぺんに突き出たテレビアンテナの数を数えている夢だった。スターハウスの横には、コンクリート製の給水塔も聳《そび》えている。マンタさんこと黄桜俊夫は、湿った闇《やみ》の中で目を開け、記憶が途切れないうちに、いろいろなことを思い出そうとした。ブランコはプレイロット内の一番奥。ブランコの前には、知恵の輪みたいな複雑な形をしたジャングルジムがあり、その横には、楕円形《だえんけい》の砂場。入り口を入ってすぐ右側には、滑り台があった。プレイロットは、ところどころ錆《さび》の浮き出たブルーの鉄柵《てっさく》に囲まれていて、立派なコンクリート製の門も付いていた。門に貼《は》られたプレートには、掠《かす》れた文字で「逆鉾団地　子どもの遊び場」と書いてある。いや、「逆鉾　子どもの国」かもしれない。それとも、お洒落《しゃれ》に「さかほこ　こどもプレイグラウンド」とか。なぜ、こんな大事なことが思い出せないんだろう。俊夫は苛々《いらいら》して、自分の頭髪を引き抜いた。手も髪もぐっしょり濡《ぬ》れた。時々、嵐《あらし》のような衝動が込み上げてきて、制御できなくなることがあった。その時は、髪を引き抜いたり、髭《ひげ》を毟《むし》ったりするので、気付かぬうちに、頭皮や顎《あご》から出血していることがある。衝動とは、自分の無能力さに対する怒りだった。姉が去ってから、最近は苛立つことが増えている。

逆鉾団地は、俊夫の生まれ育った場所だ。両親によって、強制的に与那国島のバイトに出される二十六歳まで、ずっと住んでいた。仙台市郊外、市の北西を流れる逆鉾川の近くにあるから逆鉾団地。世帯数は四百二十。分譲と賃貸が併存しており、単身者用の棟もあった。団地の平面図は、トウキョウ島にそっくりな、腎臓《じんぞう》を潰《つぶ》したような形をしていて、俊夫の住む20号棟は左の端っこにあった。団地内のほぼ中央を広い道が横切り、バスターミナルもあったし、商店街も作られていた。集会所では、しばしばバザーや演芸大会、映画上映会も開かれた。だが、何と言っても、逆鉾団地の花形は、団地の真ん中にあるスターハウスだった。誰が名付けたのか知らないが、三角形の中庭を囲んで繋がった三つの建物から成る、珍しい住宅だ。団地内の唯一《ゆいいつ》の分譲棟が、たった一棟のスターハウスなのだ。平凡な七階建ての集合住宅に住む俊夫は、スターハウスの存在が自慢だった。毎日、ブランコのあるプレイロットに行っては、スターハウスと、もうひとつの気に入りである、高さ三十メートルの給水塔を、交互に見比べていたものだ。

俊夫にとって、逆鉾団地はひとつの国、それも天国だった。団地内に、ないものはなかった。小学校、中学校、交番、八百屋、肉屋、出張所、郵便局、パン屋、クリーニング屋、本屋を兼ねた文房具屋（後に貸しビデオ屋も兼ねた）、生活雑貨店（後に百円ショップになった）、蕎麦屋《そばや》、ラーメン屋、鮨屋《すしや》、遊び場。十年前には、似非《えせ》マクドナルドも出来た。団地には、スターハウスに住める貴族もいれば、賃貸棟に暮らす庶民もいるし、単身者棟には、やもめ老人や、司書を引退した独身老女、学生もいた。あそこでは、誰もが満ち足りて暮らしていた。選択する必要がないからだった。逆鉾団地に住んでいる限り、生きるための迷いなんてひとつもない。そして、自分たちのような問題のある家族でさえも、団地ではひとつの役割を果たしていたはずだ。特別な家庭、という役割。「黄桜さんのところは大変だったからねえ」という同情と遠慮と伝説。あのような天国を、何と言うのだろう。考えはするが、語彙《ごい》が少ない俊夫は、「サカホコっぽい」と勝手に思った。しかし、選ぶ必要がないという意味では、トウキョウ島もまた一種のサカホコには違いなかった。俊夫は、この発見に気分が良くなったので、鍾乳洞《しょうにゅうどう》から這《は》い出ることにした。

鍾乳洞は、石灰石の岩の上にぽっかり空いている穴に気が付いたことから、偶然発見した。崖《がけ》によじ登り、横穴から試しに入ってみると、長さも深さもわからないほど、奥は枝分かれして、果てしなく続いていた。天井から伸びる巨大な鍾乳石が邪魔だし、床が滑るのが難点だが、平らなところも、広いドーム状になっている場所もあるので、雨露を凌《しの》ぐのにはもってこいだった。暗さと湿気さえ気にしなければ、地下水も湧《わ》いているし、動きの悪いコウモリを捕まえられるし、サンショウウオのような生物も棲《す》んでいて、食物には不自由しない。もともと、引きこもりだった自分には、穴蔵が適している。洞窟《どうくつ》の暗い深奥でじっとしていると、孤島の子宮の中にいるような気がして、実に心地良いのだった。いや、これもまた「サカホコっぽいこと」なのかもしれない、と俊夫は思った。逆鉾団地の充実した環境を心底喜んでいたからこそ、自分は団地の一室に籠《こ》もるのが好きになったのだ。自分のような繊細な男は、何を選んでいいのかわからない放埓《ほうらつ》な街に住んでいたら、到底生きてはいけなかっただろう。ということは、自分はトウキョウ島という環境に適している、ということになる。

そうは言っても、無人島に漂着したばかりの頃の自分は、突然違う環境に放り込まれて気がおかしくなっていた。死んだ姉と称する物《もの》の怪《け》が取り憑《つ》いて、始終話しかけてきた。不思議なことに、物の怪は女の声ではなく、自分の声によく似た野太い男の声だった。

『俊夫、やっと着いたんだね』

「ここ、どこだよ、姉ちゃん」

『姉ちゃんだって？　俊夫は姉ちゃんなんて言ったことなかったよ。いつも、カズちゃんと呼んでたじゃない。あんた、誰なのさ』

「ごめん、カズちゃん。僕、俊夫だよ。これからカズちゃんて言うから赦《ゆる》して。ね、カズちゃん、ここどこ」

『天国だよ。あたしたちの住んでいたサカホコダンチみたいな場所』

「嘘《うそ》だよー。スターハウスはどこ」

『北の岬にあるよ』

「嘘だい。そんなもの見えないやい。カズちゃんの嘘吐《うそつ》き」

俊夫が、童心に返って物の怪と甘く語り合っているうちに、一緒に流れ着いた仲間は薄気味悪そうに去って行った。仲間たちは、俊夫を決して同じ小屋に入れようとはしなかった。俊夫がのべつ幕なしに誰かと喋《しゃべ》っているので怖いのだ、と言う。それでは、と彼らのそばに小屋を造ろうとすると、嫌がって別の場所に移ってしまう。しばらく、追いかけっこを繰り返しているうちに、トーカイムラに追いやられたワタナベ同様、俊夫は一人で北の森に住むことになった。北の森はサイナラ岬が近いので、島民が忌避している場所だ。途端に、姉の霊はどこかに行ってしまい、俊夫は急に一人になった。

鍾乳洞の入り口は急に狭くなって、四つん這いにならないと外に出られなかった。出たら出たで、今度は崖の横穴だから、転がり落ちないように神経を使わなければならない。梯子《はしご》でも作れば便利なのだが、俊夫にはそんな気力も腕力もなかった。俊夫は注意深く穴から這い出て、崖の横に生えているガジュマルの枝を摑《つか》んだ。すると、下から男の声がした。

「ああ、びっくりしたぜ」

驚いて下を見ると、ジャングルの間から女の服が見えた。とうとう姉の和子が姿を現したのかと思い、俊夫は息を切らしながら叫んだ。

「久しぶりだね、カズちゃん。どうしてたの」

「アホか。俺はワタナベだ。カズちゃんて誰だよ。マンタ、お前、頭がまたおかしくなったな」

ワタナベは、どういう訳か、ワンピースを着ていた。よく見ると、清子の服だ。清子の夫の葬式の時、読経《どきょう》の真似事《まねごと》をさせられたから、清子がその服を着ていたのを覚えていた。オレンジや紺の細かい模様のある、ぶかっとしたワンピースだ。俊夫はガジュマルの気根を不器用に摑んで、そろそろと地面に下りた。ワタナベが黄色い歯を剝《む》き出して笑った。

「マンタ、猿かと思ったぜ」

相変わらず品の悪い笑い方をする。俊夫はあるかなきかの目を伏せた。ワタナベは偶《たま》通りかかったらしく、珍しそうに崖の穴を見上げている。

「お前、何で濡れている」

鍾乳洞に籠もっていると、サンショウウオになりそうなほど、湿気で全身が濡れるのだった。ワタナベは俊夫の返答なんか待たずに続けた。

「こんなところに住んでいたとは知らなかったぜ。あそこはどうなってるんだ」

「ただの洞穴だよ」俊夫はどきどきしながら、何げない風を装《よそお》った。「何か用かい」

「おめえに用なんかねえよ、通りかかっただけさ。それよっかマンタ、清子がホンコンのヤツらと逃げたぜ」

ワタナベは着ているワンピースの匂《にお》いを嗅《か》ぎながら言った。

「どこに」

「どこにって海の向こうだよ。ホンコンのヤツら、船を造っていたんだ」

俊夫は、愕然《がくぜん》とした。ホンコンたちがこっそり船を建造していたという恐るべき事実に、ではなかった。男たちがいて、女が一人いて、外国人がいて、と無人島の環境が他に選びようのないほどに整備されていたにも拘《かか》わらず、均衡が崩れたからだった。女と外国人がいなくなったということは、いびつになったことに他ならない。逆鉾団地は、男女比率、大人と子供の比率、金持ちと貧乏人の比率、すべてに均整が取れていた。均整こそがサカホコの条件ではなかったか。

「ホンコン、いなくなっちゃったんだね」

俊夫は、落胆した。時々、魔物の一群のようにジャングルを通り過ぎて行く、全裸のホンコンたちが嫌いではなかった。俊夫に気付くと、必ず挨拶《あいさつ》をするし、近寄って来て俊夫の顔をしげしげと眺めては、笑ったりもする。ヤンというリーダーは、ジャングルに一人住む俊夫を気の毒に思ったのか、マンゴーやバナナを投げてくれたりもした。まるで珍獣扱いに近かったにも拘わらず、俊夫の方では、彼らとの交流を楽しみにしていたのだった。

「あいつら人間じゃねえよ」

ホンコンと交わり、一緒に行動していた癖に、ワタナベは吐き捨てた。俊夫は残されたGMが哀れになった。

「GMはどうしてるの」

「ショック受けてるに決まってるさ。あんな女に捨てられたんだからな」

へへっとワタナベは小気味良さげに笑った。すると突然、俊夫の頭の中で姉の声が響いた。数年ぶりの出来事だった。

『俊夫、早くGMのところに行ってやんなきゃ駄目じゃん』

「何でだよ、カズちゃん」

『だって、GMってあれでしょ。うちの祖母《ばあ》ちゃんと一緒のヤツでしょう』

ああ、なるほど、と俊夫は頷《うなず》いた。

姉の和子が死んだのは、俊夫が三歳の時だった。姉は三歳違いの六歳。何が起きたのか、未《いま》だ以《もっ》て不可解だが、和子はスターハウスの三角形の中庭に転落死していたのだった。中庭を囲む住宅の窓は、すべてが高い場所にあって小さく、六歳の女児と雖《いえど》も、抱えて窓から突き落とすのは至難の業だった。危険という理由で、屋上もない。つまり、和子はまるで巨人が中庭に放り込んだような形で死んでいたのだった。当然のことながら、逆鉾団地は大騒ぎになり、警察や新聞記者が、連日団地内をうろついていたという。だが、当時三歳だった俊夫は何も覚えていない。姉と仲が良く、始終手を繋《つな》いで団地内を歩いていたと聞かされたが、和子がどんな顔をしていたのかも全く記憶になかった。後に、歯を剝き出して笑っているのか、イーとしているのかわからない、仏壇に飾られた写真によって、和子の残像がやっと心の中に刻み込まれただけだった。

和子の謎《なぞ》の死によって、俊夫の家庭には異変が生じた。両親は嘆き悲しんで、だんだんと縮み、若くして老爺《ろうや》と老婆《ろうば》のようになってしまった。家には常に線香の煙がもうもうと立ち込めて、俊夫は毎晩仏飯《ぶっぱん》を食べさせられた。小さな目が離れて付いて吊《つ》り上がり、鼻梁《びりょう》がほとんどなくて、鼻先だけが尖《とが》った自分の異相は、線香の煙ったさと仏飯の臭さのせいではないか、と物心付いた頃の俊夫は思ったものだ。しかし、最も変貌《へんぼう》を遂げたのは、祖母だった。祖母は、和子という孫娘がいたことを忘れてしまったのだ。仏壇を見ては、これは誰だ、ここには死んだ祖父《じい》さんしかいねえはずだ、と毎日毎晩、和子の位牌《いはい》を払い除《の》け、両親に悲しみどころか憎しみを抱かせたし、母親が大事に仕舞っていた和子のランドセルを捨てようとして騒ぎを起こした。しかも、縮んだ両親とは逆に、年々、異常に元気に、そして若くなった。ところが、数年後、「和子という名は自分が付けた」と口を滑らせて、母を烈火のごとく怒らせた。記憶が蘇《よみがえ》った、と本人は言い繕ったが、両親は信用しなかった。以来、両親と祖母の仲はこじれたままだった。祖母は老人ホームに追いやられ、間もなく死んだ。悲劇が悲劇を生む歴史が、黄桜家にもあったのだ。

「祖母ちゃんのあれは何だったの、カズちゃん」

『罪の意識でしょ』

姉は常に明快だった。俊夫は、ほうと頷いた。祖母ちゃんと和子の間に、何か秘密があるのだろう。聞いてみてもいいのだろうか。しかし、家族の秘密を知るのは怖かった。ふと気付くと、薄気味悪そうに眉《まゆ》を顰《ひそ》めたワタナベが俊夫を窺《うかが》っていた。

「マンタ。お前の一人芝居ってこれか」

そうではなく、姉の霊と話しているのだ、と言ってやりたかったが、俊夫は黙った。他人に説明したところで無意味なのは、嫌というほど知っていた。やがて、ワタナベは俊夫の逡巡《しゅんじゅん》など気付きもせずに、着慣れぬスカートを翻《ひるがえ》して、ジャングルの奥に消えて行った。俊夫は、その辺に生えているパパイヤの実を取り、まだ青く固い表皮を齧《かじ》って、食事を終えた。

ジャングルを横切り、丘を越え、GMと清子の住まいに着いたのは、その日の夕方だった。清子がホンコンと島を脱出したというニュースは島内を駆け巡っているらしく、会う人間すべてが、どこか悄然《しょうぜん》としていた。オラガが大きな声で誰かと話しているのが耳に入った。「経済発展の遅い隣の国がさ、突然、核ミサイルの開発に成功したかのようなショックだよな」

「どうも」と俊夫は、オラガに挨拶したが、オラガは軽く会釈《えしゃく》を返しただけで、俊夫に話しかけようともしなかった。すると、姉が脳髄から囁《ささや》いた。

『ワタナベが、あんたのことを触れ回っているせいだよ。あんたがまた気が触れたって言ってるんだよ。本当の馬鹿《ばか》は相手にしなくていいからね』

「ありがとう、カズちゃん」

物の怪に礼を述べた途端、幼児の頃の記憶がまたひとつ蘇った。姉がいつも自分を守ってくれていたことを。その記憶は、細部を覚えているのではなく、幼い自分の前に立ちはだかって守ってくれる、姉の影のような曖昧《あいまい》なものだったが。姉が死んだのは、二十八年も昔なのに、今またこうして自分を守ってくれるのだ。島民に避けられてはいるが、自分こそが、この島で最も幸福で強い者のように感じられた。これも「サカホコっぽいこと」である、と俊夫は感動した。

GMは、チョーフ小屋の前にある大石に腰を下ろし、オダイバ岬の先端に沈む夕陽を眺めていた。

「こんにちは、GM」

GMが振り返り、自信の失《う》せた顔で俊夫に一礼した。俊夫は、与那国島の久部良《くぶら》港をこっそり出航した時の、GMの姿を昨日のことのように覚えていた。男らしく自信に溢《あふ》れ、怖《お》じ気《け》づく仲間たちを、「さあ、冒険だ、冒険だ」と鼓舞していた。台風の最中では、昂奮《こうふん》し切って甲板を走り回り、挙げ句の果てには風雨に裸の胸を晒《さら》して、「風よ吹け、雨よ、俺を押し流せ」と叫んでいた。本当に押し流された今、GMは、姉が死んだ後の両親のように老《ふ》け込んでいる。

「ああ、マンタさんか。久しぶりだね」

「あの、あの、き、き、清子さんが」

上がったせいか、俊夫は急に吃音《きつおん》になった。子供の頃から、俊夫は吃音気味だった。それが嫌で引きこもりになった面もあった。すると、見かねたらしい姉がしゃしゃり出てきた。

『ちょい待ち。あたしが喋るから、俊夫は黙っていて』

「で、でも、カズちゃん」

俊夫の制止を振り切って、姉は喋り始めた。

『あたしは俊夫の姉です。カズちゃんって呼んで。いい、はっきり言うね。あなたは記憶喪失の振りをしているけど、もうやめた方がいいと思う』

GMは唖然《あぜん》として、俊夫を見た。

「どうしたの、マンタさん。マンタさんが喋っているんじゃないみたいだよ」

『あのね、あたしは俊夫じゃないの。俊夫の姉のカズコ。だからカズちゃんって呼んでって言ったじゃない。もう一度言うね。あなた、記憶喪失の振りをするの、やめた方がいいよ。無理することないって。うちのお祖母ちゃんだって、三年しか保《も》たなかったんだから。あなたが記憶喪失になった振りをしている理由はわかってるんだ。ここに皆を連れて来てしまった責任を感じているんでしょう。そうだよね、あなたがみんなを廃船同様の漁船に乗せて、久部良港から出港したんだものね』

GMは激しく動揺したらしく、顔色を変えたと思ったら、泣きだした。俊夫は、GMの骨張った肩を、遠慮がちに撫《な》でてみた。そうした方がいいと思ったからだ。急に、姉の声音は優しくなった。と言っても、相変わらず野太い男の声だったが。

『あたしにはわかってる。あなたはとても責任感の強い人なんだよ。GMという記号になって、家族のことも忘れるように努めて、とても偉かったと思う。でも、清子さんはもういない。あなたの新しい家族は、またあなたを置いていなくなったんだよ。この現実を受け止めて、強く生きなよ。トウキョウ島には、あなたが必要なんだからさ』

「必要ってどういうこと」

GMは涙に濡《ぬ》れた目を上げた。俊夫は、薄汚れた形《なり》をしているものの、GMの男らしい顔に打たれていた。それに引き替え、自分は乾いたサンショウウオのように、残照で干涸《ひか》らびた、哀れな姿をしているではないか。俊夫は身を縮めたが、姉はますます堂々と熱弁をふるうのだった。

『この島は欠けたんだよ。世界が変わったんだ。島でたった一人の女はいなくなってしまったし、外国人もいなくなった。それも、私たちに内緒で船を造り、自分たちだけ脱出したんだよ。みんな怒っているし、動揺している。平和は失われたってことだ。これは危機だと考えてちょうだい。このままだったら、島民はばらばらになって、病気で死んでしまうよ。清子さんがいたからこそ、男たちには女という異物がいた。ホンコンがいたからこそ、異文化との衝突があった。それがなくなったら、私たちには何もないんだよ。だからこそ今、リーダーが必要とされているの。力強く、新鮮なリーダーがね。それはあなただよ、GM。あなたしかいない。もうGMなんて、イニシャルで呼ばれる必要はないよ。そうじゃない？　森軍司君』

「森軍司」GMは、大きな溜息《ためいき》を吐《つ》いた。「僕の本名だ」

「そうだっけか」

俊夫は間抜けな合いの手を入れた。GMが薄気味悪そうに俊夫を見た。
「マンタさん、いったいどうなってるんだ。今喋《しゃべ》っていたのは、本当にマンタさんじゃないの？」

たじろいで後退《あとずさ》ると、また姉が前に立ち塞《ふさ》がる感触があった。誰かに苛《いじ》められると、駆け寄って庇《かば》ってくれる頼もしい姉。プレイロットの砂場で、ブランコで、何度こんな経験をしただろうか。俊夫は、自分が幼い子供に戻っていくような快楽を感じていた。久方ぶりに現れてくれて、心底安堵《あんど》している幼い自分がいた。

『さっきから言ってるでしょう。あたしは、俊夫の姉の和子だってば。何度言ったらわかるの』

「そんなこと急に言われても、どうしたらいいかわからないよ」

GMが両手で顔を覆《おお》った。すっかり陽が暮れて、トウキョウ島は闇《やみ》に包まれつつある。あちこちでほんのりと明るいのは、各集落で夕餉《ゆうげ》の支度をしているからだろう。

俊夫は、しまった、と思った。鍾乳洞《しょうにゅうどう》の入り口へよじ登るのが難儀だ。どころか、ジャングルの中を北の森に帰るのさえ大変だ。すると、俊夫の心配を見越したように、姉が言った。

『いろいろ教えてあげるから、小屋に入れてちょうだい』

GMは不承不承頷いて、俊夫を小屋に案内した。以前、隆の葬儀の時に入れて貰《もら》った時以来だった。清子に裏切られたGMが暴れたらしく、内部は乱れていた。清子の持ち物が散乱して、泥棒にあったような有様だ。俊夫は遠慮がちに言った。

「今日、ワタナベが清子さんの服を着ていたのを見たよ」

GMが顔を曇らせた。

「あいつが欲しがったので、やったんだ。もう、あんな物要るもんか。ねえ、それより、今喋ったのどっち」

「僕だよ」

「ああ、マンタさんか。駄目だな、俺、全然慣れない」

「僕だって慣れてないんだ。突然、姉が出て来て、僕に成り代わって喋るもんだからさ」

『そういう言い方はないでしょう』

姉が怒った口調で遮ったので、俊夫は焦《あせ》った。

「ごめん、カズちゃん」

「忙しいね」と、GMが微笑を浮かべた。島で初めて、姉と共にいる自分を認めてくれた人間だった。俊夫は喜びを感じ、GMの再起のためには何でもする、と誓った。

『じゃ、今後のいろいろをレクチャーするね。あたしがシナリオを書くから、気に入らなくてもやった方がいいよ』

自信満々な言い方だったが、GMは縋《すが》るように頷いた。俊夫は、姉が誇らしかった。

『まず、あなたは清子が出て行ったショックで記憶が蘇った、自分はGMではなく森軍司に戻った、と皆に言って回るの。それも堂々とね。あなたは思い出したくないだろうけど、前のあなたに戻ればいいんだよ。背筋を伸ばして、声を大きく。それだけでリーダーになれるよ。みんな密《ひそ》かに思っているはずだ、オラガやアタマなんか使えない、頼れないってね。嘘《うそ》だと思うのなら、やってみればいいよ。あなたは無理して記憶喪失を装《よそお》うストレスから解放されるし、島にとってはリーダーを得る訳だから、一石二鳥。そうじゃない。そして、島を再建しよう、と言うの。それにはまず、異物は去った、という認識から広めるのがいいよ。一番難しくて争いが起きるのは、単一性なんだ。単一性の争いが根深くて危険なのは、当面の脅威やわかりやすい敵がいないせいなんだ。何度も言うけど、だからこそ、今あなたが立ち上がらなければならない時なんだよ。さあ、やるんだ』

GMは促されたように、本当に小屋の中で立ち上がった。背筋が伸びて、視線が遠くを見ている。急に小屋が狭く見える。カッコいいなあ、と俊夫は惚《ほ》れ惚《ぼ》れと見上げた。まるで、コンクリート製の給水塔みたいだ。逆鉾団地を睥睨《へいげい》する給水塔。裾《すそ》は苔《こけ》むして貫禄《かんろく》があり、胴体は緑の蔦《つた》に覆われて美しく、点検のための階段が、粋《いき》な帽子のようにてっぺんをぐるりと巡っている。子供はみんな給水塔に憧《あこが》れて、てっぺんに登りたがったっけ。団地を見下ろせるスーパータワー。あそこからなら、スターハウスの中庭も見下ろせるはずだ。今思い出した記憶の細部が完璧《かんぺき》に思えて、俊夫は手を打った。

「サカホコっぽい」

「サカホコって何」

GMこと森軍司が、驚いたように俊夫を見たので、俊夫は恥ずかしくなって黙った。

「何でもないよ」

姉は喋り疲れたのか、急に気配を潜めたのがわかった。俊夫は、森軍司と二人きりなのが気まずくなって、意味もなく自分も立ち上がってしまった。

「帰るのかい」

森軍司に問われ、仕方なしに頷《うなず》く。

「ありがとう。お蔭《かげ》で元気が出たよ」森軍司が俊夫の小さな手を握った。「姉さんによろしく。また悩んだら相談に行くから」

姉の存在を認めてくれる人物がやっと現れた。俊夫は嬉《うれ》しくて堪《たま》らなかった。が、一歩小屋を出れば、夜のジャングルが待っている。俊夫は、苦手な夜歩きを始めた。こういう時に限って、月が雲に隠れている。真の闇の中、周囲を大海に囲まれている圧迫感だけを感じながら、樹木を掻《か》き分けて進むのは大嫌いだった。ホンコンやワタナベなら、夜行動物のごとく、島を自由自在に歩き走りしているというのに。俊夫はあちこちの集落の明かりを見ながら、丘を越えた。北の森の端に着くまでは、ジャングルを抜けて行かねばならない。

必死に歩くうちに方角を間違ったらしく、急に開けた場所に出た。俊夫は、恐怖に戦《おのの》いた。崖下《がけした》の波蝕台《はしょくだい》で砕ける波の音が聞こえる。サイナラ岬だった。下手に動くと、崖から落ちるかもしれないし、この辺りは、岩の裂け目が多い。栄養不足で鳥目気味の俊夫は、這《は》い蹲《つくば》ってジャングルに戻ろうとしたが、棘《とげ》のあるアダンに阻《はば》まれてできない。いったいどこからここに出て来てしまったのだろう、と往路を探したが、見付からなかった。恐慌《きょうこう》をきたした、ちょうどその時、雲間から月が顔を出した。崖下に広がる海が見える。点々と巨大な岩が海中に姿を現し、不気味な浜が一望できた。この崖下に落ちた隆や、カスカベの遺体がいつの間にか消えていたことなどを思い出し、俊夫は怖《おそ》ろしくてならなかった。姉ちゃん、姉ちゃん、と心の中で何度も呼びかけたが、和子は現れない。呼び方を間違えたのだと気付き、カズちゃん、カズちゃん、と呼び直したが、それでも気配は絶えてなかった。俊夫は孤独と恐怖に震え、他人の森軍司には生きる気力と勇気を与えたのに、実の弟にはくれないのか、と和子を恨んだ。そのうち、五時間に及ぶジャングルでの彷徨《ほうこう》に疲れ果てた俊夫は、崖の上で俯《うつぶ》せに横たわった。夜が明けるまで、動かずに待つしかない。腹の下から、波濤《はとう》の轟《とどろ》きが響き、波が押し寄せる度に岩盤自体が微《かす》かに揺れているのを感じた。俊夫は固く目を閉じて、子供のように泣きじゃくった。

『しょうがないなあ』

姉の声がしたので、ほっとして目を開けると、眼前に小さな女の子が立っていた。腕組みをして、呆《あき》れたように顎《あご》を上げている。サスペンダー付きのスカートに白いブラウス。ブラウスは血に塗《まみ》れている。全身の骨が砕けた姉の遺体に取り縋って、号泣する母の姿を思い出した。俊夫は、初めて姿を現した姉を、月明かりの中でまじまじと見た。どこかに微かな失望があった。自分を覆うほど大きな姿を想像していたのだった。姉は細い指で黒いジャングルを指した。

『こっちだよ。馬鹿な子』

「待って、カズちゃん。この辺にスターハウスがあるって言わなかった？」

『あるよ』

小さな女の子は、得意げな表情で歩きだした。必死に後をつけると、姉が岩の大きな裂け目を指差した。大きな岩盤が数メートルの幅で、数十メートルにわたってずれた場所だった。怖々と下を覗《のぞ》き込んだ俊夫は愕然《がくぜん》とした。月明かりのもと、遥《はる》か下方に、白い鍾乳洞が見えた。

「あれがスターハウスだって言うの、カズちゃん」

『そうだよ、中庭が見えるでしょう』

だったら、真ん中に小さな女の子が倒れているはずだった。俊夫は焦って目を凝らしたが、何も見えなかった。「見えないよ」と顔を上げたら、怒ったのか、気儘《きまま》な和子はまたどこかに消えてしまっていた。あんなに自信たっぷりなのに、姉はまだ小さな女の子なんだな、と思うと、俊夫は何となく可愛《かわい》く思えた。

和子の出現が夢か現実かよくわからないまま、俊夫は根城にしている崖の穴の下に立っていた。空が薄明るくなっている。俊夫は素早い身ごなしでガジュマルの樹《き》を伝って登り、横穴に滑り込んだ。ここがスターハウスだったのだ。大きな満足感が、俊夫に自信を与え、意欲に火を点《つ》けた。森軍司が自信を取り戻したように。

俊夫は、長い時間をかけて火《ひ》熾《おこ》しをし、薪《たきぎ》に火を移した。松明《たいまつ》を手にして、今まで足を踏み入れたことのない鍾乳洞の奥に進んだ。ここが夢にまで見たスターハウスなら、その内部を見なくては気が済まなかった。長いつらら状の鍾乳石が沢山ぶら下がっているドーム型の広場を過ぎ、狭いトンネルを先に先にと歩いた。途中疲れると、石筍《せきじゅん》に腰を下ろして休んだ。この景色はどこかで見たことがあるに違いない、と俊夫は思い、いつものように逆鉾団地内を連想しようとした。青い地底湖を見た時にやっと、ああ、これは団地商店街前の噴水である、と気が付いた。直径四メートルの噴水池に水が噴き出した時、団地中学校のブラスバンドが演奏したのだった。いいぞ、やっぱりサカホコだ、と俊夫は安堵し、笑った。

トンネルの中を水が流れている場所に来た。俊夫は腰まで冷たい水に浸《つ》かり、松明を高く掲げた。天井を彩《いろど》る、水と石灰が作った模様に目を奪われた。こんな美しいパレスに住んでいたのだ、と限りない喜びと誇りを感じた。床を流れる水はやがて滝になり、下方にどうどうと落ちて行く。行き止まりだった。俊夫は途方に暮れて、周囲を見回した。遥か上方に横穴があるのがわかり、俊夫は思い切って松明を水中に投じた。真っ暗闇の中を手探りで、ぬるぬる滑る壁をよじ登る。穴に手が届き、渾身《こんしん》の力で身を入れた。空気が薄くなったのを感じるが、もう後戻りはできなかった。

俊夫は細いトンネルを這い進んだ。まるで島の内臓をくねって進む虫になった気分だった。先に行くに従って、穴はどんどん狭くなった。とうとう身動きが取れないほど狭い場所に嵌《はま》り込み、このまま死ぬのかもしれないとも思ったが、スターハウスの中で死ぬのならそれでもいいのだった。俊夫は、背中と腹が擦れるのを構わず匍匐《ほふく》前進した。どのくらい進んだだろうか。先がほんのり明るい。どこかに、外に通じる窓があるに違いない。光がだんだん強くなると同時に、トンネルも広くなった。と、突然、大きな広場に出た。三十メートル近く高さのある天井からは、午前中の光が降り注ぎ、鍾乳石や小さな子供が座っているような形の石筍が、白やピンクに光り輝いている。どうやら、ここが姉に教えられて上から覗いた場所らしい。遠くで波の音がする。サイナラ岬が近い。俊夫は、幾つか開いた横穴の中でも、波の音に一番近い穴に入った。立って歩けるほどの高さで、鍾乳石は消え、壁も天井もごつごつした珊瑚《さんご》の死骸《しがい》で埋まっている。なぜかべたつく湿気も消えて、爽《さわ》やかだった。風と光を感じた。俊夫はこけつまろびつ、トンネルを走った。いきなり青空が見えて、立ち竦《すく》む。鍾乳洞は、崖の途中でぽっかりと切れていた。空と広がる海と巨岩の浜。とうとうサイナラ岬に達したのだ。俊夫は穴から下を見下ろして、思わず声を上げた。潮の引いた波蝕台の手前の窪《くぼ》みに、大量の白骨が見えたのだ。隆か、カスカベか。あるいは二人か。

いや、それ以上。波に押し流され、崖の上からは見えない窪みに嵌り込んでいたのだろう。ナンマンダブ。思わず、出鱈目《でたらめ》の念仏が口を衝《つ》いて出た。隆の葬儀の時、俄僧《にわかそう》侶《りょ》をやらされ、知っている限りのいい加減な念仏とお経を繰り返したが、今度ばかりは本気だった。ナンマンダブ、ナンマンダブ。もしかすると、姉もあの中にいるのかもしれない。俊夫は、やっとスターハウスの中庭を見下ろせたような気がした。不意に、逆鉾団地には、たったひとつ足りないものがあったことに気付いた。僧侶だった。葬儀がある時は、団地内の集会所が使われる。だが、僧侶は外部からやって来た。ということは、トウキョウ島に僧侶がいれば、寺院があれば、サカホコよりも世界は完璧に、より強固に、なるはずだった。

俊夫は、苦心して倒木を組み立てていた。傍らには、虫や蛇を払い除《の》けてやっとの思いで採取してきた蔓《つる》がある。鍾乳洞への出入りが不便なので、梯子《はしご》を作ろうと躍起になっているところだった。

「マンタさん、こんにちは」

声がしたので振り向くと、森軍司が立っていた。あれからどのくらいの時間が経《た》ったのか。集落の方に行かないので、さっぱり事情を知らない俊夫は、森軍司の変貌《へんぼう》に目を瞠《みは》った。すっくと首が伸び、肩幅が広くなり、目に力が漲《みなぎ》っている。

「森さん、変わったね」

「いや、マンタさんの方こそ」

「僕、変わったかな」

俊夫は自分の姿を検分した。いつもと変わらぬ、長髪、髭《ひげ》ぼうぼう、襤褸《ぼろ》になったTシャツと短パン姿だ。

「何か、神々《こうごう》しいですよ」

急に、森軍司は敬語を使った。

「あ、そのことね。僕、僧侶になることにしたんだよ。よろしく」

「それは歓迎ですね。僕は、トウキョウ島にも宗教が必要だと思っていたんです。それは好都合だ」

まるで政治家のような口振りだった。

「認めてくれるなら有難いよ。もっとも、宗教家には迫害が付き物なんで、僕は認められなくても仕方がない、と諦《あきら》めていたんだけどね」

「いやいや、とんでもない。やってくださいよ、是非。じゃ、姉さんは」

森軍司はきょろきょろと目を泳がせた。俊夫は黙っていた。姉はすでに身裡《みうち》にいる。

自分はもう前の黄桜俊夫ではないのだ。森軍司は、察しよく頷くと、崖の途中に口を開いている横穴を眺めた。

「あそこがマンタさんのお住まいなんですね」

「いや、寺院です」俊夫は厳かに言った。「スターハウス寺院です」

森軍司は戸惑ったように目を逸《そ》らした。

「なるほど。じゃ、今作っているのは？」

「参道です」

「マンタさん一人じゃ大変だから、誰か人手をやりましょう」

森軍司は簡単に言ってのけた。もうすでに人心を掌握したらしい、と俊夫は森軍司を頼もしく思った。ありがとうございます、と一礼する。

「実は報告があります。清子とホンコンたちが再び漂着しました。島を取り囲む潮流が厳しくて、外海には行けなかった模様で、みんな衰弱しています。ホンコンも人数が半分になっていました。しかも、清子が妊娠していると言うんですよ」

子供が産まれれば、さらに世界は完璧になる。自分が僧侶になることと、寺院を造ったことで逆鉾団地さえも凌駕《りょうが》したと信じている俊夫は、顔を綻《ほころ》ばせた。

「それは目出度《めでた》い。清子さんを大事にして、くれぐれも責めてはいけませんよ」

「わかっています。リーダーの務めじゃないですか」

「良かった、リーダーになられたんですね」

森軍司は頷いて、俊夫の目を見つめた。それが和子の託宣だった、と言いだすかもしれない。俊夫は警戒した。俊夫は、森軍司が自分が預言者だと言ったら、断固闘うつもりでスターハウス寺院を振り仰いだ。自分こそが預言者に他ならないからだ。

3 ホルモン姫

下腹がかなりせり出してきた。触ってみると、固い塊があるような気がする。半信半疑だったが、どうやら妊娠に間違いなさそうだ。嗜好《しこう》も変わってきていた。最近、飲みたくて仕方がないのは、スポーツドリンクだ。それも、西瓜《すいか》の汁に似た味のポカリスエット。短大のテニス部の合宿の時、ちょうど発売されたばかりのポカリの粉末を買って水で溶かし、薬缶《やかん》一杯作ったことがあったっけ。じゃらじゃらと氷と混ぜ合わされた、粉っぽいポカリスエット。あんなに美味《おい》しい飲み物は他に飲んだことがない。コカコーラも旨《うま》い。じゃ、ドクターペッパーは、ファンタオレンジは。歯の溶けそうな甘さとゲップ。冷たいボトルを手にして飲んでいると、濡《ぬ》れたボトルから滴《しずく》が垂れたっけ。清子は自分の掌《てのひら》をじっと見た。そんな経験は、この五年間一度もしたことがなかった。当たり前だ、無人島にいるんだもの。ムジントウと発音してみる。無尽糖。堰《せき》を切ったように、次々と甘く冷たい物を思い出した。バニラアイス。冷凍蜜《み》柑《かん》。冷えた瓜《うり》。氷抹茶ミルク白玉あずき。焦《こ》がれるのは、ちょこっとレトロな食べ物ばかり。つまりは、清子が青春時代に味わった甘さであり、冷たさだった。清子は、急に発狂しそうになった。何もないムジントウにいる事実に押し潰《つぶ》されそうだった。清子は、隆と一緒に見た映画を思い出す。南米のジャングルで、製氷機械を作ろうとする父親とその家族の物語だった。父親は異常な人物として描かれていた。しかし、熱帯で氷を作ろうというのは、何と高邁《こうまい》なチャレンジ精神であろうか。その立場にならないと理解できない程度の想像力しか持ち合わせていない清子は、映画の中の父親は正しいのだ、と今こそ声を大にして叫びたかった。だって、それが真の文明の姿なのだから。

この島には、そんな気概のある男など一人もいないではないか。

氷が欲しい、冷たいポカリスエットが飲みたい、冷えた西瓜を貪《むさぼ》りたい。清子は居ても立ってもいられない気持ちになって、小屋の外に飛び出した。しかし、目に映るのは、青い空と、こんもり繁《しげ》るジャングルの連なりだけだ。ジャングルは、むっとするような青臭い大気を吐き出す。島にいる以上、この湿気を含んだ大気から逃れることはできないのだった。早く島から逃げたい、と清子は思った。ついこの間まで、妊娠は島の意志だ、自分は島の子供を産むのだ、自分は島母《とうぼ》になるのだ、と昂揚《こうよう》していた気分はどこにいったのだろう。あの時の多幸感は、ホルモンの為《な》せる業だったのだろうか。冷たくて甘い物を飲みたくて堪《たま》らないのも、ホルモンのせいか。憎むべきはホルモン。いや、憎むべきはムジントウだ。清子の思考は千々に乱れ、乱れることによって憂鬱《ゆううつ》が増し、憂鬱が増すことによって食物への執着が強まり、それが満たされないが故《ゆえ》に腹が立って、どうにも収拾がつかなくなっていた。今の清子は、猛烈に腹が立ったままの状態に留まっている。

最も腹が立つのは、妊娠した自分だった。妊娠で存在意義を示せると意気込んだ自分は、大馬鹿者《おおばかもの》だった。そんなつまらないことを証明するために、どうして命が賭《か》けられようか。無人島で出産するなんて、狂気の沙汰《さた》だった。流産の方がまだ安全かも、と突き出てきた腹を石で打とうとしたが、従姉妹《いとこ》が流産した際に大量出血で死にそうになったことを思い出し、それはまずいと石を捨てたりもした。ついこの間まで、妊娠は島の意志だったのよー、と皆に触れ回ったほどの幸福と充実があったのに、今は、自分が真っ先に死ぬ人間であるかのような暗い気持ちになるのは、ホルモンのせいか。いや、違う。正常な思考の回路だ。

清子は、トウキョウ島での死者を思い浮かべ、指を折った。隆（転落死）、カスカベ（転落死）、サカイ（食中毒死）、ミユキちゃん（溺死《できし》？）、ホンコンたち（溺死）。

この中で一番苦しい死を迎えたのは、元大工見習いのサカイだった。椰子蟹《やしがに》を食べての悶絶死《もんぜつし》。茹《ゆ》でても青い、と皆が気味悪がったのに、サカイは、「平気平気、どうしてみんな食べないの。こんなでかい椰子蟹捕まえるの大変じゃん」と食したのだった。サカイは、蓋《ふた》の開かないアサリを無理矢理こじ開けて中身をせせったり、河豚《ふぐ》にしか見えない魚を丸ごと食べたり、棘《とげ》だらけの毛虫を口に放り込んだり、もともといやしい上に、悪食《あくじき》だったのだ。隆が体力を落として、謎《なぞ》の転落死を遂げるきっかけになったのも食中毒だった。とはいえ、こちらは緩やかな衰弱だった。壮絶な苦しみが三日間続くのと、下痢と腹痛に苦しめられる衰弱期間が三カ月続くのと、どちらがいいかは個人の好みだろう。

しかし、次の死人は間違いなく自分だ、と清子は思った。島のたった一人の女として、出産で命を落とすのだ。それも神話になるかもしれない、と一瞬思ったが、すぐに、冗談じゃねーよ、と吐き捨てた。清子（大量出血死）。げーっと清子は声に出す。

実際、吐きたくなるほどの恐怖があった。死への怖《おそ》れは、恙無《つつがな》く日々を暮らしている島民、つまり男たちへの憎しみへと転化し、自分への怒りとも相俟《あいま》って、清子は始終誰彼となく当たりたくなる。だから、近頃は、誰も清子の側《そば》に近寄らなくなった。それでも腹はせり出してくる。どうやって、ここから赤ん坊が出てくるのか、想像もつかない。ああ、時間が経《た》つのが怖ろしい。

ある日、清子がまるで幼女のように、白い雲を見て綿飴《わたあめ》を想像しているところに、マンタさんがやって来た。マンタさんは、バナナの葉を干して作った蓑《みの》のような物を着ていた。

「あっ、子泣きジジイだあ」

メルヘンチックな幼女に戻っている清子は、声を張り上げてマンタさんを指差した。マンタさんは、自信なさげに愛想笑いしながら、おずおずと近付いて来た。身に纏《まと》ったバナナの葉がガサガサと耳障《みみざわ》りな音を立てた。顔も目障りだった。長髪、臆病《おくびょう》そうな小さな目や、ちょこんと尖《とが》った鼻などが、平べったい顔の上にバランス悪くのっている。この醜さは胎教に悪い、と清子は顔を背けた。

「こんにちは、清子さん。ご気分は如何《いかが》ですか」

「いいはずねえだろう。こんなでかい腹抱えてよー。みんな、他人事《ひとごと》だと思ってるんだろうが」

清子の口から愚痴が飛び出した。幼女は引っ込み、魔女が顔を出す。これもみんなホルモンのせいだった。

『俊夫、しっかりしなさいよ。早く言いたいことを言わなきゃ駄目だよ』

「あ、カズちゃん、久しぶりだね」

『久しぶりじゃないよ。あたしはずっと見てたんだよ』

「嬉《うれ》しいよ、僕一人でちゃんとやってるからね。僕、僧侶《そうりょ》になったんだよ、知ってた？」

『勿論《もちろん》知ってるよ』

マンタさんが一人芝居を始めた。空を見て首を傾《かし》げたり、顎《あご》に手を置いて可愛《かわい》い子ぶったりして、会話を続けている。これが噂《うわさ》の二人マンタかよ、気色悪《わり》いなー。清子の呟《つぶや》きが聞こえたのか、マンタさんは清子をちらりと見て、顔を赤らめた。

「マンタさん、何の用で来たんだよ。あたしは見ての通りの腹ボテさ。最初は珍しがって、食べ物を届けたり、雨水を溜《た》めて持って来た連中も、今は誰も来やしない。ユタカはどうしたんだよ。あたしの腹を膨らませた男は、え？」

本当は、ヤンの子かもしれないのに、清子は素知らぬ顔で言った。はっとしたマンタさんが、困惑した風に後退《あとずさ》った。また忙《せわ》しなく空を見て、喋《しゃべ》る。

『俊夫、産屋《うぶや》のこと、早く言いなよ』

「でも、カズちゃん、僕怖いよ。清子さんは機嫌悪いんだもの」

清子は口を挟んだ。

「ちょっと待って。マンタさん、カズちゃんて誰だよ」

マンタさんは清子に向き直り、もじもじと体を捻《ひね》った。バナナの葉が音を立てる。

『姉だって言いなさい、俊夫』

清子はそっぽを向いた。

「はいはい、あんたの死んだお姉さんね。その話は聞いてるよ。その霊があんたの頭に入って来て、代わりに喋ってくれるんだね。いいね、便利で。羨《うらや》ましいよ、孤独と無縁で。で、用件は何。カズちゃんでもマンタさんでもどっちでもいいから、早く言ってよ。何せ、あたしは気分が良くないんだからさ。もうじき赤ん坊産むんだからさ」

マンタさんは息を呑《の》んだ。清子に話しかけたのは、カズちゃんの方だった。

『清子さん、あたしはカズコです。俊夫の姉です。よろしくお願いします。俊夫が困っている時に、こうやって出て来て助けることにしてるんです。俊夫はあなたに会って緊張してるんです。許してやってください。ところで、あなたの出産って、もうじきなんでしょう。先日、俊夫と森軍司がそのことを相談したんですよ。是非とも、スターハウス寺院で産んでほしいので、一度、現場を見ていただけますか』

「スターハウス寺院って何」

驚いた清子は、マンタさんのバナナ服を摑《つか》んだ。碌《ろく》な作り方をしていないと見えて、大きな葉がばさっと一枚抜け落ちた。マンタさんは、清子の手からのけ反って逃れようとしたが、誰かに小突かれたかのように姿勢を正した。見えない和子が、逃げるな、と後ろから突き飛ばしたのだろう。マンタさんは、懸命に威厳を保って喋りだした。

「ス、スターハウス寺院は、ぼ、ぼ、僕が作りました。偶然、このトウキョウ島の胎内とでも言うべき深い洞窟《どうくつ》を発見したのです。そこに寺院を建造したので、清子さんには是非スターハウス寺院で出産してほしいんです。万全の態勢を整えます」

何であたしが深い洞窟で子供を産まなきゃならない、と清子は理不尽に思ったが、つい先程まで死の恐怖に取り憑《つ》かれていたことを思うと、安堵感《あんどかん》もなくはなかった。誰かの手を握って子供を捻り出すのなら、少々冷たいヤツだとは思うが、ユタカ以外にいない。ユタカには郷里に娘もいるから、この島で唯一《ゆいいつ》の子持ち経験者でもある。

清子は好奇心も手伝って、寺院を見に行くことにした。

マンタさんと連れ立って、サイナラ岬にほど近い北の森まで歩くこと二時間。疲れた、と訴えると、マンタさんは瓢簞《ひょうたん》に入った水をくれた。甘く美味《うま》い水だった。清子が褒めると、「この水は寺院の中に湧《わ》いているのです」と言う。美味い真水が出るのなら、寺院も悪くない、と清子は思った。途中、野生のオクラやサツマイモの生えている場所があった。清子は帰りに採って帰ろうと狙《ねら》いを付けながら、ほとほと採集生活にはうんざりだ、と思うのだった。早く島を出て、大きなスーパーマーケットで買い物したかった。

「あそこがスターハウス寺院です」

マンタさんが、白い石灰岩の崖《がけ》を指差した。崖の途中に、横長に伸びたデブの臍《へそ》みたいな穴が開いていて、手製らしい梯子《はしご》が掛かっていた。

「でかい腹で、あんなとこまで登れやしないよ。それに、中だって狭いんだろう」

がっかりした清子は文句を言った。寺院というから、広く涼しい建物を想像していた自分が腹立たしかった。マンタさんは首を横に振る。

「あの横穴さえ抜けて中に入れば、多少湿ってはおりますが、広くて涼しいんです。コウモリも飛んでますし、蛇やサンショウウオもいますから、そんなに寂しくないわけで」

「だけど、何でその中でお産をしなくちゃならないわけ」

清子は両手を腰に当てて、マンタさんの顔を覗《のぞ》き込んだ。マンタさんは、ごくっと唾《つば》を飲み込んだ。

「実はですね。最近発見されたのですが、この寺院にはご神体がふたつあることがわかったのです。それが、目出度《めでた》いことに、男神と女神なのです。男神というのは、陽根型をした巨大な鍾乳石《しょうにゅうせき》をご神体としております。それは、大変見事なご神体でして、直径一メートルくらいある巨大ペニスなのです。一方、女神というのは、これまた巨大な女陰の形をした鍾乳石がございまして、それをご神体としております。そのどちらかがある場所でご出産していただきたい、というのが、私と森軍司の意見なのです。私は、女神の場所が清子さんに相応《ふさわ》しいと思ったのですが、森軍司は慎重でして、どちらを産屋として選ぶかで、このトウキョウ島のコンセプトが決定される、というのです。だから、陽根の下で出産すべきだと。私はそれを聞いて、なるほど、さすがリーダーである、と感心しました。僧侶として、まだまだ未熟な自分を認識した次第です。以前、清子さんはご自分の妊娠はトウキョウ島の意志である、と仰《おっしゃ》ったことがありますね。生まれてくる子供は、他ならぬ島の子供である、と。ご自分は島の母である、と。ということは、トウキョウ島と合体して子供が生まれる、ということでもあります。論理的には島の陽根、つまり巨大ペニスの下で産んだ方がいい、ということになりますかね」

マンタさんは、内容に照れたらしく、語尾は曖昧《あいまい》だった。清子は唖然《あぜん》として、崖の途中にぽっかりと開いた薄暗い横穴を眺めていた。あんな中にでかい腹で入るのかい。そして、陽根や女陰そっくりの鍾乳石の場所まで行かねばならないのかと思ったら、呆《あき》れてものも言えなかった。しかも、ユタカがそんなことを主張しているのだとしたら、臨月になった途端、押し込められることも考えられた。寒気がした。大量出血死以前に、閉じ込められたことによる拘禁性神経衰弱でも起こしそうだった。もしかすると、ユタカは自分と子供が死んでも伝説さえ残れば構わない、と考えているのではあるまいか。あるいは、腹の子の種がホンコンだと睨《にら》んでいるのでは。疑心暗鬼になった清子は、眉《まゆ》を寄せて考え込んだ。すると、上から明るい声が降ってきた。

「上がりー」

驚いたことに、犬吉とシンちゃん「夫婦」が、並んで横穴から顔を出し、手を振っているのだった。マンタさんが慌《あわ》てて梯子に駆け寄った。

「あれえ、お詣《まい》りですか？」

犬吉が先に梯子を下りて来た。梯子と言っても、拾って来た倒木を二本立てかけ、間に蔓《つる》を張っただけの簡単な代物《しろもの》だ。犬吉は最後の数段を踏まずに飛び降りた。

「ああ、面白かった」

「お詣りですか？　聞いてないけど」

マンタさんが不審な顔でもう一度問うたが、犬吉は首を横に振る。

「いや、探検。凄《すご》いダンジョンだよね、マンタさん。僕、感心しちゃったよ。よく発見してくれたよね」

犬吉が昂奮《こうふん》醒《さ》めやらぬ様子で、シンちゃんと頷《うなず》き合った。二人共、水浴びでもしてきたかのように体全体が濡《ぬ》れている。

「ほんと、最高」

シンちゃんが黄色い歯を剝《む》き出して同調した。シンちゃんは、悪い病気に罹《かか》ったらしく、左目が充血して爛《ただ》れ、今にも潰《つぶ》れそうだった。黴菌《ばいきん》が飛ぶのが嫌なので、清子はシンちゃんから離れた場所にさっさと移動した。

「ああ、僕、トウキョウ島に来て、一番面白い経験しちゃったよ、清子さん。この神殿の中、すげえダンジョンなんだよ。これで二度目だけど、制覇するのに一日近くかかった。マンタさん、面白いの作ったねえ。これ、みんな夢中になると思うよ」

マンタさんが不快そうな顔になった。

「神殿じゃない、寺院です。それに作ったんじゃない、自然の造型です。あなたたち、どこから入ったんですか」

「サイナラ岬の割れ目から、蔓梯子下ろして入ったんだ。つまり、逆バージョンだよ。

逆からの攻略は結構難しいね。なぜって、『光の回廊』から枝道がたくさんあって、迷うんだよ。僕ら死ぬんじゃないかって、マジ思ったもん。なあ」

犬吉の言葉を受けて、シンちゃんも唾を飲み込んで喋り出した。

「そうそう。こっちから行くと、『三途《さんず》の川』のところが一番の難所じゃないですか。あそこで上の通路に行くのにかなり迷うでしょう。でも、上にある通路さえ探し当てれば、あとは一本道。だけど、逆バージョンは、代わりに本当の迷路が待ってるんですよ。あれは言うなれば、『悪魔の百本指』だな」

「いいね、そのネーミング」二人は肩を叩《たた》き合って笑った。

「三途の川って?」

マンタさんが不思議そうに細い首を傾げた。二人が意気込んで、我先に喋った。

「だから、『地獄の扉』を過ぎてずっと行くでしょう。すると、『大蛇の首』の向こうに川が流れていて、その先は滝で行き止まりになる。あそこ、ゲームだったら、三種類考えられるんですよ。つまり、壁の遥《はる》か上に通路があるか、滝の向こうにあるか、川の底に何かあるか、なんです。僕ら、滝の向こうにも思い切って行ってみたんですよ。もうひとつドームがありました。僕ら、『玄室』って呼んでるけど。その『玄室』になら、宝箱を置いてもいいですよね。で、本当の通路は壁の上の横穴でしょう。その横穴に行くためのアイテムはどこかに隠さなくちゃならない。それを川の中の石の下に沈めておきました」

無口だと思っていたシンちゃんが話し終えると、犬吉が満足そうに付け足した。

「そう、蔓梯子」

「できれば、どこかで松明《たいまつ》が調達できると一番いいんですけどね」

「それをさっきの『玄室』の宝箱の中に入れたら？」と犬吉。

「でも、滝を潜る時に駄目になっちゃうじゃん。意味ねえよ」

「あ、そっか」

二人はゲームに夢中だった。

「じゃ、あなたたちはサイナラ岬の横に出る穴まで行ったんですか？」

マンタさんが震える声で聞いた。犬吉が肩を竦《すく》める。

「ああ、『白骨のアリア』。最終クリア地ね。それは最初の日に行った。あの、『光の回廊』から入れば、行くのはそう難しくないよね」

勝手に名前を付けているので、マンタさんが首を捻った。が、その不快そうな表情は消えていない。

「あそこは誰も見てはいけない場所なんですよ」

犬吉が不思議そうに、マンタさんを見遣《みや》った。マンタさんは怒りに震えて何も言わなかった。穢《けが》された、と思っているのだろう。清子は薄笑いを浮かべて尋ねた。

「ねえねえ、陽根とか女陰あった？」

犬吉とシンちゃんは顔を見合わせる。

「それ、発見されてないんじゃないですか。どんな物なんですか」

「ヨーコンとジョインて何。英語？」

シンちゃんが首を捻った。清子は馬鹿《ばか》馬鹿《ばか》しくなって、帰ることにした。何が寺院だ。何がコンセプトだ。島民の遊び場になっているではないか。そこで出産しろ、なんて、マンタさんもユタカも碌なことを考えない。

「清子さーん、待って」

ジャングルを通って帰ろうとする清子を、犬吉とシンちゃんが追いかけて来た。振り返る清子に、犬吉が意気込んで尋ねる。

「ねえねえ、清子さん。隆さんの航海日誌、どこにあるの」

「あたしは知らないよ。あたしがホンコンと航海している間に、うちを荒らしたのはあんたたちじゃないの」

清子の剣幕に、シンちゃんは怯《おび》えて犬吉の後ろに隠れたが、犬吉は肩を竦める。

「機嫌悪いなあ。僕はそんなことしてないよ。ワタナベとか、アタマとかじゃない」

「で、あんたたちは何で航海日誌が欲しいわけ」

清子は、アーモンドに似た味のする実を見付けて五、六個採った。ハワイのマカダミアナッツチョコレートが猛烈に食べたくなった。茶色のパッケージが脳裏に浮かぶ。あの木像はティキティキ神。何でこんなことを覚えているんだろう。

「紙があればいいなと思って。僕、スターハウス神殿の攻略本書きたいの。あの『悪魔の百本指』のところは複雑な迷路だから、きちんと記録しないとわからなくなっちゃう」

犬吉が真剣な表情で答えたが、清子は何も言わなかった。以前、オラガに島史を書きたいから航海日誌はどこか、と聞かれたことを思い出したのだった。隆が死の直前までつけていた航海日誌は、ある日忽然《こつぜん》と消えた。隆がどこかに隠したのかと探し回ったが、とうとう見付からなかった。紙があれば便利かも、と考えたことは何度もあるが、食物を見付ける方が先決だったし、隆が死んだ頃は、まだカスカベも生きていたのでセックスしか念頭になかったのだ。

「あ、そうだ、清子さん」犬吉が呼び止めた。「今日は行かなかったけど、こないだ正規ルートで入った時、最後までクリアして『白骨のアリア』に行ったら、ホンコンたちがいたよ」

「どこにいたの」

「サイナラ岬の下です。あの岩盤の上で何かしてた」

数カ月前、オラガもホンコンがサイナラ岬の波蝕台《はしょくだい》にいた、と言ってなかったっけ。

ホンコンのことだから、また船を建造しようというのではないだろうか。

「ねえ、犬吉、あたしをそこに連れて行ってくれない？」

「いいけど」犬吉は口籠《くちご》もった。「清子さんには無理だよ。横穴から下まで十メートル以上あるんだもの。お腹《なか》が大きいし、女の人の腕の力じゃ無理だ」

シンちゃんが犬吉の肩を叩いた。

「でも、ルートはまだ他にもあるかもしれないよ」

「そうだね。ホンコンたちだって、きっと違うルートから入ったんだよ」

清子は、シンちゃんの潰れそうな左目を見つめた。シンちゃんは、恥ずかしそうに目を伏せた。結構、賢いじゃないか。この「夫婦」に攻略本を作らせればいいのだ。ホンコンのルートが見付かれば、ヤンに会いに行ける。それには紙が必要なのだった。

清子は、西の空に沈む太陽と競争するようにして、小屋に戻って来た。途中、サッマイモを掘り起こしたり、オクラを摘んで来たので遅くなったのだ。採集生活に飽きた、と言ったところで、採集しなければ生きられないのだから仕方がない。火を熾《おこ》している最中に、ユタカが、船長帽を被《かぶ》ったワタナベを見かけたと言っていたことを思い出した。ワタナベが小屋に忍び込み、船長帽と日誌を盗んで行ったのではないだろうか。清子はその考えを精査することに夢中になった。甘く冷たい物への執着が鳴りを潜めたのは幸いだった。

翌朝、清子はトーカイムラに向かった。ワタナベが盗んだのだとしたら、再度、盗み返すつもりだ。ワタナベは脱出事件以来、ホンコンと袂《たもと》を分かって、ユタカの腰巾《こしぎん》着《ちゃく》になった。気に入らない、と清子は呟《つぶや》く。ワタナベには、ストーカーのごとく付き纏《まと》われたこともあれば、敵視されて、さんざっぱら嫌がらせをされたこともある。ワタナベは清子の天敵であり、この世から消えてほしい人間の筆頭だった。無人島に二人きりで流されたとしても、絶対にセックスしたくない男だ。ここは無人島じゃん。清子は笑う。しかも、ワタナベは隙《すき》さえあれば、清子を襲うつもりでいる。だが、ワタナベから自分に対する嫌悪《けんお》を感じるのはなぜか。自分が女だから？　では、なぜセックスしたいのか。ホルモンだから？　回答を見出《みいだ》した清子は、愕然《がくぜん》とした。自分がホンコンと島抜けした時、島民は皆、ワタナベ化したのではあるまいか。ホルモン変化。だから、ワタナベはユタカの腰巾着になったのだ。男が女をちやほやすると思ったら大間違い。男同士で固まり、異物を排除しようとすることもある。ここでの異物は、外国人のホンコンであり、女の清子だった。もし、生まれてくる赤ん坊が女の子だとしたら、自分たち母子は殺されるかもしれない。いや、女陰の部屋に一生閉じ込められるかもしれない。清子は、白い崖《がけ》の途中に口を開けていた洞窟《どうくつ》を思い出して、ぶるっと震えた。ホンコンを征伐しよう、などと口走ったことも都合好《つごうよ》く忘れ、早いとこ、ホンコンと島を脱出した方がよさそうだ、と清子は思った。

久しぶりにやって来たトーカイムラには、面妖《めんよう》な物が建っていた。朝陽を反射してギラギラと光る銀色の筒の群れ。投棄されたドラム缶を並べて作った家だった。上には日除《ひよ》け代わりに、アレカ椰子《やし》の葉や倒木などが、乱暴に載せてある。嵐《あらし》が来たり、大波が寄せたりしたら、ひとたまりもなさそうな「家」だった。ワタナベが出掛けるまで、清子は近くの茂みに身を隠してひたすら待った。昼近く、ワタナベがやっと姿を現した。服が傷《いた》むのが嫌なのか、全裸だった。相変わらず、貧相な体付きで薄気味の悪い顔をしている。頭髪が後退して眉が迫り、目が落ち窪《くぼ》んでいるために、異様に狷介《けんかい》に見えた。ワタナベは浜で小便して、ぴちゃぴちゃと体を洗った。やがて、清子の更紗《さらさ》のワンピースを頭から被り、ぶつぶつ呟きながら、どこかに出掛けて行った。

清子はドラム缶で囲われた、ワタナベの家に足を踏み入れた。家財道具と思《おぼ》しき物は、見事に何もない。枕元《まくらもと》に海亀《うみがめ》の大きな甲羅がでんと置いてあった。ワタナベが甲羅を背負って、ホンコンたちと野山を駆け巡っていたのを見たことがあったが、最近は重い甲羅を背負う体力もないのだろう。清子は忍び笑いを洩《も》らした。甲羅を除《の》けると、中に船長帽があった。手垢《てあか》で汚れ、金線も剝《は》がれかけている。惨《みじ》めな姿だが、隆の船長帽に間違いなかった。もしや、と船長帽の下の砂を掘ってみた。すると、バナナの葉に包まれた航海日誌が出てきた。ぱらぱらめくってみると、隆の日誌の後に、隆の文を真似《まね》たらしいワタナベの記述があった。

「○月○日　晴れ　波はおだやか
きょう、私のキャンプに河原くんがやってきた。河原くんはバカだ」
「○月○日　晴れ　波はまあまあ
きょう、私はおだいばとさいならみさきにいった。あしがつかれた」
「○月○日　晴れ　波はすごい
きょう、私のからだに（おなか）いぼができていた。いぼはかゆい」

これは面白い、と清子は涙を流して大笑いした。娯楽のないトウキョウ島に来て、これほど笑ったのは初めてだった。もっと読みたかったが、ワタナベが戻って来るのが怖い。清子は周囲を見回した後、白紙の部分を五枚ほど破り取った。紙さえあればいいのだった。また読みに来ようっと。清子は元あった場所へ日誌を戻し、注意深く砂を掛けた。

第四章

1　早くサイナラしたいです。

ワタナベは、ホンコンたちと一緒に「ダニの谷」に入ろうとしていた。島のほぼ中央にある窪地《くぼち》は、石灰岩が剝《む》き出しになった崖《がけ》に囲まれた、奇妙な場所だった。大昔、隕石《いんせき》でも落下したのか、大地に直径百メートルほどの丸い穴が開いている。ヤンは、そこを「島の臍《へそ》」と呼んでいた。臍の底には、葉に細かい棘《とげ》がびっしり生えた丈の短い草が密生していて、手足が傷付くばかりか、大量のダニがいる。一度足を踏み入れたら最後、ずっと体を搔《か》きむしっていなければならない、怖《おそ》ろしい場所だった。

列の先頭にいるムンは、ダニと棘から身を守るため、タロイモの葉で全身を覆《おお》い、さながら緑の怪人と化している。ムンの後ろを、ホンコン全員が一列になって歩きながら、へっぴり腰であちこちの草陰を窺《うかが》い、トカゲを探しているのだった。ダニの谷には、黒い色をして背中に小さな黄色い斑点《はんてん》が散らばった、グロテスクなトカゲが棲《せい》息《そく》している。このトカゲが美味なので、一カ月に一、二回はこうしてトカゲ猟にやって来るのだ。

身を屈《かが》めていたムンが、「あそこだ」と叫んで指差した。茂みの中に、四十センチほどの大きさのトカゲがのそのそ歩いているのが見えた。ワタナベは葉で傷付くのも厭《いと》わず草むらに分け入り、素早く両手でトカゲを捕まえた。動きが鈍いので、栄養不足のワタナベでも容易に捕まえることができる。それでも、トカゲは右に左にのたうち回った。ヤンが素早くトカゲの頭を石で叩《たた》いて殺した。後ろに控えている仲間が、さっさと手製の籠《かご》に入れる。これで五匹目だが、今のが一番大物だった。「成功了《チヨンコンラー》」と、ホンコンたちが満足そうに、ワタナベの肩を叩いて労《ねぎら》った。体中が痒《かゆ》くなる苦しみを別にすれば、楽しい狩りと言えなくもない。成果が大きいからだ。

ヤンが手を振って合図した。列が向きを変え、さっさと谷から引き揚げ始める。皆で石灰岩の崖をよじ登り、体を掻きむしりながら獲物を並べた。やはり、ワタナベが獲《と》ったトカゲが一番大きかった。「ドゥーベン、お前はよくやった」とヤンが笑いながら、二十センチほどの小さなトカゲをワタナベにくれた。さっきの大物に対する褒《ほう》美《び》らしい。

ワタナベはトカゲの尻尾《しっぽ》を摑《つか》んで振り回しながら、小躍りしてトーカイムラに帰った。全身隈無《くまな》くダニに嚙《か》まれ、体は痒くて堪《たま》らなかったが、旨《うま》い白身の肉がたんまりと食べられるのだ。見ろよ、トウキョウのヤツらめ。お前らが青いバナナを囓《かじ》っている時、俺はこんなに旨いものを食っているんだぞ。ワタナベは、オダイバの方角に向かって舌を突き出し、嘲笑《あざわら》った。

ワタナベは早速、トーカイムラの遠浅の浜で、トカゲの解体に取りかかった。トカゲを裏返し、比較的柔らかな白い腹に貝殻を突き立てる。腸《はらわた》を出した後、力一杯、手で皮を剝《は》ぐ。そして身を小さく切って、海水で茹《ゆ》でるか、熱した石で焼けばよい。ワタナベは喜色満面で、トカゲの皮をひん剝こうとした。ちょうどその時、声がした。

「そんなトカゲ、どこにいたんだろうねえ」

思案するような、どこか他人事《ひとごと》のような、懐《なつ》かしい声。ワタナベは顔を上げた。目の前に、隆が立っていた。五年前に死んだはずの隆が。幽霊か。隆はにこにこ笑ってトカゲを見ている。そうか、これは夢なんだ。ワタナベは、トカゲ猟も隆も、すべて夢の中の出来事である、とやっと理解したのだった。ワタナベが、トカゲ猟に行ったのは、ホンコンと行動を共にしていた頃だから、一年近くも前の話だった。その時は痒さに負けて何度も引き返そうとし、ヤンに「意気地なし」と怒鳴られたではないか。そうか、夢か。だから何もかもうまくいったのか。ワタナベは、手元にあるトカゲも夢か、とがっかりした。だが、夢の中の自分は、朗らかでよく笑う青年に変身している。しかも、隆との会話を楽しもうとする、知的青年にも生まれ変わっていたのだった。ワタナベは快活に、隆の顔を見た。

「これ、ダニの谷っすよ」

「ああ、島の臍だな。偉いなあ、きみらは。さぞかしダニに食われたんだろう」

隆は、島でよく着ていた灰色のTシャツに、白い半パン姿だった。「横山やすし」よろしく、ちょっと軽薄に船長帽をあみだに被《かぶ》っている。船長帽はいかにも夢の中の出来事らしく、真新しかった。

「はあ、ちょっとやられたすけど、大丈夫っすよ」

ワタナベは赤く腫《は》れた腕や脚を見た。太陽に炙《あぶ》られて痒みが増し、気が狂いそうだ。トカゲは腹の中の臓物を晒《さら》け出し、早くも臭気を放ち始めていた。客観的な割に、やけに具体的で、生々しい夢だった。

「いや、きみは偉いよ。ほんとに偉い」

隆は、感に堪えた様子でワタナベを褒めちぎってくれた。夢でもいい気分だった。

「隆さんは、どこに行ってたんすか」

俺、あんたが死んだの知ってんだけどな。ワタナベは優越感を持ったが、わざととぼけて聞いた。

「まあ、あちこちね」

隆は、少し恥ずかしそうに答えて腕組みした。死ぬ直前は腹下しが続いて、骨と皮に痩《や》せていたが、夢の中の隆は、遭難当時のがっしりした体付きだった。ワタナベは島に漂着した時、隆が頼もしく見えたことを思い出した。あの時は、無人島だと知って失意のどん底だったが、年長の先住者が居てくれたお蔭《かげ》で、皆、落ち着きを取り戻したのだった。逆に言えば、冷静な彼らの存在故《ゆえ》に、がむしゃらに脱出しようとする気運と気力が失《う》せた、と言えないこともない。隆はこう言わなかったか。「僕らもやってみたが無駄だよ、珊瑚礁《さんごしょう》からは脱出できない。体力を消耗するからやめた方がいい」「島の周りの海流は激しい。とても無理だよ。ここで助けを待った方がいい」。無駄と無理のオンパレード。

「しかし、凄《すご》い男もいたものだ。真のサバイバーだね」

隆は、またもワタナベを褒めた。現実の隆は、ブンガク好きとかで、ワタナベの知らない言葉をたくさん繰り出してよく喋《しゃべ》る男だったが、夢の中の隆は、極端に語彙《ごい》が少ない。

「きみは無人島がよく似合うね」

「はあ、そうすか」

へへへ、そうなんすよ。自慢げに笑ったところで、ワタナベは目を覚ました。久しぶりにトカゲが食べられる、と口中に唾《つば》が充満していたくらいだったのに残念だった。しかし、どうして隆の夢を見たのだろう。ワタナベは不思議な心持ちがして、いつもと変わらない朝の浜を眺めた。違っていることと言ったら、昨日の晴天と打って変わって、空がどんより曇り、珊瑚礁の彼方《かなた》に黒い雲が湧《わ》いていることくらいだった。午前中は雨になりそうだ。不意に、両手足に激しい痒みを感じて、ワタナベは呻《うめ》いた。夢と同様、体に赤い発疹《はっしん》が幾つか出来ている。悪い虫に食われたか、食い物に中《あた》ったらしい。この痒みのせいで、トカゲ猟を思い出し、浜辺でのトカゲの解体からの連想で、隆が現れたのだろう。ワタナベは、単純三段論法で夢の出所を解決したものの、トカゲの解体からなぜ隆が現れたのか、肝心の繋《つな》がりがよくわからなかった。ワタナベは汚い爪《つめ》で発疹を掻きむしった。最近は、免疫力《めんえきりょく》が落ちてきたのか、トウキョウの連中にも皮膚病が多くなっていた。

ワタナベは、枕元《まくらもと》の海亀《うみがめ》の甲羅を除き、その下の砂を掘った。隆の航海日誌にヒントがあるかもしれない、と思ったのだ。自分に関する記述がある場所は、「十一月八日（島に来て四カ月と二十七日）」と、日にちまで暗記していた。

「きみは無人島がよく似合うね」

思わず声をかけると、そうすかね、と渡辺君は黄色い歯を剝き出して笑った。

「きみはどうして皆の手伝いをしないの」

さらに尋ねると、渡辺君は、どうすかね、とはかばかしい返事をしない。どうやら、言語能力にかなりの難があると見たので、早速私は声かけをした。

「僕の家に遊びに来給えよ。清子が蛇を食わせるよ。動物性蛋白質を摂らなきゃ、救出が来るまで生き抜いていけないよ」と、清子の言葉をそっくりそのまま言った。

「蛇すか。蛇なんかしょっちゅう食ってますから」

渡辺君がさり気なく返した。

「どうやって食うんだい」

「生のままですよ」

「生のままじゃ、毒とかウィルスは大丈夫なのかな」

「さあ、よくわからないすね」

そのまま浜で別れたが、私は断言できる。この島に救出が来なかった場合（考えるのも怖ろしいが）、最後の一人になるのは、渡辺君か清子のどちらか、ということだ。凄い男もいたものだ。

「きみは無人島がよく似合うね」「凄い男もいたものだ」。この個所が気に入って何度も読んだから、夢の中の隆は同じ言葉を喋ったのだろう。隆が喋っているのではなく、自分の脳味噌《のうみそ》が作り出した隆の台詞《せりふ》であることを、ワタナベははっきり認識した。ワタナベは航海日誌の個所を音読して、大声で笑った。何度読んでも気分がよかった。そうそう、俺はへこたれた時はいつも、ここを読んで元気を出していたんだぜ。ワタナベは、ついでにぱらぱらとページを繰った。すると、航海日誌の最後の数ページが乱暴に破り取られているのに気付いた。何も書いていない白紙の部分だ。ワタナベはしばらく何が起きたのかわからずに、呆然《ぼうぜん》としていた。それから、周囲を見回したが、転がるドラム缶と自分以外には、何もない白浜であることは変わりない。しかし、何者かがワタナベのドラム缶ハウスに忍び込んで、わざわざ海亀の甲羅を退《ど》かして航海日誌を発見し、ページを破り取って行ったのは間違いなかった。

ナメんじゃねえー、ナメんじゃねえぞー。ワタナベは怒りで気が狂いそうになった。立ち上がり、わーっと大きな声を上げて、浜を何本もダッシュした。自分だけの大切なものが汚され、しかも損じられたことへの怒りだった。そんなに欲しいのなら、堂々と取りに来い。俺が相手になってやるぞ。が、待てよ、とワタナベは立ち止まった。そいつはまた来る気じゃねえだろうか。ページを破り取り、砂を掛けてまで元の場所に戻していったということは、航海日誌を奪いたいわけではないのだ。何が欲しいのだろう。中身を読みたいのか。ワタナベは、汚れた航海日誌を凝視した。隆の航海日誌を毎日読み耽《ふけ》ったことは、自分の血となり、肉となったはずだった。だったら、他人に読まれる前に、紙を奪い取られる前に、本当に食べてしまった方がいい。ちょうど朝飯も用意してなかったことだし。ワタナベは航海日誌の最初の方をむしり取った。試しに一枚食べてみたが、水分がなくて食べにくい。次に、海水に浸してみた。ボールペンで書かれた文字が海水でふやけていく。ワタナベは、海の中で海水漬けの紙を食べてみた。不味《まず》くはなかったが、潮臭いし、黴臭《かびくさ》い。しかし、空腹は治まりそうだ。だったら、海水に漬けて陰干ししておこうか。これから毎日、航海日誌を食べて生きていこう。いい気味だ、馬鹿《ばか》野郎。お前は二度と航海日誌を見ることができないんだぞ。ワタナベは、幻の侵入者に向かって、勝利の笑みを洩《も》らしたのだった。

何もすることのないワタナベは、トーカイムラを出てオダイバに向かった。途中、食べ物を調達する他、自分の航海日誌の紙を盗んだ人間を探ろうという腹もあった。ジャングルに入ってすぐ、目の前をヤンとムンと数人のホンコンが過《よ》ぎって行くのが見えた。ヤンたちはワタナベに気付かず、必死の形相で移動している。島の脱出に失敗してリンチを受けて以来、久しぶりに見たホンコンだった。以前、一緒に行動していた時は、ヤンたちは全裸で堂々と狩りをしていたのに、今は椰子《やし》の葉で腰を覆っている。ハワイアンショーの一行のようだった。ワタナベは、足元に転がっていた石を投げ付けた。石は、ヤンの歩いている側《そば》の木に当たって跳ね返った。ヤンがはっとしてワタナベの方を見たが、目の鋭さが消えて、怯《おび》えた表情をしている。ヤンたちは、慌《あわ》ててジャングルの中に走り込んで行った。ホンコンのすっかり覇気がなくなった様子を見て、ワタナベは愉快だった。手製の鍋《なべ》の蓋《ふた》で殴り倒された時の衝撃と屈辱は、忘れられない。トカゲ猟だけでなく、皆で一緒にジャングルのあちこちを踏破し、食べ物を採取していた時の喜びと充実感は二度と得られまい、と思うと寂しかったが。しかも、十二人全員で食事の準備をする時は、火を熾《おこ》す者、薪《たきぎ》を集める者、湯を沸かす者、材料を切る者、味付けする者、皿代わりの葉を取って来る者、とシステマチックに持ち場が機能し、まるで大ホテルの厨房《ちゅうぼう》のような緊張感が漂っていたではないか。

その仲間だという誇りが、置いてきぼりにされたことで台無しになったのだ。無謀な航海で仲間が半分に減ってしまった上に、小屋や農場といったインフラも失ってしまった今のホンコンは、さしずめ島の居候《いそうろう》であり、流浪《るろう》の民だった。へっ、いい気味だぜ、清子みたいな疫病神《やくびょうがみ》を連れて行くからだ。ワタナベはヤンの消えた辺りに中指を突き立てた。トウキョウの連中も嫌いなら、ホンコンも大嫌いだった。自分を損なう者、仲間外れにする者はすべて嫌い。自分が真の放浪者なのは、「無人島がよく似合い、「凄い男」だからに他ならないのに、自分の価値を認めていたのは隆だけだった。何とか、自分の真価を島民に知らしめる方法はないものか、とワタナベは思った。

オダイバ浜に着いたが、普段なら、誰か彼か釣りをしたり、貝を拾っているはずなのに、誰もいなかった。ただ一人、沖の方でオラガが水浴をしているのを見付けたので、ワタナベはじゃぶじゃぶと海に入って行って話しかけた。

「オラガ、トーカイムラに誰が来たか知らないか」

航海日誌が盗み読まれて、白紙ページが破り取られた、とはっきり言えないのが辛《つら》いところだった。自分が隆の小屋から日誌を盗んだのがばれるからだ。ワタナベなりに頭を使った質問だったが、優雅に背泳をしていたオラガは首を横に振った。

「知らないよ。誰もあんなとこ行かないもん」

「あんなとこで悪かったな」

俺を追いやったのは、お前らじゃないか。ワタナベはむっとした。

「アタマのヤツはどこにいる」

「アタマなら、スターハウス寺院にいるよ」

ワタナベは馬鹿にして鼻を鳴らした。頭のおかしいマンタのところか。ただの洞穴なのに、スターハウス寺院とはよく言うぜ。

「清子さんの出産が近付いているから、みんなで準備してるんだよ」

「へっ、誰の子かわかったもんじゃねえのに」

すると、オラガは真面目《まじめ》な顔で諫《いさ》めるのだった。

「まあまあ、島民が増えるんだから、目出度《めでた》いじゃないの。そんなこと言うから、ワタナベさんは嫌われるんだよ」

ワタナベは頭に来たが、オラガはさらに沖に泳いで行ってしまったので、仕方なく海を出た。が、スターハウス寺院は北のサイナラ岬の近くだ。歩くのが面倒臭くなって、ブクロの集落に寄ることにした。ほとんど空で誰もいない。何か盗んでやろうと、椰子酒の壺《つぼ》などを覗《のぞ》いているところに、ジャングルから妻のシンちゃんを伴って犬吉が現れた。犬吉とシンちゃんは、ワタナベの姿を見るや、またジャングルに駆け込んでしまった。畜生。追おうとしたが、体力が続かない。最近は、トカゲもネズミも食べていないので、体力がないのだった。しかも、発疹が広がって、体中が痒《かゆ》くて堪《たま》らない。ワタナベは諦《あきら》めてトーカイムラに帰って寝ることにした。手ぶらで帰るのも悔しいので、小屋を探したがめぼしい物もない。癪《しゃく》に障《さわ》って、壁に立てかけられた釣り竿《ざお》を折ったり、籠《かご》を蹴《け》ったりして憂《う》さ晴らしをした。

歩き疲れて浜に戻ったワタナベは、痒みと闘いながら、暮れていく海原をじっと見つめた。珍しく、子供の頃を思い出すのはなぜだろう。弟と二人でくるまって暖を取った電気毛布。子犬みたいな弟の体温が懐《なつ》かしかった。ふと気付くと、寒気がして胴震いが止まらない。発疹の上に発熱までしたのは、航海日誌を食ったせいだろうか。だが、日誌食いをやめる気はなかった。

ワタナベは、半ば意地で、隆の航海日誌を三週間かかって食べ終えた。最後の方はいろいろ工夫して、海水に浸した紙を天日干しにして炙ったり、細かく裂いて麵《めん》類のようにしたり、葉と混ぜてサラダ状にして食べたりした。いずれにせよ、隆の書いた航海日誌はワタナベの腹に収まり、排泄物《はいせつぶつ》となって島のあちこちに散らばった。いずれ微生物がすべてを無にするだろう。が、勿論《もちろん》、ワタナベにそんな知識はない。ただ、これで誰も航海日誌を読めなくなった、紙を盗まれなくて済んだ、という満足感だけがあった。しかし、航海日誌そのものが消えてしまうと、隆の死後五年間、自分が楽しみにしていたものをなくした喪失感が、いや増してくるのだった。最も失われたのは、嫌われ者の自分を支えていた優越感だったことに気付いた時、ワタナベは愕然《がくぜん》とした。自分こそが隆の後継者であり、自分が島のバイブルを所有しているという誇りと証拠をなくしたのだ。とはいえ、食べたことは隆に近付いたことになりはしないか。すぐさまワタナベの中で、昇華、いや自己正当化が始まった。ワタナベは再び隆の夢を見たいと願った。

ある朝、ワタナベはいつものように目を覚ました。波の音に混じって、人の話し声が聞こえたような気がした。が、再び目を閉じた。発疹と発熱以来、体の節々が痛んで、体調が悪かった。発疹はいったんは治まったものの、海に入ったりすると、たちまち背中に大きな斑《ふ》が現れる。いったん斑が出ると、痒みで夜も眠れなかった。だから、魚を獲《と》るのも億劫《おっくう》になったし、裸の肌が葉で擦れるジャングルにも入れなくなった。清子の服を着て行っても、腕や脚が何かに触れると発疹が現れるのだった。隆に「無人島がよく似合う」と言われたワタナベは、その無人島に復讐《ふくしゅう》されているかのようだった。しかも、ホンコンたちと別れて以来、ワタナベの栄養状態は極度に悪くなっていた。体がだるくて仕方がない。時折、誰か食い物でも持って来てくれないだろうかと気弱く思うことはあったが、ワタナベに注意を払う者は誰一人いないのだった。清子の出産が迫っていて、島民の注意はすべて清子に集中しているのだろう。

ワタナベはドラム缶ハウスで、日がな一日寝て暮らすことが多くなった。午後は直射日光を浴びるから、ドラム缶の側に居られないほど暑くなる。小屋を出るのはその時だけで、後はほとんど死んだように寝ていた。自分は隆にそっくりになってきた、とワタナベは思った。死ぬ前の三カ月間は、チョーフの小屋で寝たきりだった隆。隆の具合が悪くなったのは、胃腸が弱って、何を食べても下痢をするからだと言われていた。また、清子が消化のいい物を食べさせないからだとも。ワタナベは思った。自分が隆の化身だと感じたのだから、死に方もまた同じなのかもしれない、と。何だっけ、隆の最後の言葉は。食べてしまった日誌の中の言葉を、ワタナベは必死に思い出そうとした。「早くサイナラしたいです。」だ。やっと思い出したワタナベは笑った。自分も早くサイナラしたくなっていた。

突然、近くで日本語が聞こえたような気がした。空耳か。それとも、食べ物でも持ってアタマが来てくれたのだろうか。ワタナベは、ドラム缶ハウスを這《は》い出た。そして、信じられないものを見て、口をあんぐりと開けた。珊瑚礁《さんごしょう》の外側に、大きな船が停泊していたのだった。あわわ、ふね、ふね、と呟《つぶや》きながら、ワタナベは腰を抜かした。

大きな船からは、小型のボートが二艘《そう》出て、それぞれ銀色に光るドラム缶を満載している。二艘のボートは珊瑚礁の切れ間から入って、浜に近付いて来た。ワタナベは脱力して、夢のような光景を眺めていた。これこそが、自分の脳味噌が見せる最後の夢ではあるまいか。ワタナベは朦朧《もうろう》とした頭でいろいろ考え、果ては近くのドラム缶に頭蓋《ずがい》を思いっ切りぶつけてもみた。だが、夢ではなかった。ボートが近付いて来て、Tシャツに短パンという軽装の男たちが数人浜に下りた。皆若く、洒落《しゃれ》たサングラスをして遊びに来たかのような格好だ。彼らは、数人がかりでドラム缶を浜に運び上げては、転がしている。ああ、とうとう、放射性廃棄物だか産業廃棄物だか知らないが、誰にも知られたくないゴミを無人島にこっそり不法投棄する人間たちが訪れたのだ。実に、六年ぶりだった。

「おーい」と、ワタナベは手を振った。作業をしている数人の男たちが振り返り、信じられないものを見たように目を泳がせた。やがて、一人が慌ててトランシーバーでどこかに連絡した。三人が駆け寄って来た。哀れな物体を見るように、目を背けながらワタナベを取り囲む。

「漂流者だ」「信じられないな。俺、初めてだよ、こんなの見るの」「どうする」「どうするって、助けるしかないでしょう」「いや、指示待ち、指示待ち」「放っとくしかないでしょ」「助けなきゃ、死んじゃうんじゃない」。男たちの昂奮《こうふん》した日本語を聞きながら、ワタナベは気を失っていった。

気が付くと、人工的な冷気の中にいた。ワタナベは、エアコンの効いた部屋のベッドに横たわっていた。照明が眩《まぶ》しい。太陽でも月でもなく、焚《た》き火《び》の炎でもない、人工の光が目を射た。ワタナベに思ってもいない現象が起きた。涙が流れたのだ。

「あ、泣いてるよ」

すぐ近くで男の声がした。

「良かったなあ。助かったよ、あんた。一人で辛かっただろう」

周りで泣き声がした。誰かが歓声を上げている。自分が誰かを感激させているらしい、とワタナベは気分が良かった。ゆっくり目を開けてみると、ベッドを取り囲んでいる男たちが見えた。中年男もいるし、若い男もいる。皆、真っ黒に陽灼《ひや》けして、ダイビングや釣りやヨットなどで遊んでいるような裕福な人間たちに見えた。貰《もら》い泣きしているのは、髭面《ひげづら》のデブで、明らかに栄養過多だった。

「あんた、日本語わかる？　どこの人なの。中国？　台湾？　韓国？　それとも日本人かい」

ワタナベは「日本人」と答えようと思ったのに、口がうまく回らなかった。どういうわけか、「ひ、ひ、ひりぴん」と言っていた。

「何、何て言ったの。今、ひりぴんって言ったよな」

焦《あせ》る声が聞こえ、誰かが「聞こえた、ヒリピンって聞こえた」と同調している。

「フィリピンの漁師かなんかじゃねえか」

途端に、皆が野卑な言い方になった。

「このご面相はフィリピンだろう」

「しっかし良かったなあ。母ちゃん喜ぶぞ」

「がっかりしたりしてな」

どっと笑い声が起きた。清子のワンピースを着ていたのも幸いしたらしい。誰も疑っていなかった。突然、口許《くちもと》に冷たい物が当たった。驚いて見ると、水のペットボトルがあてがわれている。冷たい水なんて、存在自体を忘れていた。いや、忘れようと努めていた。ワタナベは喉《のど》を鳴らして飲んだ。

「そっとだよ、そっと。いきなり飲むと良くないよ」

髭面のデブが優しく言った。水を飲んでひと息吐《つ》いたワタナベは、辺りを見回した。拾って来た珍獣を見るように、船中の男たちが集まって、ワタナベの一挙手一投足を眺めているのだった。

「あんたさ、名前何て言うの。ねえ、名前」

洒落た小さな眼鏡を掛けた若い男が尋ねた。

「駄目だよ、タカさん。英語、英語」

「そうか、じゃ、ホワッチョワネーム」

「発音悪いなあ」

タカさんと言われた男が頭を掻《か》いた。またしても、どっと起きる笑い声。浮かれている。ワタナベは、自分がアタマと一緒にヤクザの下部組織に雇われて街宣車に乗っていたことを思い出した。その時と同じ匂《にお》いがあった。くだけているが、上下関係がはっきりしている、はみ出し者の集まり。

「ネーム、ネーム」と、若い男が言った。

「ドゥーベン」と、ワタナベは答えた。

「ドゥーベンか。ね、誰かさ、タガログ語の辞典とかないのか。おい、タカ。ネットに載ってないか」

「多分ないすねー」とタカが首を捻《ひね》る。

「ねえ、ドゥーベンさん。島には他に誰かいなかったの。えー、何て言うんだ、これ」

　すると、誰かが助け船を出した。

「サムバディウィジュー？」

「そんな英語あんのかー」と誰かが笑ったが、ワタナベはゆっくりと首を振った。他には誰もいない、という最大にして、犯罪的な嘘《うそ》だった。内心は、これでとうとうトウキョウにもホンコンにも勝った、と誇らしくてならなかった。やがて、室内は静かになった。少し休ませてやろうと、皆出て行ったらしい。船が動く気配がした。離れろ、早く遠くへ行け、俺だけを乗せて。トウキョウ島から離れろ。海流を越えろ。ワタナベは強く念じた。

　翌朝、ワタナベは六年ぶりに風呂《ふろ》に入った。垢《あか》は、甲羅のように皮膚にこびり付いていて、どんなに擦っても、何度湯を替えても、なかなか落ちてはくれなかった。やっと落ちた時、発疹《はっしん》の瘡蓋《かさぶた》も一緒に落ちて、中からピンクの皮膚が現れた。ワタナベは髭を剃《そ》り、髪を梳《す》いた。さっぱりしたところで、タカが新しい衣服をくれた。白いTシャツと短パンだった。ビーチサンダルも誰かがくれた。ワタナベは口を利《き》かずに、ぺこぺこ礼をした。皆、親切だったし、ワタナベが日本人だとは露ほども思っていなかったから楽だった。

船内は享楽的《きょうらく》だった。誰かが常に釣り糸を垂れ、獲物が釣れると刺身パーティにな
って、昼間から景気よくビールの栓が開けられた。無人島の白いビーチを見ては、停
泊して泳ぐこともあった。どうやら、船の弛《たる》んだ雰囲気は、トウキョウ島にドラム缶
を廃棄し終えたからだと、ワタナベにも察せられた。ひと仕事終えた後の解放感と、
厄介な漂流者が異国の人間だったという安心感に満ちていたのだ。その弛みはワタナ
べにも及んだ。ワタナベは、乗組員に貰ったビールで脳を痺《しび》れさせ、隆のことも清子
のこともトウキョウ島も、すべて忘れようとした。発疹と発熱は、栄養不良のせいだ
ったらしく、船の食事をするうちに、ワタナベの体には肉が付き、禿《は》げかかった頭に
は産毛《うぶげ》が生えてきた。
　十日後の夜、ワタナベを乗せた船は急に停まった。髭面のデブが、悲しそうにワタ
ナベに告げた。
「ここはルソン島の近くだ。あんたはフィリピンに帰れるんだ。俺らの船は違法だか
ら、近付けない。こっそりあんたを迎えに来る船を手配したから、それに乗ってく
れ」
　こんな複雑なことを訳せる人間は、船にはいなかった。誰もが察してくれ、と言わ
んばかりの悲しげな顔をしている。ワタナベも感謝と別れる辛《つら》さを顔に出してみた。

乗組員の振りをした十数人のヤクザ者たちが、別れを惜しんでいるのだ。やがて、闇《やみ》の中をボートが寄って来た。一番優しくしてくれた髭面のデブが、「テイクケア」と恥ずかしそうに呟いてワタナベを抱き締め、金をくれた。全部、ドル札だった。タカと呼ばれた男は、ブランデーを、もっと若い男はCDを、コックはハムを一本くれた。ワタナベは貰った品々と、救助された時に着ていた清子のワンピースを抱えて、いそいそとボートに乗り込んだ。ホンコンの言葉がすぐにわかったように、タガログ語とやらも何とかなるだろう。

「サイナラー」

ワタナベが船に向かって叫ぶと、みんなが嬉《うれ》しそうに手を振った。

2 日没サスペンディッド

森軍司は、朝目覚めた時から奇妙な感じを抱いた。何かが違うような気がしてならなかった。やや風が強く、ニッパ椰子《やし》で作った簡便な小屋がギシギシ揺れている。そのせいかもしれないと思い、外に出て空を見上げた。しばらく好天が続いて、まるで夏日のように暑かったのに、今朝は薄曇りで肌寒い。雨も降りそうだった。いよいよ、トウキョウ島にも、六度目の冬が到来するらしい。熱帯の冬は、雨期だ。毎日どんよりして肌寒く、雨の日が続く。軍司は、昨夜から憂鬱《ゆううつ》だったのはそのせいかと思い、体を洗うためにオダイバ浜に向かった。しかし、どこにも人影が見えないことに気付き、何となく嫌な気分になった。いつもの朝なら、浜で水浴びをしたり、似非《えせ》シッタカ貝を拾ったり、小魚を捕りに来る島民が必ずいるはずなのに、誰の姿もないのはなぜか。何か起きたのだろうか。トウキョウ島のことならすべて把握し、知悉《ちしつ》している、と思い込んでいる森軍司は、不安を堪《こら》えて、あれこれ考えた。昨夜、表で誰かがいつまでも話をしていて騒がしかったことを思い出す。だが、気鬱になっていた軍司は、椰子とバナナの葉で作った扉をしっかり閉めて、様子を聞くために表に出ることをしなかった。軍司は気が塞《ふさ》ぐと、何もかもが面倒臭くなって無精になる質《たち》だった。

トウキョウ島にも冬は来る。今が何月何日か正確にはわからないが、気温の低さ、雨の多さ、日没の早さから判断すると、そろそろ冬至に近付いているような気がした。気温が低くなるのは悪くないが、日没が早いのは気が滅入《めい》った。無人島では、日没以降は何もできない。西の海に太陽が沈んだ途端、島は太古《たい》の暗闇《くらやみ》に包まれるのだ。松明《まつ》を持って歩き回ったり、火を焚《た》いて小屋を明るくするのも、余程の用事や、作業をする時だけに限られていた。ほとんどの島民は、真っ暗な小屋の中で何もせずに寝てしまう。光によって照らされた闇は、自然の月や星の明かりしかない闇よりも、遥《はる》かに怖《おそ》ろしいからだ。見なくてもいいものを見て、考えなくてもいいことをたくさん考えてしまう。

冬が来て日が短くなると、軍司は決まって憂鬱になった。また無為の一年が過ぎた、という焦《あせ》りがあるからだった。それに冬は、ざわざわと体のどこかで音がした。日本人としてか、岩手県人としてか、学生としてか、夫としてか、父親としてか、一人の男としてか、はわからないが、過去のあれこれが身裡から溢れそうになり、決まって、自分にはこういう思い出があるんだぞっ、と誰彼構わず叫びたくなった。普段は、必死にその思いを封印しているだけに、たまには蓋《ふた》を開けてくれ、と血がざわめくのだろう。まして、軍司は漂着してから記憶喪失を装《よそお》っていたから、その反動もあった。

島で際立《きわだ》つ季節感は冬しかないので、とりわけ冬の思い出が喚起されるらしい。雪、薬缶《やかん》の湯気、クリスマス、正月、受験勉強、蜜柑《みかん》、ゲーム、布団《ふとん》の温《ぬく》もり、ストーブ。通り一遍の、冬休みの連想が尽きたところで、軍司は不意に、ブルース・スプリングスティーンの「サンタクロース・イズ・カミング・トゥ・タウン」という曲を思い出した。スプリングスティーンの絶叫は、軍司の頭の中で突如爆発し、がんがん鳴り響いた。ああ、クリスマスソングの流れる喧噪《けんそう》の商店街を歩きたい。不二家のクリスマスケーキを腹一杯食べたい。ジリジリと炙《あぶ》られて回転する、鶏の腿肉《ももにく》にかぶりつきたい。軍司は、地元の商店街にある、「中原鶏肉店」のロースターを思い出した。そして、妻の弘美の顔を、たった今、横にいるかのようにリアルにはっきりと思い浮かべた。薄い眉《まゆ》、頰にある黒子《ほくろ》、縦にひび割れた、ちょっとエッチな唇。弘美は、中原鶏肉店の長女にして、元祖ヤンキー娘だった。にしても、弘美が清子に少し似ている気がするのはなぜだろう。苛立《いらだ》った軍司は、海水を掬《すく》って顔を洗った。今朝の海水は、最近で一番冷たい。

「モリさん、ずいぶん暢気《のんき》ですね」

背後で声がした。振り向くまでもなく、オラガの声だとわかっていた。オラガとは、オダイバでよく出会う。振り返った軍司は、オラガの顔を見て驚いた。オラガは、壊れた眼鏡を、蔓《つる》を用いて頭蓋《ずがい》に幾重にも巻き付け、遠出でもするかのような厳重な身支度だった。しかも、釣り竿《ざお》や瓢箪《ひょうたん》などの生活用具まで持っている。

「お早う。どこに行くの」

「トーカイムラですよ、決まってんじゃないですか」

オラガは早口に答えた。軍司は、なぜトーカイムラに行くのが決まってんのか、その理由を聞きたかったが、オラガが何も言わないので知らん顔をした。

「ああ、そうだよね。頑張って」

「さすがモリさん。悠然としてますね」

オラガは感心したように言った後、そそくさとその場を去った。急いで行かねば損をする、とでもいうような余裕のない態度だった。オラガが行ってしまった後、軍司は自分を責めた。なぜ見栄《みえ》を張ったのか。聞きたいのに聞けない軍司は、当然のことながら、ノーと言えない性格でもある。優男で、幼少の頃から女にもて、ノーと言えない性格は、とんでもない災厄を招いてきた。意に添わない付き合い。強《し》いられた結婚。いや、そもそも意に添う付き合いとは、どんなことかがわからない。だから、中原鶏肉店の長女、弘美とも結婚する羽目になったのだし、与那国島にアルバイトに来ざるを得なくなったのだし、遭難してからは記憶喪失を装わなくては、とても生きてはいけなかったのだった。清子との結婚が、唯一《ゆいいつ》自分の意志だったかもしれない。

小屋に戻りかけた軍司は、そのまま自分も何げない顔をして、トーカイムラに行ってみることにした。一応、トウキョウ島のリーダーなのだから、誰も報告に来ないのはおかしい、リーダーである自分は島民を摑《つか》まえて、正々堂々と「何が起きたのか」と聞いてみるべきだ、とあらゆる気弱なシミュレーションの果てに、軍司はそう結論づけたのだった。

トーカイムラの浜には、島民のほとんどが来ていた。シブヤ村からは、犬吉とシンちゃん夫婦、カメちゃんとシマダ、ヒキメ。オラガもとっくに到着して、カメちゃんと並んで沖合を眺めていた。酒造りの里、ジュク村からは、ダクタリをリーダーとする椰子酒杜《と》氏《じ》の面々、ブクロ村はアタマやジェイソンなど、島の不良と言われる者たち。チバに住むゲイカップル、キタセンジュにそれぞれ別に暮らすノボルと、原田という男までが、ひっそりと立っていたのには驚いた。いないのは、臨月の清子と僧侶《そうりょ》のマンタさん、ホンコンたちだけだ。そして、自分も呼ばれていない。軍司はそのことに拘《こだわ》ったが、口にはしなかった。

しかも、みんな正装をしていた。普段は半裸で過ごしたり、手製の腰蓑《こしみの》で歩いているのに、一張羅のTシャツやパンツをきちんと身に着けているではないか。常に浦島太郎のような格好で歩いているヒキメでさえも、今日は尻《しり》と膝《ひざ》に大穴の空いたジーンズを穿《は》いていた。シンちゃんと手を繋《つな》いだ犬吉は、アクセサリー代わりの蛇を二匹も首に巻き付け、ペットの猿まで連れて、民族大移動に近い。そして全員、定期船でも待つかのように沖合を眺めて、微動だにしないのだった。

「どうしたんだ」

とうとう、軍司は一番近くにいたアタマに尋ねた。アタマは、顎《あご》を突き出して挨拶《あいさつ》しながら、剛毛が生えた指で浜辺を指差した。

「モリさん、あれ見てもわかんない？」

髭《ひげ》を生やして、どうにもむさ苦しいアタマは、軍司を試すように眺めている。軍司は、思わず声を上げた。浜に転がっていたドラム缶が、明らかに倍近くに増えていた。

しかも、増えたドラム缶は、前にあった物と仕様が違っており、表面に大きな黒いドクロのマークが付いていた。

「てことは」

軍司が最後まで言わないうちに、アタマが遮った。

「そうそう。誰か来て、また置いてってたんすよ」

何てことだ。我々は、千載一遇のチャンスを逃したのだ。軍司は、自分の犯した大失態に気が狂いそうだった。口も利《き》けずに、曇り空に鈍色《にびいろ》に光るドラム缶群を凝視する。珊瑚礁《さんごしょう》の海を注意深く進み、静かに上陸してキビキビとドラム缶を捨てていく軍隊、のようなものを想像した。そこに飛び出して、ヘルプヘルプと叫ぶ自分。兵隊の顔は皆、オーマイゴッド。フーアーユー。遭難って英語で何て言うんだっけ。悔やむあまり、とんでもないところに想念を飛ばしていた軍司は、アタマの言葉に遮られて、我に返った。

「でね、ワタナベがいないんですよ」

「こ、殺されたの」

素《す》っ頓狂《とんきょう》な声を上げた軍司の顔を呆《あき》れた風に眺め、アタマは続けた。

「冗談じゃないすよ。浮き浮きと一人だけ船に乗って、助かったんですよ」

「何でわかるんだ」

オラガが浜を指差した。ドラム缶を集めて作ったワタナベのドラム缶ハウスの周りに、煙草《たばこ》の吸い殻やペットボトルが落ちていた。そして、夥《おびただ》しい数の足跡。

「殺しちゃったら、死体は置いてくでしょう。でも、ワタナベは綺麗《きれい》さっぱりいなくなったんですよ」

軍司は衝撃のあまり、がくっと砂浜に膝を突いた。まさか、そんなことが起こるとは。明らかに、ワタナベ一人をトーカイムラに追いやった軍司の責任だった。カスカベは疑り深く、ワタナベとトーカイムラの見張りを絶やさなかったではないか。だが、軍司はワタナベを信用していた。いや、そうではない。トーカイムラに廃棄船が近付く可能性を、全く失念していたのだ。軍司は、ふと浮かんだ希望的観測を述べた。

「ワタナベが助けを呼んでくれるんじゃないだろうか。他に二十人ばかりの日本人が救出を待っている、と」

「だから、僕らがここで待ってるんじゃないですか」

やっとわかったか、と言わんばかりに、オラガが苛立った様子で口を挟んだ。

「何で、そんな大事なことを俺に報《しら》せてくれないんだよ。対策委員会、作らなくちゃ駄目じゃないか」

面目の潰《つぶ》れた思いで、軍司は文句を言ったが、誰も振り返らない。島が閉じ込められた世界だった時は、軍司はリーダーとして皆に必要とされていた。とりわけ、内部から食い破ろうとするホンコンのような存在が明らかになった時は。だが、外部から均衡が破られた途端、軍司は真っ先に要らないものになったのだった。どころか、島民の顔はどれも皆、急にぎらつく闘争心を剝《む》き出しにし始めていた。船に定員があったら、誰かを蹴飛《けと》ばしてでも真っ先に乗るぞ、と言わんばかりのエゴ。船影でも発見したら、泳ぎ着いてでも脱出するぞ、という執念。しかし、自分とて、船影を見たのは四年前にたった一度、ホンコンが島に捨てられた時だったのだから、近付く船を見ただけで失禁し、島民を押し退《の》けてでも海に飛び込みそうで、どことなく焦《じ》れったい。皆も同じらしく、手を合わせて祈ったり、何か呟《つぶや》いたりして、喧《やかま》しいことこの上なかった。そのうち、数グループが小屋を設営し始めた。が、長く住まなくても助けが来ると見込んでいるのか、倒木をぞんざいに組み、その辺に落ちている椰子の葉っぱを集めて上に載せたりで、碌《ろく》な小屋ではなかった。

軍司は、ワタナベのドラム缶小屋を見に行った。冬の曇り空とはいえ、ドラム缶に囲われた空間は、少し暑く感じられた。軍司は、ワタナベが背負っていた、大きな海《うみ》亀《がめ》の甲羅に腰掛け、ワタナベがこんな劣悪な環境で真夏を過ごしていたのか、と驚くのだった。誰も小屋掛けを手伝わなかったからだ。こんな形で追い払って仲間外れにしていた以上、ワタナベは二度と島には戻らないし、助けを待つ自分たちのことも伝えてはくれないだろう、と軍司は覚悟した。

「ワタナベは、俺たちのことまで言ってくれないだろうな」

軍司がオラガに言うと、オラガがムキになって反論した。

「いや、そうも言えないですよ。たとえ、ワタナベが僕らのことを言わなかったとしても、ワタナベがいつ、誰と、どうやってこの島に辿《たど》り着いたかは調査されるはずですから、絶対に捜索隊が来ますよ」

「その根拠は」

「これです」とオラガが煙草の吸い差しを差し出した。セブンスターだった。

「日本人が来たんだ」

「多分そうです。このペットボトルもサントリーのだし」オラガはそう言った後、ペットボトルを撫《な》でた。「ああ、懐《なつ》かしいなあ」

現場保存という暗黙の了解の下で、煙草やペットボトルの残留物が置かれていたのに、オラガがペットボトルを摑んだものだから、独り占めしたと誤解したらしいジェイソンが、オラガの手から乱暴にペットボトルを奪い返し、周囲は騒然とした。軍司は、ここぞとばかりに声を張り上げた。

「よし、みんな。落ち着いて。事情はわかった。ここに交代制の見張りを置いて、他は引き揚げようじゃないか。システマチックに処理しないと、清子さんやマンタさんなんかを置いて行ってしまいかねないよ」

軍司は冷静に言ったつもりだったが、誰も聞いていなかった。ただまどろっこしそうに唇を噛《か》んだまま、幻の船を求めて沖合を眺めていた。軍司は、トーカイムラから去りたくても去れなくなった。自分が去った後に船が来たら、置いてきぼりを食らいそうなほど、みんな自分のことしか考えられなくなっているのがわかったからだ。

「ワタナベ君がいついなくなったのか、知ってる人いる?」

軍司が尋ねても、誰も答えない。浦島太郎が使うような、自作の魚籠《びく》を抱えたヒキメが、誰に聞かせるともなしに、関係ないことを呟いている。

「俺さ、日本に帰ったら、勉強しようと思ってるんだ。馬鹿《ばか》だったよ、恵まれていたのにさぼってさ。受験勉強から逃げたんだよ。何か自分の一生がそんなことで決まるのかと思うと怖くなってさ。結局、高卒でフリーターになった。勿論《もちろん》、親は嘆いたよ。俺はもういいやって思ってたんだ。もう、うんざりだってね。しかし、ここに来て変わったよ。やり直せるものなら、もう一度勉強したい。食べられる植物とか知りたいし、魚の生態も知りたい。俺には圧倒的に知識が不足していることがわかったんだ。だから、帰れるものなら帰って、勉強したいよ。もし戻れたら、俺ガリ勉になるよ。そして、水産大学に入るんだ」

ヒキメの両頬に熱い涙が流れている。

「シンちゃん、帰ったら、一番誰に会いたい」

犬吉がシンちゃんに尋ねている。シンちゃんはしばし考えた後、答えた。

「うーん、中学の時の同級生かな。俺さ、バイ菌とか言われていじめられてたから。その時、俺をいじめてたヤツらに会いたいな。でね、そいつらを騙《だま》してここに連れて来て、置いてきぼりにするの」

「いいね。僕はズッパだけど、死んじゃっただろうなあ」

二人は顔を見合わせて溜息《ためいき》を吐《つ》いた。誰も互いの言葉を聞いていない昂奮《こうふん》状態だった。軍司は、オラガの肩を叩《たた》いた。

「オラガ、ワタナベがいなくなったのはいつなんだ」

オラガが、またそれか、と言わんばかりに面倒臭そうに振り向いた。昂奮しているせいか、やぶ睨《にら》みがますます酷《ひど》くなっている。オラガは両方の目でまったく違う方向を睨みながら、言った。

「わかったのは昨日ですよ。昨日、アタマのヤツがたまたまトーカイムラに行って、ワタナベがいないんで様子がおかしいって、僕のところに言いに来たんです。だから、いなくなったのが何日前かはわかりません。僕が最後の目撃者じゃないかな。ひと月くらい前に、僕がオダイバで水浴びしてたら変なこと言ってたんです。『トーカイムラに誰が来たか知らないか』って。それと『アタマのヤツはどこにいる』って探してましたけど、何か怒ってるみたいだったから、アタマに何か盗まれたのかなと思ってました。でもね、その時、ワタナベのヤツ、体中に発疹《はっしん》が出ていて酷い状態だったんですよ。だから、体調悪いんだなと思ってた」

「俺、何も盗んでなんかねーよ。ワタナベのとこに行ったのだって、三カ月ぶりくらいだったんだからな」

アタマが憤然として口を挟んだ。

「てことは、このひと月の間にいなくなったってことだね」

軍司が考え込むと、オラガがあからさまに小馬鹿にした表情をした。オラガの態度に傷付いた軍司は何となくうろたえ、この由々しき事態をマンタさんのところに相談に行かねばならないと思った。軍司は、万が一船が来たら、残りの者たちのことも救助してくれるように、オラガにしつこく頼んで、トーカイムラを後にした。

途中、ホンコンのことを思い出し、ホンコンにもこの大事件を報せなくてはなるまいと思ったものの、救助が来た際に、ホンコンへのリンチ事件が問題になったらどうしようと、これまた気の弱いことを考えて、心が塞《ふさ》ぐのだった。国際的に糾弾されたら、A級戦犯のような存在になりはしないか、と弱気な妄想だけが膨れ上がり、さながら戦争犯罪者のような心持ちになっていく。与那国島を脱出した時は、三分の冒険心と七分の逃走心だった。きついバイトからだけではなく、万事に支配的な弘美からの逃走でもあった。

つい見栄《みえ》を張って、清子には「弘美は、自分と同じく岩手大学の院生で、学生結婚」と嘘《うそ》を吐いたが、それは自分の憧《あこが》れを口にしただけで、実は家業の鶏肉屋を手伝う女で、十六歳も年上の出戻りだった。結婚したのは、軍司が二十四歳の時だったから、弘美は四十歳。連れ子の沙也加はすでに二十一歳になっていた。六年後の今は、軍司三十歳、弘美四十六歳、沙也加二十七歳、となる。軍司は呻《うめ》いた。自分が島で清子と結婚した時、限りない安寧を感じたのは、清子が妻の弘美とほぼ同じ歳《とし》だったからではないか。つまり、こんな無人島に来てまで、母性に囚《とら》われる気持ちと、そこから逃走して大人になりたい衝動とが闘っていることに他ならない。だが、清子が自分を捨ててホンコンと脱出したせいで、こんな状況に陥ってしまった。軍司はトラウマを思い出して、涙が出そうになった。弘美は少なくとも自分を裏切ったりしなかった。常に、軍司の世話をしてくれて、母親のように優しかった。

軍司は、中原鶏肉店のファサードを彩《いろど》るクリスマスイルミネーションを思い出し、懐かしさのあまり、しばし呆然《ぼうぜん》とした。最後に見たのは、サンタが橇《そり》に乗って山を越え、町に向かうシーンだった。二頭立てのトナカイと、橇、夜空には満天の星、と素晴らしい電飾だった。たかが商店街にある鶏肉屋なのに、毎年、凝った演出をするので、市内でも有名だった。あちこちから見物人が来て、記念写真を撮るほどだったのだ。自分もサンタの扮装《ふんそう》をして、焼き鳥を焼かされたものだ。クリスマスには焼き鳥、と言う偏屈者がいたせいだ。気が付くと、軍司は泣いていた。急に明確かつ具体的になった思い出に圧倒され、里心の収拾が付かなくなったせいだった。人間は具体的な希望があると、逆に挫《くじ》けて弱くなるものらしい。軍司はほとんど泣きじゃくりながら、スターハウス寺院に辿り着いたのだった。

寺院の参道である梯子《はしご》の下に、大きくなった腹を抱えた清子が座っていた。清子は暑そうにタロイモの葉で顔を扇《あお》いでいたが、軍司の泣き顔を見て、ぎょっとしたように立ち上がった。

「どうしたの、ユタカ」

清子は勝手にユタカと呼ぶ。弘美は、グングンと呼んでいた。でも、一番好きな呼び名は、GMという頭文字だった。恥ずかしさから匿名性《とくめい》の中に隠れていたい自分にはぴったりだったからだ。これからもまた、GMと呼んで貰《もら》おうかと心弱く思う。

「どうして泣いてるの、パパ」

清子はそう言い換えた後、にやりと笑った。

「パパ？」驚く軍司に、清子は畳みかけた。

「そりゃそうでしょう。あなたがあたしを孕《はら》ませたんだから。あたしはこれから無人島で命を賭《か》けた出産をするのよ。あたしが死んだら、子供はよろしくね。いつか文明社会に帰ることがあったら、ちゃんと教育してやってね。そして、こういうママが産んだんだよって言ってやってね」

軍司は、清子が図々《ずうずう》しく変貌《へんぼう》したのに驚き、思わず顔を見た。自分と暮らしている時には、年下の男をよく可愛《かわい》がってくれる優しい女だった。栄養を付けるように、と骨身を惜しまず貝や木の実を採集してくれたっけ。帰って来なかったあの日も、浜に野菜籠《やさいかご》が落ちていた。中には、軍司の好きなグァバやオクラが入っていて泣かされた。ワタナベから「自分から進んで船に乗った」と聞くまでは、だが。軍司は、清子が拉致《らち》されたものと疑いもしなかったのだ。自分が信頼しなくなったから、清子がこのようにがさつな女になったのだろうか。重婚だから離婚する、などと、よくもまあ酷いことを言ったものだ。軍司が反省しかかった時、マンタさんが横穴から顔を出した。

「おお、リーダーの森さんじゃないですか」

わざとらしい気がして、軍司は顔を顰《しか》めた。しかし、この分では二人ともトーカイムラの騒ぎは知らないだろう。言おうか言うまいか、軍司は悩んだ。

「ねえ、どうしてさっきあんなに泣いていたの。苛《いじ》められたんじゃないの」

清子が蒸し返したので、軍司はむっとした。

「いや、文明社会に帰ることができるかもしれない、と言ったらどうします」

意地悪な言い方をすると、清子の顔色が変わった。

「誰かが船を造ったの」

「いや、ワタナベがトーカイムラから船に助けられて脱出したんです」

清子は衝撃で声が出ない様子だった。腹を抱えて、地面に尻餅《しりもち》を突きそうな按配《あんばい》だ。

ひと言、悔しそうに「やられたわね」と言う。

『え、それって一人で？』

異様な声が響いた。マンタさんの中にいる和子が口を開いたのだ。バナナの葉で作った服を着たマンタさんも、いきなり和子が喋《しゃべ》ったので驚いたように竦《すく》んでいる。軍司は仕方なく何も知らない二人に経緯を話したが、自分だけ報《しら》されなかった屈辱は省いておいた。

「ぼ、ぼ、僕は、こ、ここに残ります。ぼ、僕、ス、ス、スターハウス寺院が、き、き、ききき、気に入ってるし、ト、トウキョウ島に満足してるから」

動揺したらしいマンタさんは、吃音露《きつおんあら》わに呟いた。

「でも、島民が全員いなくなったら、一人きりになるんですよ」

マンタさんは、軍司の顔を見ながら、今度はゆったり言った。吃音は出なかった。

「いいですよ、カズちゃんと一緒だから」

『そりゃそうだけど、あたしはあんたが心配なのよ』

和子の声がして、マンタさんは陶然とした。

「カズちゃん、ありがとう。でも、僕はカズちゃんがいれば大丈夫だい」

『そうだね、あたしが守ってあげるからね』

「ありがとう、姉ちゃん」

『カズちゃんでしょう』

「あ、ごめんごめん」

マンタさんが一人芝居に入ってしまったので、軍司は、わざとらしく頭を掻《か》いてみせるマンタさんを残し、清子をジャングルの方に誘った。

「清子さん、ちょっと話があるんだ」

軍司の記憶喪失が嘘だと見破ったのは、マンタさんの中にいる「カズちゃん」だった。側にいると、「カズちゃん」が何を言いだすかわからないので、離れた方がいいという狡猾《こうかつ》な判断だった。だが、清子はとうに軍司への信頼など失《な》くしたかに見える。誰も自分を頼らなくなった今、それも辛《つら》いことだった。軍司はこれまで放ったらかしていた女の面倒を見ようと思った。気持ちが清子に向かうと、現金にも今すぐ、その豊満な胸に顔を埋めたくなる。

「もし助けが来たら、真っ先に清子さんを船に乗せますから、トーカイムラに移動した方がいいですよ」

「当たり前よ」

清子が重そうな腹を抱えて、ジャングルの中を歩きだした。軍司はその後を追った。清子が振り向いた。

「ユタカ、あなたがあたしの住居から持ち出した隆さんの物あるじゃない。ナイフとか鍋《なべ》とか」

「人聞きが悪いなあ。刀狩りをしたんだよ。ひとつところに富が偏《かたよ》っているのはユートピアではない、ということで」

しかし、結局は軍司のところに偏っていたのは、周知の事実だった。皆、ナイフや鍋が必要な時は、軍司のところに借りに来て、返す時には見返りを何か必ず持って来た。以前、清子がやっていたリース業を軍司が奪う形になったのだ。清子は何も言わずに、鼻先で笑っている。どうにも分が悪い。

「ま、どっちでもいいからさ。それ持って来てちょうだい。トーカイムラで待機するのなら長丁場になるでしょうから」

わかりました、とすでに清子の尻に敷かれつつある軍司は答える。

コウキョの側《そば》にある自分の掘っ立て小屋に飛んで帰り、清子の出奔のお蔭《かげ》で、三倍に膨れ上がった家財道具を籠に詰め込み始めた。だが、あれも惜しい、これも残念、と思うと捨てられず、籠はふたつに及んだ。仕方なく大きな籠を背負って、山道を歩き始めた。この間にも、船が来たらどうしよう、オラガは報せてくれるだろうか、と心配で堪《たま》らない。しかも、清子の態度が気に入らなかった。清子は、マンタさんが残る、と言ったのを聞いているから、「森さんも残るって言ってましたよ」と告げるかもしれない。どうしよう、どうしよう。疑心暗鬼になった軍司は、山道を急いだ。しかし、北の岬から、コウキョまで戻り、それから山を越えて東側のトーカイムラまで行くのだから一日仕事だ。日暮れとの競争になった。やっとトーカイムラに着いた時、ちょうど日没となった。急に暗くなった浜には、すでに誰もいない。急造の小屋も空っぽだ。間に合わなかったか、と焦《あせ》った軍司は、家財道具の入った籠を振り捨て、浜を走り回った。オラガー、清子ー、と叫びながら。が、誰もいないとわかった途端、脱力した。とうとう島に残されてしまった。マンタさんとホンコンと「カズちゃん」と。一人じゃないからいいか、と思ったが、やはりついそこまで来ていた文明への船を逃したことは悔やんでも悔やみ切れず、軍司は浜で砂を摑《つか》んで号泣した。しばらく経《た》つと、妙な気配に気が付いた。何かがこちらを窺《うかが》っている気配がする。獣か、とびくついて振り向いた軍司の周囲で哄笑《こうしょう》が起きた。皆、岩陰に潜んで軍司の慌《あわ》てる様を眺めていたのだった。

3　隠蔽《いんぺい》リアルタワー

いつの間にか、出産は終わっていた。清子は、ぺちゃんこになった平たい腹を撫《な》でながら、ああ、よかった、苦しい思いなどひとつもしないうちに、赤ん坊は勝手に生まれてくれた、とほっとしているのだった。子供の性別や顔などはどうでもよく、ただひたすら、自分の命が無事だったこと、苦しい思いをせずに済んだことに安堵《あんど》していた。

「お母さん、船が来たよ」

子供の声がどこからか聞こえた。野太い、大人の男の声だった。清子はそれを奇妙に思っているが、「ふね」という音《おん》に動転していた。どこどこどこ、と目を泳がせる。

「お母さん、船だってば。後ろだよ」

子供は焦《じ》れて叫んだ。清子は振り向いて子供を見た。脂《あぶら》じみた髪をして、賢《さか》しらに口を尖《とが》らせた男の子が立っている。死んでしまった隆の子供の頃の写真にそっくりだった。清子は、子供の不細工ぶりにがっかりした。しかも、よく喋《しゃべ》る。

「お母さん、あっちだよ。オダイバの方だってば。何で気付かないんだよ、馬鹿《ばか》だなあ」

「何で気付かないんだよ、馬鹿だなあ」も、隆の口癖だった。清子はむかつきながらも、子供が教えてくれた方角を見遣《みや》った。何とオダイバの入り江に、ホンコンたちを捨てていった船と瓜二《うりふた》つの黒い船が浮かんでいる。おーい。おーい。清子は伸び上がって船に合図した。これでやっと懐《なつ》かしい日本に帰れる。文明生活を送れる。清子は嬉《うれ》しくて、必死に腕を振り回した。船が湾内に入って来て停泊するのが見えた。舷側《げんそく》にあるボートがするすると下ろされる。とうとう助かるんだ。出産と帰還。このところ、ずっと心を塞《ふさ》いでいた厄介事を、一気にふたつも処理した喜びで、清子は酩酊《めいてい》したように笑いが止まらない。が、体を揺すって笑うと腹が重かった。あれ、どうして。不思議に思った途端に、清子は目を覚ました。真っ先に、陰鬱《いんうつ》に曇った朝の空が見えた。夢だったのか。嫌々、目を開けると、遠くからオラガが薄笑いを浮かべて清子を眺めていた。オラガも、浜で一緒に野宿しているのだった。

「清子さん、すごいうなされてましたよ。おーいって寝言を言ったり、アホみたいに笑ったり」

清子は答えずに指で目脂《めやに》を落とした。最近、オラガのものの言い方が意地悪くなっている。トウキョウ島で暮らしていくためには、男同士でカップルになったり、あまり意味のない職業を確立したり、いろいろな適応の仕方があった。が、オラガは何も見付けてはいない。その焦《あせ》りからか、だんだん酷《ひど》くなるやぶ睨《にら》みや、眼鏡のレンズのヒビと共に、オラガの想念もばらけ始め、言動のそこかしこに若干の狂気が見え隠れするような気がするのは、自分だけだろうか。

「いい夢を見てたのよ」

「へえ、どんな夢を見てたんですか」

オラガはさして興味なさそうに聞いた。

「船が来た夢」

「そんなこったろうと思ってました」

「それと、子供を産んだ夢」

「へえ、パラレルかあ。清子さん、元気ですね。俺、夢なんか全然見なくなりましたよ」

オラガが元気よく立ち上がった。いつの間にか全裸になっていた。まるで、清子に誇示するかのように、か黒い股間《こかん》を海に向かって突き出している。あまりの醜さに、清子は目を背けた。

「オラガ、前を隠せよ」

見かねて声をかけたのは、少し離れたところで寝ている森軍司だった。だが、オラガは軽蔑《けいべつ》したように一瞥《いちべつ》しただけだった。ますます、股間を突き出す。

「俺、もう眼鏡なんかいいや。何も見たくない。どうせ船なんか来ないんだし、こんな物に囚《とら》われているから、自由になれないんだよ。真実の姿はさ、レンズなんか通して見えっこないんだ。壊れた文明なんか、俺、もうどうでもいいや」

オラガは蔓《つる》で頭蓋《ずがい》に巻き付けた眼鏡を毟《むし》り取って捨て、全裸で浜を歩きだした。薄汚い蓬髪《ほうはつ》と髭《ひげ》とで、インドのサドゥーのように見える。

「海よー、この暴虐《ぼうぎゃく》をどう思うんだ」突然、オラガがドラム缶を指差して叫んだ。

「海よー、人間がお前を汚しているんだぞ。俺たちを閉じ込める前に、自分の真の敵を探せー」

浜にいる者は啞然《あぜん》として、発狂したオラガを眺めている。いくら服がないとは言え、今は全裸で歩いている島民は一人もいない。ヒキメのように腰蓑《こしみの》を作ったり、武闘派のアタマとジェイソンが好んでするペニスケースを作ったりして、何とか凌《しの》いでいた。

ホンコンたちが全裸で移動するのを目撃されているが、彼らは食物を採集する作業の時に、大事な服が汚れないようにしているだけで、普段の生活では衣服を身に着けていた。衣服は社会性の発現だとつくづく思う。あのワタナベでさえも、海亀《うみがめ》の甲羅だけは背負っていたではないか。

「清子さん、オラガ変わったね」

森軍司が、清子の横に来て囁《ささや》いた。声音に怯《おび》えが滲《にじ》んでいた。清子は、森軍司をちらりと見遣った。堕《お》ちた偶像め。十日ほど前、一人置いてきぼりを食った、と焦って走り回ったところを皆に見られ、一気に人気とカリスマ性をなくしたのだった。

「とうとう、気が触れたね。オラガもその方が楽なんじゃない」

オラガは性器をぶらぶら揺らして浜辺を走り回り、ドラム缶を糾弾しては、海との会話を続けていた。

「そうかなあ。楽かなあ」

気弱に呟《つぶや》く森軍司に、清子は吐き捨てた。

「じゃ、あたしみたく、でかい腹を抱えてみろっつーの。気なんか狂えないってば」

現実と向き合うのも、疲れるばかりだぞ。森軍司は責められたと思ったのか、黙って項垂《うなだ》れている。

「そうだ、忘れてた。早く、あたしのナイフ返してよ」

清子に強く言われ、森軍司は荷物の中から、隆のサバイバル・ナイフを手渡した。清子は、素早くワンピースのポケットに入れ、周囲を見回した。トーカイムラの浜には、清子と同じように野宿している島民があちこちでごろごろしていたが、他人には無関心だった。生気のない顔でぼんやりしている。冬期に入ったため、さすがに野宿は冷える。皆、疲弊し、窶《やつ》れた表情だった。海辺なので湿気が酷いし、ジャングルに入れば、まだ蚊が出て安眠はできないのだった。

すでに、トーカイムラに来て、十日以上が過ぎていた。期待された船影はまったくない。が、自分がいない時に船が来たら、そのまま置いて行かれるのではないかという疑心暗鬼から、誰もトーカイムラを離れることができないのだった。浜そのものは珊瑚《さんご》の白砂に覆《おお》われて美しいが、砂浜の後ろは崖《がけ》が迫って、すぐにジャングルになっているために、小屋を建てる場所もそうはない。また水場が遠く、近くの植物も採り尽くされて、毎日の食事にも事欠く有り様だった。

「あーあ、お腹空《なかす》いた」

清子は腹を押さえた。同意するように、胎児が蠢《うごめ》いた。この中に、夢に出て来たような図々《ずうずう》しいガキが入っているかと思うと、ぞっとする。清子は、腹の中の子供に対する愛情がまったくないことに、自分で驚いた。母性愛もまた、文明のもたらすものなのだと思う。

「この辺、もう食い尽くしちゃった。もっとジャングルの奥まで行かないと、食い物はなさそうだ」

　森軍司が覇気の失《う》せた顔で言った。

「そうだったわね」

　清子は、蚊に刺された足を掻《か》いた。腹が大きくなったため、身を屈《かが》めるのも苦しかった。

「まだ、みんなここにいるつもりなのかしら」

　清子は朝の浜辺を見遣る。元気に走り回るオラガの他に、数人が海で水浴びしていたが、ほとんどはぐったりと横たわっている。昂奮《こうふん》の後の落ち込みと、慣れない土地での長逗留《ながとうりゅう》の疲労が蔓延《まんえん》して、元気がない。

「いない間に船が来たら、と思ったら、怖くて帰れないからね」

　森軍司が本音を言った。裸の肩に薄汚れた長髪がかかっている。皆、最初は救出された時に着るつもりの一張羅を着ていたが、待ち時間が長くなるにつれて、普段の腰蓑やペニスケース姿に戻っていた。

「ユタカ、船が来たら、あたしには絶対に伝えてよ。頼んだわ」

清子はそう言って立ち上がった。森軍司が慌《あわ》てて尋ねた。清子に頼っている風だった。

「いいけどさ。清子さん、どこに行くの」

「家に帰る。だって、疲れたもん」

慌てる森軍司を尻目《しりめ》に、清子は重い腹を抱えてよたよた歩きだした。もう野宿は御免だった。冷静に考えれば、一人助かったワタナベが、トウキョウ島の島民を助けてくれるはずはなかった。ワタナベだけにはやらせなかった自分のことを死ぬほど憎んでいたし、トーカイムラに追放した、島民すべてを敵視していたのだから、復讐《ふくしゅう》のチャンス到来とばかりに、口が裂けても言わない可能性の方が高かった。

いったんシブヤ近くの自宅に戻って、体を休めないと死んでしまいそうだった。ただ、いざ出産となれば、島民が全員トーカイムラにいる以上、誰に手伝って貰《もら》うかが大問題だ。スターハウス寺院しかないのだろうが、キャパの小さいマンタさんはパニックになって、「カズちゃん」になったり、自分に戻ったりで、さぞかし忙しいことだろう。ここは、やはり、生活力の旺盛《おうせい》なホンコンに手伝って貰った方がサバイバル率は高そうだ。

清子は犬吉の姿を探した。犬吉は、ワタナベのドラム缶ハウスの中で、隆の船長帽を被《かぶ》り、シンちゃんと眠っていた。朝露のせいで、水滴だらけのドラム缶に囲まれた空間はしんと冷えている。寒いのか、二人は双生児の胎児のように固く抱き合っていた。清子は、犬吉の被っていた船長帽を取った。犬吉が目を覚ました。

「ああ、清子さんか。どうしたの」

犬吉が子供っぽく目を擦《こす》った。シンちゃんが続いて目を開けた。が、目脂が酷かった片方の目は開かない。黴菌《ばいきん》が入って、完全に潰《つぶ》れているようだ。その黴菌が犬吉にも感染したのか、犬吉もしきりと目を掻いている。開いた目は、真っ赤に充血していた。

「ねえ、鍾乳洞《しょうにゅうどう》の地図出来た？」

清子は声を潜めて聞いた。うん、と犬吉がポケットを探った。取り出した紙片に、燃えさしで書いたらしい稚拙な地図がある。清子は地図を眺めた。何が何だかさっぱりわからなかった。清子はがっかりした。折角、ワタナベの隙《すき》を狙《ねら》って紙片を盗み返し、手渡したというのに。不意に、航海日誌の在処《ありか》を思い出し、清子は亀の甲羅をひっくり返して、砂を掘った。空だった。畜生、と呟く。

「ねえ、この中にこの帽子と一緒に航海日誌なかった？」

犬吉が首を振る。清子は舌打ちした。紙を取られたことに気付いたワタナベが、持って行ったか、始末したに違いない。持ち去ったとは考えられなかった。隆と清子の遭難が判明するからだ。清子は船長帽を犬吉に返して、紙片を指した。

「ねえ、これじゃわからない。あなたたち、あたしと一緒に行ってよ」

犬吉が起き上がり、海を眺めた。

「でも、船が来るかもしれないじゃない」

シンちゃんが大人びた口調で否定する。

「いや、当分来ないよ。最短でも六年周期で廃棄に来てるみたいだから、もっと先じゃない」

「でも、ワタナベが救出されたから、助けが来るかもしれないじゃん」

犬吉は自分で言いながら、あり得ないと思ったのか首を振った。清子と同様の諦観《ていかん》が浮かんでいた。何か嫌なことでも思い出したのか、ぺっと唾《つば》を吐く。

「ね、あり得ないでしょう。だから、あたしはホンコンを見つけるわ。協力してよ。もし、協力してくれるのなら、隆さんのナイフをあげる」

清子はワンピースのポケットからナイフを出して、ちらりと見せた。犬吉とシンちゃんが息を呑《の》み、それから目を見合わせた。無人島において、ナイフは大事にレンタ

ル し合う、島の財宝だった。権力の象徴と言っても過言ではない。もともとは清子の物、いや隆の遺品なのだった。

「じゃ、行く」

二人が頷《うなず》いたので、清子はほっとして歩きだした。浜では、オラガのタガが完全に外れたらしく、海と会話しながら波と格闘したり、ペニスの皮を長く引っ張って、威張ったりしていた。遂《つい》に、第二のワタナベが誕生したのだ。

清子は犬吉とシンちゃんを引き連れて、いったん自宅に戻った。火を熾《おこ》し、床下に埋蔵しておいたタロイモを掘り出して、干し魚やバナナと一緒に焼いて食べた。二人にも振る舞って、出掛ける準備をする。もし、ホンコンを見付けたら、来《きた》るべき出産の面倒を見て貰い、その後もしばらく帰らない予定だ。万が一を考えて、清子は残ったイモも焼いて、弁当にした。遺品のオメガを塡《は》め、持てるだけの物を持って出発した。

昼過ぎ、三人はサイナラ岬に到着した。「光の回廊」こと地下の広場は、岬の岩場の裂け目から十数メートル下にあるという。妊婦の清子には危険だったが、スターハウス寺院側から洞窟《どうくつ》を通って行くのは、途中狭いトンネルを這《は》うように進まねばならないから、腹がつかえて無理だ、と犬吉に言われ、断念せざるを得なかった。清子は、犬吉とシンちゃんが作った蔓のロープに体を結び付け、巨大な鍾乳石にしがみ付きながら、何とか下りることに成功した。

「こっちだよ」

シンちゃんが、猿のようにすばしこく先を行く。「光の回廊」と二人によって名付けられた地下の広場は白砂が敷き詰められ、上から射《さ》し込んだ光によって、周囲の鍾乳石や砂がキラキラ光って、得も言われぬ美しさだった。そこから「悪魔の百本指」と呼ばれる横穴のどれかを抜けて、サイナラ岬の波蝕台《はしょくだい》の横に出ればよいのだ。最も近い横穴を探すように、と清子は二人に命じていたのだった。ホンコンの集落は、その辺りにあるはずだ。百本指のトンネルのひとつに入って、波蝕台を見下ろした時はすでに、陽が翳《かげ》り始めていた。

「見て。あそこで火を焚《た》いているよ」

犬吉が指差した。清子が頭を巡らせると、波蝕台の横の砂浜で焚き火をしている。人影は見当たらないが、ホンコンはそこにいるらしい。見渡せば、サイナラ岬は巨岩があちこちに散らばる、不気味な浜でもあった。しかも、波蝕台の陰には、白骨らしき物が散らばっている。だが、清子はもう引き返せない。「光の回廊」から、十数メートルもの高さを登ることはできないし、スターハウス寺院に向かう洞穴を進むことも、妊婦の自分にはできない。ホンコンが受け入れてくれなかったら、自分は死ぬしかないのだった。

「わかった。ここからは一人で行くから」

清子が手を振ると、犬吉が不安そうな顔をした。

「清子さん、どうするの」

「ホンコンたちのところで赤ん坊を産むの」

「何でさ」

犬吉はわかっていなさそうだが、賢そうなシンちゃんは、片目を翳らせた。

「だって、誰も頼りにならないもん」

「ホンコンなら頼りになるの」

「わかんないけど、少なくともサバイバル能力はありそうだわ。ここではね、そういう人間に価値があるの」

犬吉が納得したように頷いた。清子は、犬吉にナイフを手渡した。犬吉は嬉《うれ》しそうにポケットに仕舞って、シンちゃんと手を繋《つな》ぎ直した。これから二人で、難所を幾つもクリアして帰るのだろう。清子は、横穴から海岸へ注意深く下《くだ》り始めた。引き潮らしく、波蝕台の上はすっかり露《あら》わになっている。ここが地図にある「白骨のアリア」なのだろう。清子は、奥に重なっている、隆とカスカべらしき人骨の塊を眺めた。隆の白骨は、見覚えのある灰色のパンツの残骸《ざんがい》を穿《は》いているので、すぐにわかった。そして、カスカべの骨も、まだ蔓《つる》が足に巻き付いている。二人の骨は、まるで仲良しのように、どちらがどちらの骨かわからないくらい、絡《から》み合っている。他にも数体の人骨がある。サイナラ岬から落ちた人間の骨が、波の作用でこの奥の穴に嵌《はま》り込み、そのまま朽ちたのだろう。清子はむず痒《がゆ》くなって目を背けた。波蝕台を歩き、狭い砂浜に向かう。岬の上からは絶対に見ることのできない海岸には、洞窟がたくさん穿《うが》たれていて、住むには案外適した浜のように見える。

焚き火の周囲に、人はいなかった。ドラム缶の蓋《ふた》を曲げて作った鍋《なべ》が火にかかっていて、何かがぐつぐつ煮えていた。中を見ると、どうやら海草のアクを取っているらしい。他にも、葉でくるんだタロイモや魚が蒸し焼きにされているようだ。相変わらず、ホンコンは生活能力が高かった。次第に冷え込んできたので、清子は焚き火に当たって目を閉じた。

突然、女の悲鳴がして、清子は唸《うな》った。また夢か、と思ったのだった。が、周囲が次第に喧《かまびす》しくなった。「ワオッ」とか、「オーマイガッ」とか、外国語が聞こえる。薄目を開けた清子は仰天した。目の前に、若い女が数人立っている。色浅黒く、茶色の瞳《ひとみ》がさも驚いたと言わんばかりに躍っている。服装も、無人島には相応《ふさわ》しくない鮮やかなリゾートドレスや、ショートパンツ姿だった。ショートパンツから突き出た、褐色の長い脚を見ているうちに、清子は思わず自分の頬を叩《たた》いていた。夢なら早く覚めて、と思ったのだ。すると、一人の女が清子の手を優しく押さえて何か言うのだが、まったく理解できない。とうとう自分もオラガのように発狂して、違う世界が見え始めたらしい。清子はそれが嬉しいのか、悲しいのか、わからないままに気を失った。

次に目覚めた時は、もっとびっくりした。日はすっかり暮れて、焚き火が赤々と燃えていた。清子はいつの間にやら、椰子《やし》の葉の上に横たえられていた。枕《まくら》代わりの丸太が首の後ろに差し込まれ、痛くないように誰かのTシャツのような物まで間に挟まれているという丁重さだった。清子は、この六年間というもの、まったく味わったことのない感情に包まれているのを感じた。それは、優しさだった。澄んだ歌声が響いてくる。

「アーンブレイク、マイハー」

声量のある女が、こぶしを利《き》かせてリードを取っている。ハーア、ハーアと忍びやかな溜息《ためいき》のようなバックコーラス。世にも麗《うるわ》しい女声コーラスがトニ・ブラクストンのバラッドを歌っているのだった。そうだ、トニ・ブラクストンだ。大好きだった曲「Un-Break My Heart」。清子の目に熱いものが溢《あふ》れて止まらなかった。起き上がると、焚き火の前でショーが繰り広げられていた。一人が歌い、三人が後ろでバックコーラス。残りの三人が、揃《そろ》いの振り付けで踊っていた。全部で七人も若い女がいるのだった。いったいどうして、この島に。清子の後ろに、ホンコンがいて、皆笑いながら手を打ち、女たちのショーを楽しんでいた。一番前にヤンがいて、その横にムン。ヤンは、清子が目を覚ましたのに気付き、手を振って寄越した。ヤンの柔らかな表情は、以前、清子の婿《むこ》取りの宴会を見物に来た時と同じだった。女たちが、清子に手を振り、それは次第に拍手となった。清子はぽかんと口を開けたままだ。どうしても閉じることができない。歌うのをやめたリードボーカルが、駆け寄って来た。

「あなた、だいじょぶ？　おなかに赤ちゃんいるね。あたし日本語わかるよ。昔、ウツノミヤでショーやってたから」

清子の周囲を女たちが取り囲んだ。何が何だかわからないままに、清子は椰子の実に盛った熱いスープを手渡され、優しい手で髪を梳《す》かれ、固くなった肩を誰かにそっとさすられて、陶然となっていた。酷《ひど》い目に遭った年上の女を、若い女たちが同情を籠《こ》めて慰めようとしているのだった。

「あたしたち、フィリピンから来たの。台湾にデカセギ行く途中。ちょっと寄り道ね」

リードボーカルが言って、ウィンクした。が、途端に、さっきまでの陽気さが影を潜めて、全員は悲しげに顔を見合わせた。遭難して、この島に辿《たど》り着いたのだろう。つまりは、ワタナベが抜けたので、日本人が二十人。ホンコンは六人死んで、五人。そこに七人ものフィリピン女性が来たのだ。人口三十二人となったトウキョウ島の運命はどうなるのだろうか。清子がそんなことを考えていると、リードボーカルが尋ねた。

「ねえ、この島には、他に誰かいるですか。あの人は誰もいない、と言ったけど」と、ヤンを指差して見せる。

「いないの。あたしだけよ」

清子は嘘《うそ》を吐《つ》いた。ワタナベの心境がよくわかるのだった。助かるものなら、このメンバーだけで助かりたい。他の島民はすべて見捨てても平気だった。さいなら、ユタカ。

「じゃ、あなたはどこにいたの」

「島の奥で、一人で暮らしていたの」

それはカワイソウです、と女が叫ぶ。

「あなたは妊娠しているみたいだけど、誰の子ですか」

清子はヤンを指差した。さらに、ヤンに向かって、突き出た腹を指差して見せた。

「あなたの子がこんなに大きくなったわよ。だから、出産を手伝って貰《もら》おうと思って、命懸けで来たの」

ヤンは困ったように俯《うつむ》いている。何となく、お前の子だと言われていることを理解したらしい。フィリピン女性たちが、憤然としてヤンを睨《にら》んだ。ヤンが清子を見捨てようとしたと怒っている。ここは天国だった。女たちは、自分の味方をしてくれるし、食べ物も溢れている。清子はほっとして若い女たちを眺めた。寄ると触るとすぐに肩を組み、歌を歌ったり、軽くステップを踏んだり、陽気だ。トーカイムラで海の彼方《かなた》を見つめているトウキョウ島の島民とは大きな違いがある。何としても留まろう、と清子は決心した。

リードボーカルは、マリアという名だった。一番年長で、グループのリーダーでもある。「GODDESS」というグループ名で、日本、台湾、中国とアジア方面のクラブを回っているのだそうだ。マニラから台湾の台東市に行く途中、船が座礁《ざしょう》して、ボートで逃げたはいいが、船員が海に落ちて行方不明になり、女たちで漂流しているうちにこの島に流れ着いたと言う。

「いつのことなの」

「二ヵ月前です」

マリアは悲しそうに言ったが、その顔は屈託ない。メンバーの女性たちも、始終笑いが洩《も》れて、絶望には縁がなさそうに見える。

「ボートはどうしたの」

清子は弾む息を抑えて尋ねた。

「ありますよ」マリアは、何げなく答えた。「ただ、壊れてしまったので、ヤンさんたちが直してくれてます。もうじき直るので、そうしたら皆で漕《こ》ぎ出そうと約束してるんです」

目の前が暗くなるほどの喜びが込み上げてきた。何としても、そのボートに乗らねばならなかった。清子は唾を飲み込んだ。

「ボート見せてくれるかしら」

マリアは鼻歌混じりに、歩きだした。グループの面々も付いて来る。マリアが歌い始めると、すぐに皆が寄り添って歌い始めた。今度は、アレサ・フランクリンの

「a Natural Woman」だった。無人島に着いた時の清子が、必死に蛇を捕まえたり、食べられそうな草を抜いたりして、サバイバル本能を剝《む》き出しにしたのと比べ、GODDESSの面々は、歌ったり踊ってばかりで、他の能力はまったくなさそうだった。食事の時も、ホンコンが集めて調理した食物を当然のように食べ、何もしない。おそらく、ボートの存在が、食物との引き替え材料になっているのだろう、と清子は思った。最近のホンコンたちの目撃情報が一様に、生彩を欠いている、こそこそ逃げて行った、という報告ばかりだったのも肯《うなず》ける。目立たぬようにして、島民の目を欺《あざむ》き、こっそり脱出を狙《ねら》っていたに違いないのだ。危ないところだった、と清子は胸を撫《な》で下ろした。

「ボートは、あの洞窟の中にあります」

海から続く洞窟が、トンネルのように崖《がけ》に穿たれている場所があった。マリアの後を付いて、陸伝いに入った。中は天井が高く、天然の船庫だった。奥の砂浜に、一艘《そう》のボートが置いてあった。後部が破損していたが、ホンコンたちが修理している最中だった。金属の道具がないから時間がかかりそうだが、ホンコンたちは木で接《つ》ぎ、確実に仕上げていた。ヤンが、清子が入って来たのを見て目を背けた。ふん、あたしを一日二回も犯した癖に。清子は、腹の子の父親であろうヤンを睨んだ。

「ボートはいつ頃直るのかしら」

「あと二週間くらいと聞いてます。だから、あたしたちも嬉しい。どこでもいいから、早く帰りたい。ママが心配してるし」

としたら、脱出までに子供を出産した方がよさそうだった。女手がたくさんあるから、出産も手伝って貰えそうだし、海上での出産は怖《おそ》ろしい。清子はほっとして、涙ぐんだ。マリアが肩を抱いてくれた。

「どうしたの」

「女一人で辛《つら》かったんです。あそこにある白骨は、実はあたしの夫のものなの。二人で遭難して、ここに泳ぎ着いたんです。長いこと一人きりだったから」

マリアがはっとしたように口に手を当てた。

「そうだったの。だけど、もっとあるみたいだけど」

「さあ、何でしょうね。遭難した人じゃないかしら」

清子は首を傾《かし》げた。あれほど、カスカベを好きだったのに、平気で嘘を吐くうちに、何が真実なのか、わからなくなっていた。

4　チキとチータ

波が引いた。シシーと呼ばれているのっぽの女が浜に駆け出して行って、岩だらけのちっぽけな砂浜に、ニコニコマークを描いた。数人の女が、笑い声を上げた。波が来て、ニコニコマークは、歪《ゆが》んだ頭の部分から次々と搔《か》き消されていく。清子は、シシーがさっきから手にしている白い棒が人骨ではないかと疑っているが、口には出さなかった。隆か、カスカベか、他の誰かのか。でも、言ったところで、キャハハと笑われて遠くに投げられるのが落ちだ。

ＧＯＤＤＥＳＳの女たちは、朝から何もせずに、黙って沖を眺め、時々顔を見合わせては、「何も起きないね」という風に両手を広げる。ボートの見張りと、唄《うた》ったり踊ったりする以外は、立ち上がりもしない。野生の食物や、役に立つ動植物についての知識もなさそうだし、たとえわかっていても採りには行きそうにない。火を熾《おこ》そうとしないし、食事も一切作らない。日がな一日海を見て、ボートを見張り、唄ったり踊ったりして、ただ待っている。待つのは、ホンコンたちが作る食事と、ボートの修理の完了、ボートを沖へと運んでくれる春の南風。そして、救助。だが、どんなに待っても、救助だけは来る気配がなかった。

GODDESSは、唄と踊りの練習に余念がない。今朝も、グロリア・ゲイナーの「恋のサバイバル」を練習している。いつ、どこでショーをするつもりなのか知らないが、芸事に関しては、妙にポジティブで完全主義だった。全員が拳《こぶし》を突き出して、「アイウィル、サーバイブ、アイウィル、サーバイブ、ヘイヘーイ」と海に向かって吠《ほ》えているのを見ると、清子はトウキョウの島民に感想を聞いてみたくなる。ホンコンに比べ、趣味に走っている、サバイバル能力に欠けている、と自らを批判してきたトウキョウの連中は、GODDESSを見たらどう感じるだろうか。

清子がしみじみと思うのは、やはり富を持つ者が最高権力を誇示するのは当たり前という、やや的外れな感想だった。清子がナイフや鍋《なべ》を所有して威張っていたのも、ここでは笑い話だった。同じトウキョウ島なのに、サイナラ岬には、最強の者が存在するのだ。最強とは、トウキョウ島から脱出できるボートを所有する者、だった。

清子はまだサイナラ岬に来て間もないが、マリアとGODDESSの面々に気に入られたおかげで、ホンコンに貢《みつ》がれる生活を楽しんでいた。ヤンの手下が命がけで木から落とす椰子《やし》の実の汁を飲み、椰子油をふんだんに使って炒《いた》められるホンコン飯を（ネズミだろうが蛇だろうがフナムシだろうが委細構わず）、毎朝毎夕、楽しみに生きる日々が続いていた。大きなお腹《なか》を抱えているから、待つだけでいい生活は極楽だった。そのせいで、清子もいつしかマリアの顔色を見て喋《しゃべ》る癖がついてしまった。ここでは、ホンコンもGODDESSのメンバーも、全員がマリアの機嫌を窺《うかが》い、服従を誓っている。GODDESSのリーダーであるマリアが、ボートに乗る人間を選別する権利がある、と考えられているからだった。

「キヨコさん、赤ちゃん、動いてる？」

マリアは清子に始終声をかけてくれる。だから、清子は苦しそうに腹を抱え、哀れっぽい顔で暮らすことにした。妊婦という武器を、利用しない手はないのだった。清子が妊婦でなく、無人島に長く暮らしているただの中年女といういつもの姿だったら、マリアは警戒して追い払ったに違いない。厳しいバンドリーダーというのは、仕事においても、人生においても勘がいいらしく、マリアはメンバーの生活や健康にもあれこれと気を遣うゴッドマザーだった。

ホンコンも、マリアに言われるがままだった。マリアの命令で、ホンコンは海岸に掘っ立て小屋を建てて暮らしていた。そこから毎日、ボートを隠した洞窟《どうくつ》に出かけて修理を続ける。逆にGODDESSは、夜は洞窟のボートの側《そば》で眠り、ホンコンが出勤してくると、見張りを一人残して、海岸で遊んで暮らす。

マリアは見張りにも手を抜かない。シシーやパムのような、若い女には決してさせなかった。必ず賢い女たちを配するようにしていた。ホンコンたちが、女を言いくるめて、ボートで島から逃走することを極度に怖《おそ》れているからだ。だが、今のところ、ホンコンは極めて従順にボートを修理し、全員の飯を作り続けている。以前、ワタナべと共にジャングルを縦横無尽に歩いていた頃のホンコンとは、別人のようなおとなしさだ。ヤンもやたらと愛想笑いを浮かべる薄気味悪い男に変貌《へんぼう》していて、トウキョウが怖れていた、全裸で狩りをするヤンとは別人のようだった。

午後、清子は大きな腹を抱えてよたよた海岸を歩いていた。近頃は、腹の中で胎児が盛んに動くため、運動しないと静まらないのだった。清子は固くなった下腹を手で触れた。胎児の腕のような部分が内部から皮膚を押し上げていて、触るとぞっとする。あの黄色い犬歯を持ったヤンの子供が腹に入っているのかと思うと、寒気すらした。腹の子には、まったく愛情を持てなかった。産んだら、そのままGODDESSの誰かに押しつけたいほどだ。

後ろから歌声が響いてきた。アバの「Chiquitita」だった。「チキチータ、テルミー、ホワッツロング」。ハスキーボイスはマリアで、もう一人の澄んだ声は小柄なルースだ。ルースは少女と言ってもいいような若い女で、マリアの側をいつも離れない。マリアの娘ではないだろうか、と清子は間近でじろじろと観察した。ルースは清子の視線に気づかず、マリアに代わってソロを取った。ルースに歌わせて、マリアが清子に笑いかけた。

「キヨコさん、具合はどう」

清子の口調に卑屈さが滲《にじ》み出るのは、致し方ないことだった。

「マリアさん、お蔭様《かげさま》で元気でございます」

「そろそろ赤ちゃん出てくるね。楽しみじゃない」

マリアは、ルースの歌声を頭で調子を取りながら言った。楽観的で鷹揚《おうよう》。マリアが自分の権力を楽しんでいるのは明らかだった。

「はい、楽しみです。ところで、マリアさんはどちらにお出かけになられるんですか」

「ウォッチング」と答えて、マリアはウィンクした。見張りの交代に行くところらしい。清子は英語がわからない振りをして、付いて行くことにした。ボートの修理状況をチェックしなくては不安でならない。自分の出産か、修理か、はたまた南風か。すべてがタイミングよく合致することなどあるのだろうか。歌い終わったマリアとルースが顔を見合わせて幸せそうに笑った。清子も一緒になって固い笑いを浮かべたが、二人とも気付かずに先に行ってしまった。やっぱり自分は員数外か、と清子は無性に焦《あせ》った。

洞窟の中では、モリーが退屈そうに、ハーイと手を挙げた。モリーはダンサーで、「恋のサバイバル」の練習ではソロで踊っていたが、マリアに振り付けを直すよう言われて、真面目《まじめ》に悩んでいた。マリアは、芸でも、日常でも、生きる指針の上でも、GODDESSのすべてにわたるリーダーなのだった。

モリーが、マリアに向かって肩を竦《すく》めた。異常なし、という意味だろう。ホンコンたちが、マリアとルースに気付いて挨拶《あいさつ》した。マリアがヤンに向かって手を振ると、ヤンは清子には一度も見せたことのない笑いで返した。清子は、不快さに下を向く。狸《たぬき》の泥舟のような、沈みそうな小舟の中で、ヤンに何度も犯されたことを思い出す。その時出来た子供が、今の自分を苦しめているのかと思うと、殴りかかりたい衝動すらあった。ヤンをボートに乗せるくらいなら、どんなことをしても止めようと思った清子は、勇を鼓して聞いてみた。

「ねえ、マリアさん、あのボートはいったい何人乗りなんですか」

核心問題に触れた気配があった。一瞬、しんとした後、マリアが厳かに答えた。

「八人」

清子は絶望的な気分になった。GODDESSが七人。ホンコンが五人。赤ん坊はともかく、自分を加えて十三人。GODDESSと自分がボートに乗り込むとしたら、ホンコン全員が置いて行かれることになる。それではホンコンが承知しないだろう。船出を阻《はば》むに決まっていた。では、自分と、ホンコンのリーダーのヤンとムンが乗り込むとしたら、GODDESS側は二人、ホンコン側は三人残留となる。

さらに、今もなおトーカイムラで来ぬ救出を待っているであろう、トウキョウ島の連中がボートの存在を知ったら、奪おうとして戦争状態になるのは間違いなかった。清子は、気の狂ったオラガのピントの合わない目を思い出し、ぶるっと震えた。

誰が乗れるのだろう。清子はマリアの聡明《そうめい》な、いや計算高そうな浅黒い顔を凝視した。マリアは、清子の動揺を悟ったらしく、素知らぬ顔でホンコンの作業を見つめている。漂流した時に壊れたという個所は、じき直りそうだった。

もうすぐ南風も吹く。トウキョウ島に来て、六回目の南風の季節だった。何としてもボートに乗り込みたい、と清子は決意を新たにした。それには出産を終えていなくてはならない。いったいいつになったら腹の子は出て来てくれるのだろうか。一人で島に取り残されて、苦しい高齢出産の末、命を落とすなんてまっぴらごめんだった。清子はイライラして、洞窟内の冷えた砂地を足で蹴《け》った。

「どうしたの、キヨコさん」

マリアが見咎《みとが》めた。

「マリアさん、どうせあたしなんか駄目ですよね。連れて行って貰《もら》えませんよね」

卑屈な心が思わず吐かせる台詞《せりふ》だった。

「何を言ってるの。私は弱い人から、と思っているのよ。あなたは妊婦じゃない。あなたが最も弱い人だわ」

しめた、と思ったが、出産が終わったら妊婦という資格はなくなる。清子は、早く安全に出産してしまいたいという思いと、妊婦のままの方が連れて行って貰える、という計算とで、心が引き裂かれそうになった。

マリアとヤンが、何事か相談を始めた。ボートを指差しているところから、作業が遅いと詰《なじ》っているのか。だが、マリアが笑いながらヤンの肩に手を置いた。他のホンコンたちが手を休め、マリアとヤンの遣《や》り取りを見つめていた。その切迫した視線には、ヤンに対する嫉妬《しっと》が表れている。ヤンを頂点として、一糸乱れぬチームワークで狩りや採集を続けてきたホンコンは、一艘《そう》のボートを前にして、あっけなく崩れたのだった。清子は、ヤンの右腕と言われていたムンに目を遣った。毛深いムンは、見知らぬ動物のように全身を真っ黒な毛で覆《おお》われ、表情すら見えなかった。ただ、不機嫌そうに俯《うつむ》き、椰子の繊維で女たちのサンダルを編んでいた。

とにもかくにも、サイナラ岬にいる十三人の人間が、ぶら下がってでもいいからボートに乗って、島を出たいと願っているのは確かだった。清子の頭脳も煙が出るほど高速回転して、碌《ろく》でもないことばかりを、あれこれと考え始めている。

マリアがGODDESS全員と、男の漕《こ》ぎ手が必要だからという理由でヤンを連れて行ったら、自分はホンコンの四人と一緒に置いて行かれることになる。いや、赤ん坊だけを奪われる可能性だってあった。何せ、ヤンの子なのだから。ヤンが歯を剝《む》き出して、清子を威嚇《いかく》する顔を思い浮かべ、清子は目の前が真っ暗になった。

残留。この強迫観念がはっきりと姿を現したのは、ホンコンが舟を作って脱出したことによってであり、現実化したのは、ワタナベがいなくなったことだった。それまでは何となく、誰もが助け合い、手に手を取って島を出る、という美しい夢もあったのだ。

清子は急にパニックに襲われた。出産を終えて体力の弱った自分が乗れるはずがない。だったら、いっそボートを壊してしまおうかと、身を屈《かが》めて小石を拾おうとさえした。だが、身を屈めた途端に、ぱちんと腹で何かが弾《はじ》ける音がした。下腹部をざっと水が流れる感触がある。実際に、まるで小便を洩《も》らしたかのように、大量の水が太《ふと》腿《もも》を伝っていった。「あっ」と叫んで蹲《うずくま》った清子のところに、異常を悟ってルースが駆け寄った。

「ダイジョブ？　ダイジョブ？　キヨコ」

マリアが走って来て、清子の肩を抱いた。

「キヨコさん、今どうかしたの」

清子は口が利《き》けずに唖然《あぜん》としている。下腹部に急激な変化があった。流れる気配。この事態は破水だろうか。清子は太腿を伝う水に手で触れてみた。生温かかった。羊水膜が破れて、中の羊水が溢《あふ》れ出したのだ。ということは、とうとう赤ちゃんが出て来る。清子は、マリアに叫んだ。

「破水致しました」

マリアが面倒臭そうに手を振った。

「キヨコさん、丁寧な言葉いいよ。それより、もうじきよ。ガンバレー」

「マリアさん、よろしくお願い致します」

その言葉には、自分と、産まれてくる赤ん坊を文明社会に連れ帰ってくれ、という切なる願いが籠《こ》められていたのだが、マリアは知ってか知らずか、ただ手を握っただけで、何も言わなかった。清子はマリアの細い手を万力のように両手で締め付けたまま、ひんやりした砂の上に横たわって目を閉じた。足先が冷たいので目を開けると、いつの間にか、小さな波がひたひたと足元までやって来ていた。満潮だった。

「ヤン、ホットウォーター」

マリアが、様子を見に来たヤンに言いつけた。ヤンは清子の顔を見てにやりと笑い、どこかに駆けて行った。清子はその後ろ姿に念を押す。

「ヤン、あんたの子だからね」

だが、ヤンは振り返りもしない。何だ、あの自信満々の態度は。清子は陣痛に苦しみながらも、マリアの顔を見て余計なことを考えている。もしかすると、ヤンとマリアが出来ていたらどうしよう。ヤンが余計なことをマリアに吹き込んでいるかもしれない。清子はトウキョウ島の女王として男たちにちやほやされていい気になっていた、一人きりなんて大嘘《おおうそ》で自分だけが助かりたいんだ、とか何とか。本当のことだけに、不安になる。マリアとヤンが二人で仲良く、誰を連れて行くだの、誰を置いて行く、などという算段をしている幻覚が見えて、清子はマリアの手をぱっと放した。

「どうしたの、キヨコさん」

マリアが不思議そうに清子の顔を見た。

「あ、申し訳ありません」

滅茶苦茶《めちゃくちゃ》の混乱の中、急に腹が痛みだした。清子は、水分が抜けてしぼんだ腹を両手で押さえ、どうしたらいいかわからずに喘《あえ》いだ。砂浜で産むのでは海亀《うみがめ》と同じじゃないか。心の準備もないままに、急にやってきた出産という経験に、ひどく慌《あわ》てふためいていた。

ルースが、キムという名の女を呼びに行った。唄《うた》も下手だし、容姿も垢抜《あかぬ》けないが、清子にはとても親切だった。清子が下着を持っていないのを哀れんで、履き古したパンツをくれたし、常々、呼吸法を指導してくれていた。ふっ、ふっ、ふっ、ふーっ。ふっ、ふっ、ふっ、ふーっ。キムの母親は、こうやって十三人も子供を産んだという。

キムは、青森のキャバレーに出演していた時、地元の農家の男と知り合って嫁に入り、男の子を二人産んでいた。だが、姑《しゅうとめ》とそりが合わず、子供を置いて離婚したのだという。

「オカアサン、鬼のような女だったね。あたしがキャバレーで踊ってたこと、すごくバカにしたよ。ハダカ見せて男をだましてって言ったね。だけど、子供産んだら、またキャバレーで踊ってオカネ稼いで来いって言う。アタシのことはバカにして、キャバレーに来てた息子はバカにしないのかって言ったら、殴られたね。しっかも、どんな腹を使ったってよかったんだから、子供は置いて出てけって言う。鬼の姿した女だ、あいつは。あ、ギャクね、女の姿した鬼だ」

ふっ、ふっ、ふっ、ふーっ、と清子に呼吸法を教えながら、キムの悪口は止まらない。清子は、息を吐くたびに自然に力が入って、いきみが止まらなくなった。いよいよ出産が始まるらしい。清子は不安に駆られたが、早く赤ん坊を「排出」して、重い腹から自由になりたくもある。次々と女たちが駆けつけて来た。清子が心配というより、お産の現場に立ち会いたいらしい。キャハーとかワオ！　とか、まだ産まれてもいないのに喧《かまびす》しかった。

「頭見えたよ、ガンバレー」

マリアの声がした。ふっ、ふっ、ふっ、ふーっ。ふっ、ふっ、ふっ、ふーっ。今や清子は、七人の女たちに腕を支えられ、中腰でお産をしようとしていた。まさに産み落とすのだ、海亀のように砂の上に。海亀は涙を流すと言うが、自分はだらだらと汗を流すのみ。マリアが高らかに唄いだした。「ユウメイックミー、フィール」ンダダ、とコーラス。「ユウメイックミー、フィール」ンダダ。「ユウメイックミー、フィールライカッ、ナッチュラルウーマン」ナッチュラルウーマン、ウーマン。

アレサ・フランクリンの「a Natural Woman」の大合唱が始まった。前にも、清子に唄ってくれたことを思い出すと、どうやらこの曲が、清子のテーマ曲らしい。清子は曲に盛り上げられて、ようやく赤ん坊を産み落とすことに成功した。赤ん坊は砂まみれになる前にキムにさっと取り上げられ、しばらくしてから産声《うぶごえ》を上げた。イェーイ、と女たちが歓声を上げた。

「女の子、女の子」

キムが叫んでいた。キムの目に涙が見える。抱き合って泣いている者もいた。が、清子は腹にまだ違和感があった。すると、ルースがタガログ語で何か叫んだ。足の間に、血だらけの肉塊がまた滑り出た。もう一人。今度は男の子だった。清子は何と、双子の母親になったのだ。実際の産み立ての赤ん坊は、想像していたような可愛《かわい》らしさも、夢に見たような賢《さか》しらさもなく、猿の子のように醜くて、か弱い存在だった。それが二人もいるのだ。清子は抱く元気もなく、ただ呆然《ぼうぜん》としていた。少しも可愛いと思えなかった。だが、ツインズ、ツインズ、と女たちは大騒ぎをして、飛び回っていた。無人島にいながら、新しい命を産むことが、生物としての強さを確認させるのだろうか。自然界に取り込まれてしまったような原始的な気分になって、全員が興奮していたのだった。

「名前、付けてあげて」

マリアが両腕にそれぞれ赤ん坊を抱いて清子に見せに来た。産んだ子への愛情のなさと、マリアへの媚《こ》びが、清子にこんなことを言わせた。

「チキとチータはどうでしょう。女の子がチキで、男の子がチータ。唄ってくれたマリアさんが名付け親ってことで」

女たちが大爆笑した。そのうち、「Chiquitita」の大合唱になった。清子はほっとして、目を閉じた。名付け親とまで言っておけば、マリアは自分たち親子を見捨てはしないだろう。それにしても、どうやって双子を食べさせればいいんだろう。明日考えよう、そうやってここまでやってきたではないか、と清子は不安を振り捨てる。

チキとチータは、こうしてサイナラ岬の波蝕台《はしょくだい》の下で産まれ、トウキョウ島の人口をこっそり二名増やし、平均年齢を大幅に下げたのだが、狭い島なのに、その存在をまったく知らない島民の方が多かった。

赤ん坊たちは、たちまちGODDESSの、いやサイナラ岬に住まう者たちのアイドルになった。皆が二人の顔を見に来て、争って抱いた。とりわけヤンは、自分が赤ん坊の父親である、とアピールするようになった。つまりは、そろそろボートの修理が完了しそうなのだった。南風さえ安定して吹くようになれば、船出が待っている。早く脱出しないと、トウキョウ島の連中が清子の安否を心配して、サイナラ岬まで確かめに来ることも考えられた。清子はそのことを最も案じていた。

出産して数週間経《た》った頃、清子のところにマリアがやって来た。

「キヨコ、チキとチータは、あとどのくらいで船旅に堪えられるかしら」

清子は内心、小躍りしながらも、首を傾《かし》げてみせた。あと二週間経てば、かなり安定しそうだ。今は、特に男の子のチータが弱く、いつも力のない声で泣いては、清子を苛立《いらだ》たせている。

「あと二週間待ってくだされば、何とかなると思います。私たちも乗せてくださるんですか。ありがたいです」

清子は卑屈に言って、赤ん坊を見て溜息《ためいき》を吐《つ》く。マリアがそろそろ舟に乗せる人選を始めているのは明らかだった。ボートの修理はとっくに終わり、食べ物や水を入れる容器の製作に入っている。相変わらず、GODDESSは何もしようとせず、ホンコンたちだけが文句も言わずに、自分たちが乗れるかどうかわからない舟の装備を行っているのだった。

「誰を乗せるんですか。決まっているのなら、教えてください」

清子が尋ねると、マリアは周囲を窺《うかが》った。清子はガジュマルの木陰でチキとチータに母乳を与えているところだった。ホンコンたちがオダイバ近くまで危険を冒して行き、野生の果物や椰子蟹《やしがに》を捕って来てくれるおかげで、母乳はふんだんだった。

「誰にも言わないでちょうだいよ。あなたにしか相談しないんだから」

清子は頷《うなず》き、唾《つば》を呑《の》んだ。

「まず、あたし」と、マリアは指を折った。「あなたとチキとチータで一人分。これで二人でしょう」

安堵《あんど》して泣きそうになったが、無論黙っている。

「あと、ルースとラホーヤ、モリーは確実。ルースとラホーヤは唄がうまいし、可愛いから、GODDESSのバックコーラスには絶対に必要よ。モリーは踊りのセンスがある。問題は、パムよ。あの子は踊りも悪くないし、人気もあるけど、私の言うことを聞かないの。チームワークを考えると不安だわ。でも、一気に三人もクビにしたら、他のメンバーも動揺するから、パムは一応入れておくつもり。シシーとキムは、本当に可哀相《かわいそう》だと思うけど、船旅は無理ね。キムは嘘吐《うそつ》きよ。あの人の本当の歳《とし》を知ってる？　キヨコさん。来年は四十になるんだって。中年女が後ろで踊っていると、それだけでグループの格が下がるってものよ。シシーは、あなたもお気づきでしょう、キヨコさん。何せ、おつむが弱いのよ。男にやられっぱなし。明るくていいけど、ＧＯＤＤＥＳＳには品格も必要なの」

清子は余計なことは言うまいと思ったが、つい口に出した。

「それはグループとして、ですよね」

「そうよ」マリアはきっぱりと言った。「ちょうどいいチャンスだから、リストラしてしまおうと思っているの」

そんな、ご無体な、と思ったが、何か言えば自分も選に洩れかねない。清子は何も言うまいと唇を噛《か》んだ。

「キムとシシーの抜けた穴は、どうするんですか」

清子は、ボートに誰が乗るか聞きたかったのに、マリアはＧＯＤＤＥＳＳのことしか頭になかった。

「マニラでリクルートするわ。キヨコさん、私の夢はね。ＧＯＤＤＥＳＳを一流のグループにすることなの。そうすれば、誰もが尊敬するし、一目置かれて楽しい人生が送れるわ。そのためには、多少の犠牲には目を瞑《つむ》らなくちゃ」

オラガが狂ったのと同様に、マリアにも目に見えない重圧があったのだろうか。清子は自分たちを閉じ込める海に目を転じた。何人が狂っていったか。珊瑚礁《さんごしょう》の向こうで白く砕ける波が見えた。すぐに夏がやってきそうだった。七回目の夏。誰もが狂ってしまう前に早くトンズラしなきゃ。清子は、両胸に抱いたチキとチータを覗《のぞ》き込んだ。二人とも、GODDESSのメンバーが誕生祝いにくれたタオルにくるまれていた。無人島では、超贅沢品《ぜいたくひん》の新品のタオルだ。

「他にヤンとムンを乗せるんですか？」

清子の質問を聞いて、マリアは苛立ったように繰り返した。

「どうして、男を入れなくちゃならないのよ。GODDESSは、全員女のグループだってば」

「でも、漕《こ》ぎ手が要ります。女たちだけじゃ、海流を越えられないです」

「火踊りをやる訳じゃないし。ヤンとムンは顔が悪すぎる」

話が噛み合わなかった。マリアは、チキとチータの頬を突《つつ》いてから、意気揚々と洞窟《どうくつ》の中に設《しつら》えた寝床に入って行った。マリアが二人のメンバーを切り捨てそうだということは、風の噂《うわさ》となって皆を苦しめているらしく、浜辺にいるメンバーは浮かない顔で海を見つめているのだった。自分がボートに乗れるのなら有難いが、明らかに狂っているマリアの言動を皆が受け入れるかどうか、という新たな問題が発生したのだった。

数日後の夜、チータが泣きだしたので、清子は嫌々目を覚ました。もっと寝ていたかったが、仕方がない。萎《しな》びた乳を出して息子にくわえさせた。その時、闇《やみ》の中を、誰かが歩いているような小さな風を感じた。目を凝らした時、女の声が囁《ささや》いた。青森の訛《なま》りが感じられたように思ったから、きっとキムだろう。

「キヨコ、ちょっと来て」

授乳中だった清子は、首を振った。

「悪いけど、行けない。どうしたの」

キムが声を潜めた。

「あなたもボートに乗れるけど、どうする」

「どういうこと」

「チャンスは今しかないよ」

清子は乳を含ませたまま、赤ん坊を抱いて立ち上がった。キムが、やっぱりね、という風に笑った。清子は闇の中をそろそろと歩きながら、考えていた。乗船メンバーから外されたキムとシシーが、何かを企《たくら》んだのは間違いなかった。無人島からの脱出に命がかかっているのに、狂ったマリアは、GODDESSの運命とごっちゃにしてしまったのだから。

「他に誰がいるの」

「中国の男たち。漕いで貰《もら》うの」

ああ、そういうことか。選から洩《も》れたキムとシシーが、ホンコン五人に話を持ちかけて計画したのだろう。確かに七人だから、清子親子が乗れないことはないのだった。

「あたし、チキとチータが好きだから、そのまま放っておけなかったのよ」

「ありがとう」

とうとう、トウキョウ島と別れる日がやってきた。それも唐突に。

「マリアはどうしたの」

キムが急に黙り込んだ。清子は嫌な予感がしたが、怖くて聞けなかった。洞窟を出ると、ボートが係留されていた。横にムンと三人のホンコンが立っていた。ヤンは謀反《むほん》に遭ったのだろう。ムンが清子を見て、露骨に嫌な顔をした。こいつは帰せ、と言っているらしいが、キムが赤ん坊を指して、必死に抗弁していた。シシーは不貞腐《ふてくさ》れた表情で腕組みをしたまま、じっと黒い海を見つめていた。ここで船出したら、どんな嵐《あらし》に遭っても、二度とこの島には戻れない。清子は、ホンコンとの最初の航海を思い出し、唾を呑んだ。

5 毛流族《もうりゅうぞく》の乱

「皆さあん、ガラスの目ん玉を捨て去ったら、真実が見えるようになりましたあ。皆さんも早く捨ててくださあい！」

オラガは、トーカイムラの浜に集まった仲間に触れ回った。だが、親切に教えてやっているのに、オラガが近付くと、皆慌《あわ》てて逃げていくのはなぜか。

「どうして、逃げるんですか。私は真実をお伝えしているのですよ」

「はいはい、ありがとう。もういいよ、オラガ」と、困惑気味に答えたのは、森軍司だった。

「オラガ、お前は第二のワタナベになったたな。ワタナベが消えたと思ったら、二代目が生まれたってか」

意地が悪いのは、アタマだ。オラガは顰《しか》めっ面《つら》をした。アタマの顔がよく見えなかったのだ。髭《ひげ》だらけのアタマは、黒々とした毛に覆《おお》われた生物に変わっていた。

「あなたはアタマですか」

「当ったりめえじゃん。マジ、キモいぜ。何があなたはアタマですか、だよ。チンコ出してねえで、何か着ろや」

アタマがせせら笑っても、オラガは自分の考えに沈んでいて答えなかった。眼鏡を投げ捨てた途端、自分を取り巻いていた海や陸地や空の境目が判然としなくなり、物は皆、輪郭を失ってぼやけた。世界は急に茫洋《ぼうよう》とした眠気を誘うものに変わってしまったのだった。青いのは空か海で、緑はジャングルか、はたまた海、白いものは砂か、砕ける波頭。仲間の顔さえ見分けられない。ほとんど弱視に近い視力の持ち主、オラガこと坂本泰臣は、世界の変貌《へんぼう》に仰天して、やぶ睨《にら》みの目を凝らしたり、窄《すぼ》めたりして、不気味な動きをしばらく続けていた。

「オラ〜ガ、オラガのガを捨てて〜、オカ〜ゲ、オカゲのゲで生きろ〜」

アタマが変な節をつけて歌った。やめろよ、と横で諌《いさ》めているのは森軍司らしいが、森は気弱な声をした薄茶色の長い棒に見えた。声を発しなければ、動物か人間かの区別もつかない。

変わったのは、周囲の環境だけではなかった。自分の掌《てのひら》を眺めても、掌紋どころか、指の先端さえも見えない。剝《む》き出しの性器は、か黒い塊が体にくっ付いているみたいで、形状もつまびらかではなかった。つまりは、どんな物体も十センチまで顔を近付けなければ、裸眼では見えなくなってしまったのだ。自分の肉体を含めたすべてが、曖昧模糊《あいまいもこ》とした混沌《こんとん》の中にある。まるで夢の中に住まっているような、ふわふわした気分だった。こりゃ、いいや、とオラガは喜んだ。あれほどまでに固執していた眼鏡と別れた結果は、現実逃避の桃源郷だった。

眼鏡は、オラガのライフラインだった。眼鏡ケースを後生大事に抱えて嵐《あらし》の海に飛び込み、眼鏡が無事だと知った時は狂喜した。うっかり傷付けて、ヒビ割れてしまったレンズを必死に守り、壊れたフレームを蔓《つる》で補強して頭蓋《ずがい》に巻き付けていた自分は、いったい何に拘《こだわ》っていたのだろう。自分の見ていた世界とは、何だったのか。なきゃないで、どうにかなるどころか、眼鏡のない世界は、夢の中で生きることだった。これなら、トウキョウ島から出る必要はなく、文明も要らない。ここでの原始生活を全うすべきである、とオラガは決意していた。自分が発狂したとは、夢にも思っていない。

「皆さん、ワタナベは馬鹿者《ばかもの》です。トウキョウ島を脱出する必要など、まったくありませんでした。ここで未来永劫《えいごう》、皆で仲良く暮らしましょうよ」

オラガがきっぱり叫ぶと、泣きだしそうな怒号があちこちで飛び交った。

「あっち行けよー」

「何言ってるんだよ、アホ」

「馬鹿、水差すなよ」

「オラガ、どうしたんだよ。お前、ショックで狂ったのか。しっかりしてくれよ。お前の眼鏡、どこに捨てて来たんだよ。俺が探してやるからさ、場所を教えろよ」

心配そうに嘆いたのは、シブヤ集落で一緒に住んでいるシマダだった。最近のシマダは腹下しがひどくなり、ますます顔色が悪く、痩《や》せてきていた。シマダはそろそろ島を出ないと死んでしまうかもしれない、という強迫観念に囚《とら》われていた。それなのに、ワタナベの脱出騒ぎが起きたものだから、血相が変わっている。なぜ自分ではなかったのか、という怒りと絶望が体内を駆け巡っているのだった。勿論《もちろん》、島民のほとんどが似たような状況だった。だから、こうして全員が、トーカイムラの浜を去らずに、不便を承知でひと月以上も暮らしているのだ。しかし、浜で野宿を続けていても、自分一人が置いてきぼりを食らうのではないかという疑心暗鬼と、もう助けは来ないのではないかという不安とで、一睡もできない者が続出し、島民の気分は荒《すさ》んでいるどころか、潰《つい》えてしまいそうなほどに追い詰められていた。話していると、すぐ涙ぐむ者もいたし、つまらないことで激昂《げっこう》する者も増えていた。

オラガは、シマダに向かって説いた。

「私は間違っていない。あなたたちこそ、なぜ真実を見ようとしないのですか。私たちは、もう島から脱出する必要なんかないのです。この中で充分に生きられるはずです。なぜなら、人間の体は自然に負けるほど、やわではない。私たちは、毛流を作って生きる時期にきています」

不意に出た言葉だった。

「毛流？」誰かが爆笑した。ヒステリックな笑いが広がった。

「誰ですか、笑ったのは」

オラガはきっとそっちの方を眇《すがめ》で睨んだ。余程、気味が悪かったのか、誰かが微《かす》かな悲鳴を上げて、一同は静まりかえった。

「毛流は最も大事なものです。なぜなら、原始の力ですから。いいですか、人間の体にも、毛流は存在します。やろうと思えばできるはずですから、諦《あきら》めないでください。皆さんも私みたいに裸で暮らせば、毛流ができるようになりますよ。私だって、腹のあたりは美しい毛流が渦巻いていますし」オラガは、自慢げに自分の下腹部を指差した。「毛流は体を守ります。雨が降ったら、毛流に沿って水が弾《はじ》かれるのはご存知でしょう。犬だって、馬にだって、毛虫にだって毛流はあります。毛流のある体を皆で作って、この島で死ぬまで暮らしましょう。毛流さえできれば、服など要りません。何とか生き残ることはできるはずです」

哄笑《こうしょう》がやまないのは、アタマとジェイソンのいるあたりだった。

「自分に毛流があるからって、威張らないでください」

オラガは、毛深いアタマに嫉妬心《しっとしん》を抑えて注意した。毛深いということだけで、無人島に住むには有利だった。ジェイソンは笑い転げて口が利《き》けないようだ。

「じゃ、俺はどうやったら毛流ができるんだよ」

ジェイソンがやっと、涙を拭《ふ》きながら尋ねた。

「全裸で暮らしなさい。そしたら、必ずやできます」

「駄目だあ、オラガが狂っちゃったよー」

アタマが面白がって叫ぶ声が耳に入ったが、オラガは冷静に、「このアホが」と思っていた。それにしても、眼鏡を捨てるやいなや、この世の仕組みが理解できたのは意外だった。いや、意外でも何でもない。自分は眼鏡という文明を象徴する代物《しろもの》で、欲望を抑えていたが故《ゆえ》に、真実が見えなかっただけなのだ。

オラガと眼鏡の関係は、深く長かった。小学校四年生あたりから、急に近視が進んだと思ったら、どういう訳か、手に入らないものは何でも欲しくて堪《たま》らなくなった。居ても立ってもいられなくなり、オラガは駅前の本屋でゲーム本を万引きした。万引きは割と簡単だったし、誰にも見咎《みとが》められなかったので癖になった。やがて、マンガも菓子も文房具も、欲しい物はすべて万引きでまかなうようになった。だが、不思議なことに、一回の万引きによって満足する期間はどんどん短くなり、欲しい物も増えていって、止《と》め処《ど》がなくなってきていた。以前はひと月に一回、万引きをすれば気が済んだのに、次第に週に二日しないと気分が治まらなくなっていた。まるで、覚えたてのマスターベーションのように。

ある日、オラガは、友人の家の玄関先に置いてあったゲーム&ウオッチをひょいと持って帰ってしまい、遂《つい》にばれるところとなった。オラガと母親は、担任の女性教師とその家の母親に呼び出されて、問い詰められたのだ。オラガは、ゲーム&ウオッチのことだけは白状しなかったが、本屋や駄菓子屋での万引きについては、自分からぺらぺらと喋《しゃべ》った。女性教師と母親たちは顔を見合わせた。オラガの母親は暗い顔をして、女性教師と友達の母親に平身低頭し、「泰臣はあんなことを言うけど、そんな悪い子ではないので、ゲームウオッチは違うと思います。でも、それとなく家の中を探してはみます」と約束した。オラガは、母親の弱った顔を見て、何となく気分がよかった。

「やっちゃんはさ、あたしが離婚したから、ああいうことして腹いせしてるの？」

帰り道、母親に訊《き》かれた。オラガは黙って唇を噛《か》んでみせた。その方が誤解されて、母親がもっと反省するかもしれない、と思ったのだ。母親の涙が見たかったし、「ごめんね」と抱き締められて、赦《ゆる》しを請《こ》われたかった。なのに、いきなり「この、どアホ」と母親に頭を拳固《げんこ》で殴られたのには驚いた。

「そんな、わかりやすいことすんじゃないよ。恥ずかしいだろうが」

世界は常に、自分なんかよりも一歩先を行くのだ。母親にしてやられたオラガは悔しくて、違う作戦に出ることにした。

「視力が落ちたら、自分でも知らないうちに、手が出るようになった」と訴えたのだ。これは真実でもあったが、「知らないうちに」というのは創作だった。マスターベーションと同じく、常習性があっただけのことである。母親は一瞬疑り深い目をしたものの、考え込んで言った。

「つまり、ひとつの能力が落ちると、何かを欲するようになって、あんたの中の何かが万引きでバランスを取っているってこと？」

「そうだと思うよ」

オラガはよくわからないなりに答えた。

「それなら納得だわ」

離婚によって、専業主婦から念願の女性誌ライターになった母親は、理屈っぽくてしち面倒臭い女だった。ちなみに、オラガの父親は、無名の作家だった。芥川賞の候補に何度かなって、少しは名は知られたが、そのまま突破できずに終わり、やがて忘れ去られた。父親は小さな広告代理店に勤め始め、インプレッション離れだの、レスポンス仕込みだのと、自分でもよくわからない言葉を連発するうちに、違うフロアのヨガ教師と駆け落ちした。

母親の方は、ひたすらバランスを大切にして、自分が傷付いたことを誤魔化《ごまか》していた。曰《いわ》く、夫が出て行ったのは衝撃だけど、自分はライターの仕事ができるようになってよかった。やっちゃんが父親を失ったのは可哀相《かわいそう》だけど、父親について考えるきっかけができたのはよかった。とにも角にも、感情の収支のバランスさえ保たれていればいいのだった。それは、ポジティブ・シンキングの一種ではあったが、開き直りと取れることもあり、始終言われると、正直うざくはあった。でも、確かに便利な理論だった。自分の盗癖も、このバランスシートで考えれば、見事に解決するのだった。要は方法など何でもよくて、とりあえず納得して前に進めば、母親はそれでいいのだ。

「じゃ、眼鏡買いに行きましょう。それで治まるんでしょうから」

という訳で、異様に物事をシンプルに考えてくれた母親に、黒縁の眼鏡を買って貰《もら》ったのが、オラガ少年、小学校五年の春だった。以来、現金にも盗癖は治まった。眼鏡が「自分の中の何か」を抑えるものの象徴となったのかもしれない、とオラガは密《ひそ》かに思い、「何か」とは何かがわからなかったけれども、収支さえ合えば満足する母親の影響で、すぐに忘れてしまったのだった。

女にもてたい一心で、コンタクトに鞍替《くらが》えした時期もあった。高校一年の時だった。必死にバイトして、ハード・コンタクトレンズを買ったが、やぶ睨みの目には似合わなかった。しかも、母親に「むしろ愚鈍に見える」と指摘され、激怒しながらコンタクトをトイレに流し、眼鏡に戻ってしまった。以来、世界を明瞭《めいりょう》に見つめるために、知的に見せるために、そして自分の欲望を抑えるために、暑さでずり落ちようと、ラーメン屋の湯気で曇ろうと、破損しようと、オラガは寝る時以外はずっと眼鏡を掛け続けてきたのだった。眼鏡こそが、オラガにとっては文明、いや文化そのものだったのに、文明及び文化を投げ捨てたことで、オラガの内部で大爆発が起きている。

「オ、オ、オラガー、お、お、俺も、きみの意見に、さ、さ、賛成だよ」

遠慮がちにどもる声が響いてきた。オラガは目を凝らして、その人物を見ようとした。浜の隅に蹲《うずくま》っていた男が立ち上がって、こちらに向かって来る。髪も体毛も、もじゃもじゃと黒い毛に覆われていることから、毛流が渦巻いているに違いないとオラガは思った。

「あんたは誰ですか」

「わ、わ、わ、忘れたの」男は笑ったらしく、黒い塊の中に白い歯らしき物が光るのが見えた。「お、お、お、俺だよ。は、は、原田だよ。お、俺は、ジュクで酒造っていたんだけどさ。な、な、何か、嫌になってさ、今は、キ、キ、キタセンジュの近くの地面に穴を掘って暮らしているんだよ」

原田が側《そば》にやって来ると、モグラのように強烈に土臭かった。普段から、穴に埋もれて暮らしているのだろう。しかも、久しぶりに人前に出たらしく、言葉を発し慣れていない風に、脳天から突き出るような、とんでもなく甲高い声で喋る。

「お、お、俺も眼鏡を掛けていたんだよ。もうなくなって何年も経《た》つけどさ、い、い、以来、世界が変わったのは同じだよ」

そう言われてみれば、仲間に、小太りで分厚い眼鏡を掛けていた男がいたっけ。その男は、一度だけ「ちょ、ちょ、ちょっと貸してくれないか」と、オラガから眼鏡を借りて、足の爪《つめ》を眺めたり、指の甲に生えた毛を観察していたことがあった。

「原田君には毛流ができましたか」

オラガは真剣に尋ねた。

「ああ、で、できたよ。お、俺はモグラみたいに土の中を進んでいるから、わかりにくいけどね。でも、は、は、裸で暮らしているから、昔よりも毛が濃くなったよ」

「ほんとですか。それが始まりですね」

我が意を得たり、とばかりにオラガは喜び、原田を指差した。

「皆さん、原田君の好例をご覧ください。これからは全裸で暮らし、積極的に毛流を作らなければなりません。外からの助けなど期待してはいけません。私たちは、脱出もできないし、助けも来ないのです。皆で仲良く原始の暮らしをしなければなりません」

叫ぶ傍ら、涙が溢《あふ》れた。もう脱出しなくてもいい、という発想は、溶けて、流れて、土の中に消えてしまいたいほどに心地よかった。自分たちは無理に無理を重ねて生きてきたのだ、とオラガはつくづく思った。

「ここで原始生活をするというのは、実は、僕も賛成です」

控えめな声がした。トウキョウ島の浦島太郎と化した、ヒキメだった。今日も、腰に芭蕉《ばしょう》の葉を細かく裂いた腰蓑《こしみの》を付けて、自作の釣り竿《ざお》を持っていた。腰には、手製の魚籠《びく》を提げている。

「僕は文明社会に助けて貰いたいと思う一方で、この島での原始生活が嫌いではないんだ。最近は、むしろ好きになっているかもしれない。テレビもなければ本もない生活だが、僕は夜の星を眺めるだけで満足する。自分で作ったささやかな仕掛けで魚を獲《と》り、こうやって生きて、死んで行く。それでいいのかもしれない、と思っている。ワタナベの一件は、確かに動揺したけど、僕はもういいよ。今日限り、自分の小屋に帰るつもりだ」

ヒキメがそう言うと、シブヤ集落の仲間、犬吉が言った。

「じゃ、僕らも帰ろうか」

「そうだね、犬吉。ここは暑いものね」

シンちゃんが一緒に立ち上がって、手を繋《つな》いだ。二人とも、急激に眼の潰瘍《かいよう》が悪化していて目が見えないらしく、手に手を取ってよろよろと歩きだした。

「オ、オ、オラガ」

強烈に土臭い原田が側にやって来てオラガの手を取り、握手しようとする。

「オ、オラガ、い、一緒にやっていこうよ。も、も、毛流を作って生きていこう」

「ありがとう」と、オラガは原田のモグラの前脚のように固くなった手を握った。

た」

「今日はよい日です。ワタナベ君が出て行ったおかげで、こういう発想に気付かされ

　あっ、と叫んでオラガは砂の上に跪《ひざまず》いた。「ワタナベ君が出て行ったおかげ」。つまり、「おかげ」とはこういうことだったのだ。オラガの我を捨てて、オカゲ、オカゲのゲで生きる。すべての収支を合わせるために、緩い回転を始めていた。眼鏡がなくなったおかげで、知った世界。オラガの少し狂った脳味噌《のうみそ》が、なったおかげで、気付いた発想。すべて、何かを失い、何かを得て、世界は動くのだ。ワタナベがいなくそのための言葉がオカゲだとは。何と世界は豊かなのだろう。何と母親は賢かったのだろう。これからは、オラガの我ではなく、オカゲで生きねばならないのだ。

「神よ。私は幸せです」

　浜で額《ぬか》ずくオラガを見て、原田も傍らに来て祈り始めた。ヒキメも慌《あわ》てて戻って来て、オラガの横に釣り竿を置き、膝《ひざ》を突いた。

「オラガ、どうしてかわからないけど、僕もこうしたくなったよ」

　オラガは、両手を高く挙げた。

「皆さん、もうオラガと呼ばないでください。今日からは、私のことを、オカゲと呼んでください。私は誓います。今日を限りと『我《が》』を捨てます。私はトウキョウ島の

ために生きます。私について来たい人は、マッパで過ごしてください。私たちは、毛流を作ることを目標といたしましょう」

原田が慌てて、泥まみれの半ズボンを脱ぎ捨てた気配があった。浜にいた者は一斉に目を背けたが、狂人だとて、心動かされるのなら、従って生きていく方が楽かもしれないというような心の揺れは、あちこちから気の流れとして感じられるのだった。

オラガ改めオカゲは、自信を持って、こんなことを言った。

「ワタナベ君の脱出により、島民に動揺が走りました。気持ちが弱ってしまって、立ち上がれない人もいるし、心が弱って、他人を出し抜こうとする人もいます。それではいけない。私たちは、一丸となって生きていかねばなりません。今後、一人の脱落者も出さないように気を付けましょう。これからは、何人《なんぴと》もこの島を出てはいけません。私は今、禁足令を出します。一人は島民のために、島民は一人のために、在《あ》るのですから」

オカゲの演説を聴いて、ぱらぱらと拍手が起きた。オカゲはいい気分になって、股《こ》間《かん》を突き出した。森軍司が大声で言った。

「禁足令なんて、馬鹿馬鹿《ばかばか》しいことを言うなよ。鎖国じゃあるまいし。それより、僕は凄《すご》いことを考えついたぞ」

聴衆は、浜で次々と繰り広げられる演芸大会を観賞しているかのように、今度は森の方に顔を向けた。森はすぐには言わず、勿体《もったい》ぶった。

「どうして、こんなことに気付かなかったんだろうねえ」

「森さん、何のこと」

シンちゃんと手を繋ぎ、波打ち際《ぎわ》で脚を洗っていた犬吉が潰《つぶ》れた赤い目を向けた。

「さあ、何のことだろうな。じゃ、クイズだよ。このドラム缶をわざわざ島に捨てに来るのは、どうしてだと思う。犬吉君、答えてみて」

森が教師よろしく犬吉を当てたが、犬吉は首を捻《ひね》ったきり、言葉すらも発しない。

「わかんねえから、早く答え教えろよ。何だよ、偉そうに」

ジェイソンが苛立《いらだ》ったように言った。皆の反感を感じたらしく、森は慌てて答えたが、やや自慢げではあった。

「それはですね、浮くからに決まってます。海中に投棄したら浮き上がるから、わざわざ島に来て捨ててるんです。だから、これを何個か集めて縛り、上に材木を渡して、筏《いかだ》にすればいい」

誰のものかわからない、大きな溜息《ためいき》が聞こえた。

「前のは失敗したじゃないか」

反論したのは、シマダだった。

「知恵を絞れば、何とかなる。そうだ、清子はどこ。清子は僕からナイフを持って行ったから、彼女からナイフを借りれば、蔓《つる》は容易に切れるよ。清子はどこ」

森軍司は懸命に説得しようとして、清子の姿を探したが、皆の関心は今ひとつだった。危険を冒して外洋に出るよりは、助けを待った方がいいのではないか。受け身の気持ちが幅を利《き》かせているのは、一年前のホンコンと清子の脱出失敗によるところが大きかった。珊瑚礁《さんごしょう》から外海に出るまでが難しく、海流が激しい、と全員が知ったのだ。森軍司は、島民のやる気のなさに落胆したかのように、肩を落とした。

「じゃ、僕は一人でやってみるけどさ。それにしても清子はどうしたんだろう。最近見ないな」

「ずいぶん前にここを出て行ったから、スターハウス寺院じゃないの」

「もう子供産まれていたりして」

誰かが冗談を言い、皆疲れた顔で笑った。今更、人口が増えることが重荷、という雰囲気があった。

「じゃ、僕はスターハウス寺院に行ってみる」

誰も森軍司を手伝おうとはしなかったし、清子が子供を産んだかどうか知りたいとも思わないらしい。今や、トーカイムラは、絶望のあまり、死ぬ者が出ても不思議はないような、溜息と徒労の浜と化していた。森軍司がドラム缶の筏を作り、脱出に成功すれば、またも衝撃を受けるのだろうけれども、今はみんなぐったりと浜に横たわり、オカゲの演説を聞いているだけだった。

森が浜から出て行くと、オカゲは西に落ちようとする太陽を眺めながら、大きな声で言った。

「皆さん、森君はあんなことを言ってますが、島から脱出することに、最早《もはや》、意味はありません。なぜなら、成功しないからです。それと大きな問題がひとつあります。みんな、脱出したヤツが成功したかどうか、気を揉《も》むのは嫌でしょう?」

「嫌だ!」と、ほぼ全員が答えた。

「その通りです。だったら、むしろ、皆の心をひとつにするために、島を出ることを禁じて、仲良く生きる方がいいと思います」

「ホンコンの存在はどうするんだ」

質問したのは、カメちゃんだった。近頃、カメちゃんはダクタリと別れ、寂しい日を送っているという噂《うわさ》だった。心なしか、しょんぼりして痩《や》せていた。

「ホンコンは絶対に出してはいけない」

オカゲはやぶ睨《にら》みの目で西と東を眺めながら、激しく頭《かぶり》を振った。

「なぜ」

「なぜって、不快だろうが。毎回出し抜きやがってさ」

オカゲは声を荒らげた。急に野卑な言い方をしたので、その変わり身の激しさに、皆怖《おそ》ろしくて震えた。

「あいつらも、未来永劫《えいごう》、ここにいて貰おうじゃないか。違うか、みんな」

オカゲはドスの利いた声で叫んだ。

「そうだ！」誰かが賛同した。

「勝手に逃げるんじゃないよ。違うか、みんな」

「そうだ！」

賛同の声が増えた。増えた声の中には、この展開を少し面白がっている節もあった。

「俺たちは毛流を育てて、この島で生きることを選んだ。選ばないヤツらは、この際だから、殲滅《せんめつ》しよう」

「そうだ！　殲滅しよう」

声は次第に大きくなっていく。

「ナイフは本当に清子が持っているのか。ホンコンの奴《やつ》らに渡ってないか」

オカゲが疑わしげに尋ねると、波打ち際にしゃがんでいた犬吉が振り向き、小さな声で答えた。

「いや、僕らが持っているよ」

アタマとジェイソンが駆け寄って、犬吉とシンちゃんをオカゲの前に連行してきた。

「ここに出せ」

犬吉がポケットから、元はと言えば隆の物だった立派なナイフを取り出して、アタマに渡した。アタマはそれを恭《うやうや》しくオカゲに捧《ささ》げる。オカゲが犬吉に尋問した。

「おい、清子はどうして、お前にこれを渡したんだ」

「サイナラ岬への道案内をしたからだよ」

「何でだ」

「ホンコンたちのところで赤ん坊を産むって」

「また、ホンコンと逃げるつもりなんじゃねえか」

アタマが言うと、うおーっと、雄叫《おたけ》びのような声が起きて、浜を揺るがした。島から逃れられないからこそ、あるいは、抜け駆けは許されないからこそ、毛流を育て原始生活をする、という思想が産まれたのに、仮想敵が見つかったために、毛流心が一気に攻撃心に変わった鬨《とき》だった。

第五章

1 有人島

ぼくの名前は、森・オルテガ・チーターです。トウキョウ島に住んでいます。トウキョウは昔、無人島だったそうですが、今は島のあちこちに人が住んでいて、立派な有人島となっています。ぼくのお父さんは、森軍司という名前で、背が高くてベリクールです。お父さんは、トウキョウの王様なので、ぼくはプリンス・チーターと呼ばれています。

ぼくの本当の名前は、智意太といいます。でも、お母さんが、もっと大きな島に行くと、チーターという動物がいて、とても美しいばかりか、世界で一番足が速いのよ、と教えてくれたので、ぼくはすっかり気に入ってしまいました。だから、これからはチーターと呼んでください、と国民の皆さんにお願いしたのです。

お母さんは、マリア・オルテガという名前で、歌が大好き。すごく陽気で、きれいな人です。お父さんは日本、お母さんはフィリピン、という国から来たと聞きました。でも、トウキョウ島がトウキョウという国なので、だれが外国人で、だれがトウキョウ人か、なんてどうでもいいんだよ、とお父さんもお母さんも言っています。ぼくも、そう思います。

島に住んでいる人は、どんどん増えています。その理由は、お母さんのほかにも、フィリピンから来たおばさんたちが四人いて、その人たちが、トウキョウに前からいたおじさんたちと結婚して、こどもが産まれているからです。ぼくのほかにも、十一人のこどもがいて、ここでくらしています。もうじき、シマダさんとパムおばさんのところに、三人目の赤ちゃんが産まれると聞きました。ぼくも、弟が二人います。でも、お父さんのあとをつぐのは、長男のぼくに決まっているのだそうです。

トウキョウの人たちは、みんなオダイバというベイのそばに住んでいます。でも、トーカイムラビーチには、つめ所があって、かならず人がいて見張りをしています。それは、他の国が攻めてこないように見張るためです。攻めて来たら、すぐにぼくたちが逃げられるように、のろしを上げます。

一度、変な男がトーカイムラビーチに来たことがありました。その男はすぐ近くまでボートでやって来て、げらげら笑いながら島民を指さして、何かさけんでいたそうです。そればかりか、次はオダイバベイに現れて、同じことをしました。それを防いだのは、うちのお父さんでした。石を投げて男に命中させたのです。そして、男のボートをうばおうとしたのですが、男は頭をおさえて逃げて行ってしまいました。その日の夜は、コウキョでさくせん会議が開かれて、ぼくも横で聞いていました。

攻めて来たのは、ワタナベという男で、昔この島に住んでいて、ある日突ぜんいなくなったのだそうです。そして、お父さんたちがとても困っているのに、助けようとしなかったばかりか、そうやって様子を見に来て嫌がらせをするので、みんな怒っていました。ワタナベは、ぼくもちらりと見ましたが、とても太ってて、頭がはげた、いやな感じの人でした。

だけど、北のケイプサイナラのそばに住むヤンおじさんだけは懐《なつ》かしがって、わざわざワタナベを見に、オダイバベイまで来たんだそうです。ヤンおじさんは、昔、ワタナベとは少し仲がよかったことがあったんだ、とぼくだけに話してくれました。みんなボートほしさにワタナベをつかまえようとしているけど、あっちもわかってるから、からかっているんだ、ぜったいにつかまらない、と笑っていました。

ヤンおじさんは、ほかのおじさんたちと違います。ほかのおじさんたちは、お母さんの仲間のおばさんと結婚したり、付き合ったりしましたが、ヤンおじさんだけは、一人がいい、と言って離れた場所に一人でくらしています。ちょっとこわい顔をしているけど、魚をとったり、野豚をつかまえたりするのがうまいので、ぼくはすごくリスペクトしています。ヤンおじさんは、ぼくが遊びに行くと、とっても喜んでくれます。でも、お父さんやお母さんは、ぼくがヤンおじさんのところに遊びに行くとあまりいい顔をしないので、いつも内緒で出かけます。

ヤンおじさんは中国の人なので、時々言葉が通じないこともあります。だけど、どういうわけか、ぼくらは目を合わせるだけで、気持ちが通じます。言葉なんかいらないのです。

ある時、ヤンおじさんはぼくを、「島のへそ」と言われる場所に連れて行ってくれました。そこに黒と黄色のトカゲがたくさんいるので、ぼくのためにつかまえてくれたのです。ぼくはトカゲをペットとして飼っているからです。

『プリンス、これをシャブシャブにして食う、とてもうまい』と、ヤンおじさんは笑った後、ふとまじめな顔になって、こう言いました。『プリンス、本当のお父さん、オレだったらどうする？』

ぼくは、『うれしいよ』とすぐに返事しました。本当にそう思ったからです。なぜなら、ぼくのお父さんはベリクールだけど、魚とりや野豚狩りはとくいじゃないからです。ヤンおじさんはうれしそうに、『プリンス、オレたち顔そっくり』と自分の顔を指さして笑いました。ぼくもおかしくて、いっしょに笑いましたが、ぼくもこわい顔なのかな、と少しざんねんに思いました。

ヤンおじさんは、中国のなかまがたくさんいたらしいのですが、ボートが沈んで死んじゃったり、ヤンおじさんをだまして勝手に出て行ったので、仕方なく一人になってしまったのだとか。一人になったときは、とてもさびしかったそうですが、今はぼくがいるからいいんだそうです。ぼくは、ヤンおじさんのためにも、いい王様になろうと思います。

こどもがふえてきたので、お父さんと、お父さんの友達のダクタリさんは、島に学校を作らねばならないと計画しました。そして、皆で力を合わせて、コウキョ前広場に学校を作ってくれました。ぼくは、その記念すべき最初の生徒でした。書くものがないので、葉っぱのうらに、木のえだで字を書いて、べんきょうしました。それは今でも同じです。クワズイモの葉が大きくて、一番書きやすいです。大きな島には、ペイパという便利なものがあるそうですが、それはさすがのお父さんたちも発明できない、と言ってました。

先生は、島に住んでいるおじさんやおばさんたちが、受け持ってくれました。国語と算数はぼくのお父さん。理科はヒキメさん。島の歴史はダクタリさん。ちょっと太めのヤマダ先生が保健体育、ぼくのお母さんが音楽、モリーおばさんがダンス、ルースおばさんが英語、ラホーヤおばさんがタガログ語、パムおばさんは家庭科、ヤオ先生が工作、スターハウス寺院のマンタ師からは、道徳を習っています。学校にいる時は、お父さんのことはモリ先生、お母さんはマリア先生、と呼ばなくてはなりません。

ヤオ先生は、一番若くて優しいので大好きです。ヤオ先生の奥さんは男の人ですが、両目が見えないので、歩くときは杖《つえ》をついています。ヤオ先生も片目が見えないので、とても不便だそうです。悪い病気にかかって、ふたりとも目がつぶれてしまったそうですから、気のどくです。でも、ふたりはとても仲がよくて、いつも一緒にあそんでいるところが、ぼくはうらやましくてなりません。ぼくも大きくなったら、女の人と結婚するよりは、男の人と結婚する方が楽しくくらせるかな、と思います。うちのお父さんとお母さんは、ときどき、すごいけんかをするからです。

ヤオ先生は、「いぬきち」という変なあだ名がついています。ぼくは見たことがないのですが、大きな島に行くと、いぬとかねこというかわいい動物がいて、人間と友達みたいにしてくらしているのだそうです。それはトカゲみたいなの？ と聞いたら、ヤオ先生は、少し笑って言いました。「プリンスは野豚を見たことがあるだろう？ あれとはちがうけど、あんな風に四本の足があって、毛がたくさん生えていて、すごくかわいいんだ」と言ってました。ヤオ先生は、トウキョウ島に来た二十年前は、いぬが一匹もいないのでさびしくて泣いていた、と言ってました。

さっきも書いたけど、ぼくのお母さんはすごく陽気な人です。ぼくは学校に行く前から、お母さんに歌や踊りを習っていました。でも、ぼくは歌があまりうまくないので、楽器の方をやりたいと思っています。お母さんは、カメさんというおじさんと気が合って、バンドをいっしょにやっているので、ぼくもカメさんから、ココナッツで作った楽器のひき方を習っています。あと、トウキョウでも笛やドラムのようなものは作れるので、ぼくは島じゅうを歩き回って、楽器の材料になるものをさがしています。

もっと大きな島に行けばいろんな楽器があるんだよ、とカメさんが言うので、ぼくは何だかくやしいです。特に、ギィタアという楽器は、バンドをやる上に、とても重ようなんだそうです。カメおじさんは、リッチー・ブラックモアという人は、ギィタアをすごくじょうずにひくんだぞ、と言ってました。そして、大きな島には、その人のバンド、「ディープ・パープル」のプレイをかんたんに聞くことができるメシーンがあるのだそうです。ぼくは、「それってどういうこと」と聞きました。そしたら、そばにいたお父さんが、「そうか、智意太は王子様なのに、一生見られないかもしれないものがたくさんあるんだね」と涙ぐんだので驚きました。

いぬにしても、メシーンにしても、ぼくたちはお父さんたちが知っているものを知らないで生きていくんだ、と思います。それはしかたないし、ぼくはトウキョウが大好きだから、いつかこどもたちの中のだれかと結婚して、お父さんみたいに国を治めたり、学校をやったり、ヤンおじさんみたいに釣りをしたりして、楽しく生きていくつもりです。でも、本当は一度でいいから、大きな島に行って、ギィタアを見たり、プレイを聞いたり、ペイパを使ってみたいと思います。そう言うと、お父さんたちもしんとしてしまうので言わないだけです。

実は、この間、ぼくにとってすごくショックなことがありました。ぼくが小学校を卒ぎょうしたので、一人だけで卒ぎょう式をしたのです。小学校を出るのは、とても大きな「ふし目」なんだそうです。だから、卒ぎょう式の場所は、スターハウス寺院の奥の院でした。そこはクリスタルパレスとお母さんたちが呼んでいる、とても美しいところです。国民が全員集まって祝ってくれました（ヤンおじさんも来ました）。

卒ぎょうしょう書をもらったあと、「智意太王子に真実を告げる日が来ました」と、マンタ師がおごそかに言ったので、ぼくはとてもきんちょうしました。お父さんが、長い話を始めました。

「いかなる国にも、血と涙が流された負の歴史があります。未来を担《にな》う若い王子は、誰よりも負の歴史を知っていなければなりません。また、自身の背負ってきた運命も知らなければなりません。そうでないと、本当の愛や情けを知ることはできないからです。王子の本当の母親は、マリア・オルテガではありません。清子という名前の日本人女性です。智意太王子は、私と清子との間に産まれた双子の一人でした」

ぼくは驚いて、お母さんの方を見ました。お母さんはうつむいて悲しそうに眉《まゆ》を寄せていました。すると、どういうわけか、その後ろにいたヤンおじさんと目が合いました。ヤンおじさんはにやりと笑って、ぼくにサインを送ってきたので、ぼくはちょっとうれしかったです。

「王子には双子の姉がいました。その子は、チキと名付けられた美しい赤ん坊でした。二人で一人というくらい、そっくりな二人だったのに、姉弟は引き裂かれてしまいました。清子もチキも、海の藻屑《もくず》となって消えてしまったのです。その悲劇を、トウキョウでは、『オラガ事変』と名付けて、語り継いでいこうと思います。国民の皆さんも、これから語ることをご存じだと思いますが、どうぞ今一度、記憶に留《とど》めてください。十三年前の三月、トウキョウ島の民、オラガこと坂本は、ワタナベの出奔を機に発狂しました。坂本は衣服を脱ぎ捨てて丸裸となり、トウキョウ島を出る者は許さない、何ぴとたりとも外には出さん、と叫びました。この時は、まさか坂本が本気で行動を起こすなど、誰も考えてはいなかったのですが、坂本に同調する者が四人いました。ひとりはアタマこと河原、もうひとりはジェイソンこと内田、そして原田とヒキメです。河原と内田は、以前、ホンコンと呼ばれていた中国の人たちにも乱暴をはたらいたことがあり、トウキョウの武闘派として怖《おそ》れられていたのです。坂本、河原、内田、原田、ヒキメの五人は全裸になって『毛流族』とわけのわからない族名を名乗り、棍棒《こんぼう》を片手にトウキョウの優しき民に睨《にら》みを利《き》かせるようになったのです。そして、清子の姿が見えないことから、臨月の清子が、中国から来たヤンさんたちと合流して島を脱出するつもりではないか、と勝手に妄想を膨らませて、島を捜索しました」

するとと今度は、ぼくのお母さんが張りのある声でしゃべり始めました。四人のおばさんたちが素早くお母さんの後ろに回り、「ナチュラル・ウーマン」という曲を静かなスキャットで歌い、お母さんの話を引き立てたのです。

「その頃、私たちは、トウキョウ島に島民がいることも知らずに、ボートの修理が終わるのを待っていました。当時の私たちは、七人のメンバーでこの島にたどり着いたのです。無人島かと思って落胆していたら、中国の男の人たちと出会ったので、ほっとしました。それがヤンさんたちでした。ヤンさんたちは親切で、岩礁《がんしょう》で後部がブロークンしたボートを修理してくれました。ボートさえ直れば、皆で船出できます。私たちは歌の練習をしながら、待っていました。そこに逃げ込んで来たのが、清子さんでした。清子さんは私たちと合流してから安心して、赤ちゃんを産むことができました。産まれたのは男女の双子でしたから、何とめでたいことだろう、と私たちは歌で祝福したものです」

バックコーラスのおばさんたちが「チキチータ」を歌いだしました。その間に、お母さんは涙をぬぐうために、少しやすみました。

「ボートの修理もそろそろ終わろうとして、脱出の日が近付いていました。でも、問題がひとつだけあったのです。ボートはたった八人しか乗れないのでした。きっと自分たちは置いて行かれると思ったのでしょう。信じられない裏切りが起きました。仲間だったキムとシシーが、ムン以下四名の中国人とともに、脱出を企てたのです。巻き込まれたのが、清子さんでした。清子さんは折しも授乳中でした。清子さんはプリンスとプリンセスを腕に抱いて、ボートに乗るよう、強要されたのでした。私たち五人とヤンさんは後ろ手に縛られていましたので、その様子を黙って見ている他はありませんでした。すると、そこに、どこから湧《わ》いて出たのか、丸裸の男たちが突然、棍棒を振り回しながら乱入して来たのです。怖ろしい光景が繰り広げられました。ああ、ここからは言えないわ」

お母さんは、涙が止まらなくなってしまいました。ぼくも不安になって、耳をふさぎたくなりました。コーラスのおばさんたちがお母さんをなぐさめています。すると、今度はマンタ師が話しはじめましたが、その日は、マンタ師のなかに棲《す》んでいるお姉さんの方でした。お姉さんがしゃべるのは知っていたのですが、マンタ師の声なので、とても変な感じでした。

『あらあら、みんなどうしたの。泣いちゃ駄目よ。確かに酷《むご》い話だけど、プリンスには真実を告げなくちゃいけないわ。ボートを巡って乱闘になったところだったわね。ええと、アタマは、棍棒を奪われて、ムンに逆に殴り殺されてしまったのよ。怒ったムンはとても凶暴で、誰も敵《かな》わないの。オラガたちも暴れて、中国の男の人三人に重軽傷を負わせたわ。この三人は傷にばい菌が入り、亡《な》くなったのよ。それに、オラガは眼鏡がなかったので、ジェイソンも誤って殴ってしまったの。シシーもオラガに殴られて死んだ。その混乱の中、ムンがキムと清子さんを乗せて、ボートを出そうとしたの。その時、清子さんの腕から、プリンスを奪い取ったのは、お父さんよ。理由は、子供を一人置いて行けば、必ず戻って来るだろうから。勿論《もちろん》、清子さんは半狂乱になって、あなたの名を叫んでいたわ。あの声は忘れられないでしょうね、みんなも。清子さんは、「チータ、チータ」って泣き叫んだ。でも、ムンはどんどんボートを漕《こ》いで沖に出てしまったの。残されたオラガは、サイナラ岬に登って、身を投げて死んだわ。あたしたちは、みんなでプリンスを大事に育てながら、清子さんが帰って来るのを待っていた。清子さんが生還したなら、絶対にプリンスを助けに島に戻って来るはずだから。でも、清子さんは戻って来なかった。ボートの修理は完全じゃなかったから、きっと船底から水が入って来たのよ。でなければ、この島の周りをぐるぐる回っている海流にやられたのよ。だからね、プリンス。あたしたちはいつも三月になると喪に服すの。見たことあるでしょう。二枚貝に絵を描いて、海に投げるところを。あれは何だと思った？　あれはね、海の底で、プリンセスが貝遊びをできるように投げてあげてるのよ』

「カズちゃん、ありがとう」

マンタ師が、自分の中に棲んでいるお姉さんにお礼を言いました。あちこちで泣いている人がいます。ぼくもどうしたらいいかわからないほど、ショックを受けました。ぼくの本当のお母さんとお姉さんが、そんなむごい目にあっていたなんて、ちっとも知らないで生きてきたぼくは、何てのんきだったんだろうと思ったのです。お父さんが、ぼくを取り返してくれたからこそ、ぼくはトウキョウで幸せに生きていられるのです。お父さんが、ぼくの肩に手を置いて言いました。

「智意太、これがトウキョウ島の血と涙の歴史なんだよ。実は、ぼくらがこの島に着いた時、もっと大勢の仲間がいたんだ。でも、崖《がけ》から落ちた者、食中毒で死んだ者、海に泳ぎ出して行方不明になった者、たくさんの悲しい別れを経験してきたんだ。今あるトウキョウの繁栄と平和は、こうした尊い死者が築いてくれたものなんだよ。だから、智意太が王様になる頃は、もっと繁栄と平和を築けるよう、努力してくれ」

「お父さん、かならずします」

「そして、さっき話した『オラガ事変』を語り継いでくれ。そうでないと、清子とチキが可哀相《かわいそう》だから」

「かならずしますとも」

ぼくがさけぶと、国民がみんなはく手をしてくれました。また、ヤンおじさんと目が合いました。ヤンおじさんは、何か言いたそうにぼくを見ていました。

そのことが気になっていたので、ぼくは昨日、ヤンおじさんの家に行ってみました。ヤンおじさんは家にいませんでした。さがしてみると、ケイプサイナラのがけの上で、遠くを眺めてるじゃありませんか。ぼくは、プリンスはだいじな人だから、ケイプサイナラなんかに行っちゃいけない、とみんなにいつも言われていたので、がけの端まで行かずに、おじさんに大きな声で話しかけました。

「ヤンおじさん。卒ぎょう式で何を言おうとしたの」

ヤンおじさんは振り向いて、にっこり笑いました。おじさんが笑うと、両方の黄色い歯がきばのように見えるので、ちょっとぶきみです。でも、ぼくもぶきみな顔をしているんだろうな、と思いました。ぼくは、きっとお父さんみたいにベリクールじゃないのです。お母さんはいつも、トウキョウにはミラーがないから、自分の顔を十年以上も見ていない、と言ってます。ミラーってどんなものかわからないけど、ぼくもミラーを見たいと思いました。ヤンおじさんが、こっちにおいでという風に手招きしました。

「だめだよ。プリンスだから、がけの方に行くなと言われているの」

「プリンス、人質だから、だいじにされてるだけ」

ヤンおじさんは、ビンロウをくちゃくちゃ嚙《か》みながら言いました。ぼくは首をひねりました。知らない言葉でした。

「ヤンおじさん、ひとじちって何」

ヤンおじさんは答えないで、ぼくを見ています。ぼくはここから身を投げたオラガという人のことを思い出して、ぶるっとふるえました。でも、がけから遠くを見たいと思いました。もしかして、がけから大きな島が見えたら、どうしたらいいのだろう、とぼくは思いました。鳥みたいにとんでいきたいです。

「ヤンおじさん、ぼく、大きな島に行ってみたいな」

「プリンス、みんな、心の中で思ってる」

ヤンおじさんはそう言って、黄色い歯をむきだして笑ったのでした。

＊

あたしの名前は、林千希《はやしちき》です。東京は港区にある、偏差値七〇台の私立中学に通う、ごくごく平凡な十三歳です。変わったことと言えば、あたしの家は母子家庭だということです。パパは、あたしが生まれる前に死んでしまったのです。そんなの珍しくないよ、と言われそうです。でも、あたしのママは六十過ぎなんだよ、と言うと、さすがにみんな驚きます。一緒に買い物に行ったりすると、「若いおばあちゃまでいいわね」なんて、言われることもあります。確かに、あたしのママは、他のママより年寄りです。だけど、堂々としててカッコいいです。肚《はら》が据わっているし、何があっても動じない人です。

ママの仕事は占い師です。「林きよこ」という名前です。よく当たるので、評判になっています。テレビには出ないから、顔は知られていませんが、すごく繁盛《はんじょう》しています。口コミで広まるのね、とママは驚いていました。あたしのママが「林きよこ」と知って、友達のお母さんやお父さんから、何とか占って貰《もら》えませんか、と連絡が来ることもありますが、全部断っています。

占いの予約は電話じゃなくて、郵便で受け付けます。そして、クジ引きをするのです。早いもの順じゃ、うまく立ち回る人や暇な人が得をする、クジ引きなら公平よ、というのがママの持論です。クジ引きは、毎週日曜の夜に行われます。クジを引くのはママではなく、ママが一番信頼しているアシスタントのキムコさんです。キムコさんはフィリピンから来た人です。

ここには名前を書けませんが、芸能人やスポーツ選手、政治家までがママに占って貰いたくて押し寄せて来ているそうです。だから、ママはキムコさんの他にもアシスタントの人を数人雇っていて、仕事を手伝って貰っています。キムコさんは一緒に住んでいるので、時々、あたしのお弁当も作ってくれたりします。家族同様の、優しくていい人です。

ママがあたしを産んだのは、四十八歳の時でした。それも初めての妊娠だったから、何度も死を覚悟したんだそうです。そして、いざ生まれてみたら、あたしは双子でした。もう一人は男の子だったそうです。ママは、あたしにチキ、弟にチータと名付けたんだそうです。なぜか、「チキチータ」という歌が頭に入ってきて、思わず付けてしまったと言うんだけど、これは信じられません。

悲しいのは、あたしの弟はせっかく産まれてきたのに、すぐに死んでしまったことです。あたしは子供の時から、あたしには何かが足りない、といつも思っていたんです。それはパパだと信じていたのですが、もう一人きょうだいがいたって聞いてから、パパじゃなくて、もう一人のあたしが足りないんだ、と気付きました。つまり、弟が足りないんです。双子は細胞分裂して生まれるそうですから、あたしの中に弟を懐《なつ》かしむDNAが入っていて、それが時々、きゅっと心に作用するのだと思います。あたしと弟は二人でひとつなのに、ひとつが欠けちゃったからでしょう。だから、あたしは困った時とか迷った時に、「どう思う、チータ」と自分の心に聞くことにしています。すると、チータが答えてくれるんです。「ちょっと早いんじゃない」とか、「チキちゃん、それ正解だよ。ＧＯ、ＧＯ」とか。

その話をママにしたら、「あなたも占い師が向いているかもしれないね」と言ってました。理由はよくわかりません。もしかすると、ママの心の中にも、チータやパパが住んでいて、「きよこ、それ正解だよ。ＧＯ、ＧＯ」とか、「きよこ、やめなさい」などと囁《ささや》いているのかもしれません。

あたしは、ママに言われて中学受験をしました。そんなたいした学校じゃないけど、一応、大学まであるのでママは安心したみたいです。こんな時、ママがもう六十歳ということが重く感じられます。きっとママは、自分が死んでしまった後も、あたしが一人で苦労しないように、いろんな道を付けてくれようとしているんだと思います。受験が成功したのも、ママのおかげです。他の子は小学校二年くらいから塾に行って勉強しているのに、そんなに勉強しなかったあたしが受かったのは、ママがとっても熱心だったせいです。あたしが受験した学校は、昔のお嬢様学校だったので、父親がいない家庭は不利だと密《ひそ》かに言われていました。でも、父母面接の時、ママはいきなり立ち上がり、「この校舎には、亡くなった父親たちの吐息が漂っています」とやりました。ママの十八番は「〇〇には〇〇の〇〇が漂っています」という口説《くぜつ》なのです。先生方は「林きよこ」に気圧《けお》されて、あたしの入学を許してくれたのだと思います。だから、あたしは、ママにすっごく感謝しています。こんな風に書くとマザコンみたいだけど、違います。あたしは年齢よりも、かなりしっかりした少女ですから。

あたしは、ママはどうして占い師になったのだろう、と不思議に思っていました。だって、あたしが小さい時は、ママとキムコさんは、ムンさんという中国人と貿易業をやっていたのです。百円ショップで売っているような商品や、痩《や》せるお茶などの怪しげな商品でした。それに、あたしは中国の福建省で生まれて、二歳半まで香港《ホンコン》で暮らしていたのです。ママにどういう変化があって、霊感が備わって占い師になれたのでしょう。

ママがお風呂《ふろ》上がりにシャトー・マルゴーを飲んでいる時、尋ねてみたことがあります。するとママが居住まいを正して、こう言いました。

「千希も大きくなったから、そろそろ秘密を言っておくわね。あたしもいつ死んでしまうかわかんないから。でも、誰にも言っちゃ駄目よ」

あたしは心がざわっとして、逃げたくなりました。すると、心の中でチータが囁くのです。「逃げちゃ駄目だよ。ママの話を聞くんだ」と。あたしはごくっと唾《つば》を飲み込みました。ママはワイングラスを横に置いて、遠い目をしました。

「あたしは、あの島の真っ暗な夜空を思い出すと、恐怖と希望の両方を感じるの。そして、いろんなインスピレーションが湧いてくるのよ。そこにはない、様々な匂《にお》いや雰囲気。あれほど焦《こ》がれた街の匂いや冬の香り。だから、あたしは占い師になったのよ」

「ママ、島って何のこと」

ママは、大きな溜息《ためいき》を吐《つ》きました。キムコさんは、気を遣ったのか、自室に引っ込んでしまいました。

「千希、初めて言うわね。島というのは、あたしとパパが暮らした無人島のことなの。二十年前、ママはパパと一緒にクルーザーで世界一周の旅に出たの。最初から、あたしは乗り気じゃなかったのよ。海が怖かったの。そしたら、案の定、フィリピン沖で嵐《あらし》に遭って難破してしまったのよ。今みたいにGPSとかがなかった時代だから、そんな小さな船なんか、誰も見つけてくれなかったのね。ママたちは、小さな島に泳ぎ着いて、壊れたクルーザーから、ナイフとか鍋《なべ》とか、少しだけ荷物を持ち出したの。その島は無人島だった。あたしたちは何もないのに、そこで七年もの間耐えて、暮らしたのよ。あなたを妊娠した後、パパは病に倒れて死んでしまった。そしたら、運よく、中国の男の人と、フィリピンの女の人がボートに乗って漂流してきたの。だから、あたしはあなたを産んで、それからボートに乗せて貰って脱出したのよ。それがムンさんと、キムコさんよ」

あたしは衝撃で、しばらくの間、口も利《き》けませんでした。まるで小説のような話ではありませんか。すると、ママは立ち上がって自分の部屋に行きました。そして、古い腕時計を持って戻って来ました。ママは、あたしの腕にその大きな時計を塡《は》めました。

「これはパパの形見よ。片時も離さずにママが持ってたの。あなたにあげるわ。ほら、この時計が止まった時が、トウキョウ島の時間が止まった時なの」

針は十一時七分を差していました。オメガ・シーマスターというごついダイバーズ・ウォッチです。あたしは時計を握って、泣いてしまいました。ママはあたしの頭を撫《な》でて、優しく言いました。

「この時計は千希の物よ。パパだと思って大事にしてね」

「ママ、弟が死んだ時のこと話して」

あたしが頼むと、ママはちょっと暗い顔をしました。

「もう少ししてからね」

ママにも辛《つら》い思い出なのでしょう。あたしは、そんなむごいことを頼んだ自分が嫌いになりそうでした。ママは、さらにいろいろなことを話してくれました。無人島から、本当に小さなボートで脱出したのだそうです。

「航海は辛かったわ。一カ月も飲まず食わずで過ごした。あなたが死んでしまうと覚悟したことも、何度かあったわ。でも、あなたは生命力が強いのよ。干涸《ひか》らびそうになっても生きててくれたんだもの。そしたら、中国船籍の船にばったり会ってね。それで助かったのよ。あたしは、ムンさんとキムコさんとあなたと、しばらく四人で暮らしたの。みんなリハビリが必要だったのよ。それから、いろんなことをして、お金を稼いだわ。その時、面倒がないように、あなたの出生証明などを作って貰った。だから、千希は中国生まれということになって、日本にも無事に帰って来られたの。無人島で生まれたなんて言ったら、今頃、国籍もないわよ。香港にいる間に、あたしの母親にも連絡したわ。そう、あなたのお祖母《ばあ》ちゃん。もう八十を越えていたけど、まだ生きていてくれて嬉《うれ》しかった。お祖母ちゃんもすごく喜んでね。死亡届を出してしまった、ということだったので、取り消して貰った。無人島に七年もいたと言ったら、きっとマスコミが騒ぐでしょうから、世界一周の途中で気に入った島があったから、パパと一緒に留《とど》まり、パパが死んだので戻って来た、ということにしたの。そうしないと、あなたが好奇の目で見られてしまうからね。とにかく、あたしはあなたの幸せしか考えてなかったのよ。日本に戻った時、あなたは三歳で、中国語しか喋《しゃべ》らなかったのよ。覚えている? でも、子供は柔らかな脳をしているから、すぐに日本語に慣れたわ。お祖母ちゃんはあなたに会うのを待っていたみたいに、その後すぐに、死んじゃったのよね。あたしはもう、言うことないわ」

ママはそう言って、にこにこ笑いました。

「だけど、あたしはパパに似ていないよね」

パパの写真を見たことがありますが、全然似ていないのでがっかりしたことがあります。ママは肩を竦《すく》めました。

「あなたは、あたしのお父さんに似てるのよ」

「そうか。ねえ、ママ、その島に行ってみない?」

あたしは提案しました。ママは大きな溜息を吐きました。

「あたしの占いでは、あそこには行き場をなくした霊魂が漂っているから行かない方がいい、と出ているわ」

「パパも弟も眠っているのに」

ママは何も言わずにシャトー・マルゴーを飲みました。あたしはママが何と言おうと、いつか行ってみようと思いました。でも、ママに教わらなければ、島の場所もわかりません。

「ママ、そこにはどうやって行くの」

「わからないわ。行き方も帰り方も何もかもわからないの。今では、本当にあったことなのかもわからなくなってきた」

ママは酔っているのでしょうか。

「無人島ってどんな感じ」

ママは思い出すように目を閉じました。

「何もないのよ。物凄《ものすご》く暑くて、冷たいコーラを飲みたくて気が狂いそうになるの。テレビもないし、生理用ナプキンもないし、トイレットペーパーもないし、何もかもがないの。蛇とかトカゲや蟻《あり》なんかを食べて暮らしたわ」

あたしは心の中のチータにこっそり囁きました。「ママ、凄いね」って。チータが「そうかな、自分勝手な女だよ」と不満げに言ったので、ちょっとむかつきました。誰が何と言っても、あたしのママは凄い人だと思います。

解説

佐々木敦

本書は二〇〇八年五月に単行本として刊行された、桐野夏生の長篇小説の文庫版である。もともとは雑誌「新潮」に十五回にわたって断続的に掲載されたもので、桐野夏生にとっては、いわゆる「純文学の専門誌」に発表した初めての（と同時に今のところ唯一《ゆいいつ》の）長篇でもある。

単行本刊行時に筆者が行なった桐野氏へのインタビューによると、冒頭に置かれた、すべての物語の始まりを告げる「第一章1　東京島」は、そもそも読み切り短篇の予定であったのだという。だが、書き終えた時、まだ「続き」が有るということに気付いた作家は、それから連作短篇のような形式で、物語を継いでいくことになった。今こうしてあるように完成した長篇として読むと、とてもそんな経緯があったとは思えないのだが、しかし桐野小説の近作の多くが、実はほぼ似たような形で書かれているのである。

雑誌や新聞に連載された長篇でさえ、事前に綿密な取材や準備を行ないながらも、いざ執筆が開始されてみると、言葉と物語とそこに生きる登場人物たちは、作者である桐野夏生自身さえも予《あらかじ》めは想定していなかったほどの思いがけぬ方角へと、勢いをつけて転がってゆくことがあるのだという。もしかすると或《あ》る種の小説家の「連載」では、そういうことがしばしば起こっているのかもしれないが、小説の姿をした「虚構」が暴走を始めた時、それを押し止《とど》めたり制御しようとするのではなく、それを思うさま何処《どこ》ともなく走ってゆかせる底知れぬ度量が、桐野夏生にはある。その結果、誤解を恐れずに述べるなら、当初は必ずしも書くつもりではなかった、書かれる筈《はず》ではなかった、途方も無い傑作群が、いわばアクシデンタル（偶然的、事故的）に産み落とされることになるのである。この傾向はこの作家が本来的に持っている能力だと思うが、とりわけ直木賞を受賞した『柔らかな頬』以後、一層強まってきて現在にまで至っている。本作は、その最たるものというべきだろう。そして、既に全篇を読了された方ならば、ラストに至る展開の意外さと、しかしそれと矛盾しない整合性というか、これ以外の終わり方はあり得もしないという強度の納得によって、ことによると最初の一章のみで、続きは書かれなかったかもしれなかったという事実に目眩《めまい》のような驚きを感じるに違いあるまい。かくいう筆者も、そうだったのだ。

さて、では『東京島』とは、いかなる物語なのか。ごく平凡な中年夫婦が、船旅の途中で海難事故に遭い、どことも知れぬ無人島に流れ着く。やがてそこに「与那国島《よなぐにじま》の野生馬調査に雇われた首都圏のフリーター」である二十三人の青年たちが、雇用条件に不満を抱いて脱走したあげく、やはり漂流してやってくる。そして更に、ホンコンと呼ばれる謎《なぞ》の中国人男性が十一人、ボートで島に置き去りにされてゆく。夫婦の妻である「清子」以外は、全員が男性である。彼らは島を「トウキョウ」と名付け、それぞれに生活を始める。

この異常にしてユニークな設定だけでも度肝を抜かれるが、桐野夏生の想像力は、ここから驚くべき魅惑的なエスカレーションを見せてゆく。まず、三十数人が暮らす無人島に女がただ一人ということは、当然、島での共同生活に、唯一の女体である「清子」をめぐる男たちの闘争という局面を現出させるわけだが、だがしかし物語は、凡人が予想し得るような、一風変わったポルノグラフィックな展開にはなっていかない。まず、何と言っても「清子」が四十も半ばを越えた中年女性であるということ。思いがけぬ運命の導きによって、忘れかけていた自らの「女」をいやがうえにも意識させられることになった彼女は、セックスを武器に、トウキョウの女帝として君臨してゆくのだが、平凡な主婦であった筈の彼女が、一種の「性的存在」へと変化してゆくダイナミズムは、むしろわれわれが普通に信じている「平凡さ」の危うさやあやふやさの方を逆説的に映し出してゆくことになる。

ごく「平凡」な「日常」生活を営んでいた女たちが、ふとしたきっかけから「非日常」へと突破してしまうことで、「日常／非日常」や「平凡／非凡」といった二項対立自体を根こそぎ崩壊させるという構図は、『ＯＵＴ』以来の桐野小説では繰り返し提示されているものだが、ここには更に『魂萌《たまも》え！』で前景化した「老い」の主題が加わっている。『東京島』の物語を通しての「清子」の変化――それはほとんど人格が変わってしまったかにさえ思えるほどの甚大《じんだい》なものだが――は、老衰とか枯淡などと呼ばれるような経年による自然なそれとはまったく別の異様な変化と言えるが、しかしそれは彼女が特別な存在であるからではなく、いわば条件さえ揃《そろ》えば誰にでも起こり得ることなのだ。それは実のところ、すべての「女性」が潜在させている「異様」さなのだと、桐野夏生は言いたいのだと思う。

だが、これに対する男たちの側も、まったく一筋縄ではいかない。日本人青年たちは島の各所をブクロ、ジュク、シブヤ、キタセンジュ、チバ、オダイバ、コウキョ、トーカイムラなどと呼んで、まるでトウキョウが東京であるかのように見立て、それぞれのライフスタイルを保ちながら暮らしている。彼らの生態の異なりや、次第に明らかになってくる出自や正体の意外さを描いたエピソードの数々も、この小説の読みどころである。特筆すべきは、仲間内の鼻つまみ者で、放射能汚染物の疑いがあるドラム缶が大量に廃棄されていることからトーカイムラと呼ばれている場所で独居している「ワタナベ」だろう。彼が辿《たど》る変化は「清子」に勝るとも劣らない激しいものであり、第二章以降の活躍（?）ぶりには主役の趣きさえある。他の青年たちも、はっきりとは語られないものも含めて、それぞれの物語を抱えており、それらが交錯したり仄《ほの》めかされたり、突如として顔を出したりするさまは、極めてスリリングである。こうした一種の群像劇としての側面は、『魂萌え！』や『メタボラ』、未《いま》だ単行本化されていない長篇「ポリティコン」などとも相通ずる。

島での生活を何とかして「社会化」しようとする日本人青年たちに対して、ホンコンたちはあっという間にいわば野性化してしまう。ホンコンの逞《たくま》しさと日本人のひ弱さとのコントラストが、「清子」という紅一点の存在を軸に際立《きわだ》って描かれてゆく。この対比の内に、現在の日本と中国という二つの国（国家）の対比のアナロジーを見《み》出《いだ》すことは可能だろう。いや、それはほとんどあからさまなまでに妥当な読みだと思える。だが、この点は別の場所でも強調しておいたことだが（「戦慄《せんりつ》すべき思考実験」――『文学拡張マニュアル』青土社刊）、だからといって『東京島』を、たとえば「現代日本の縮図」などといった形に矮小化《わいしょうか》してしまってはならない。桐野夏生は、間違ってもそのような「現実世界」や「現代社会」のフィクションへの移し替えを試みているのではない。そうではなく、たとえ出発点が具体的な「現実」や現実に起こった「事件」であったのだとしても、そこから小説家の「言葉の想像力」が制限抜きに飛躍してゆくことによって（『グロテスク』を思い出してみればよい）、あっけなくそれは「現実」や「事実」を凌駕《りょうが》して、もはや「小説の物語」でしか可能ではない「真理」を露《あら》わにすることになるのである。

本作についても、冒頭に据えられた思考実験（「もしも無人島で、複数の男たちの中に女が一人だけだったら？」）が、加速し暴走してゆくことによって、いつのまにか、われわれが知っている「東京」や「日本」や、或いは「中国」や「世界」が、その問いから広がっていった桐野夏生の「想像力の空間」の内側に閉じ込められるという驚異の出来事が起こったのだと解するべきだろう。「小説」というものの可能性と、その空恐ろしさを、これほど生々しく体感させてくれるのは、まさに桐野作品ならではである。

さて、既に述べたように、この小説のエンディング、第五章のただひとつのパートである「有人島」で語られる物語の結末（だがそれは、なんと「物語の始まり」に似ていることだろうか？）は、おそらく大方の読者が読み始めの段階では予想もつかないようなものだと思う。しかし同時に、読み終わってしまうと、それは必然としか呼びようのない完璧《かんぺき》なラストでもあるのだ。またそれは、この破格の小説家が『顔に降りかかる雨』で江戸川乱歩賞を受賞し「桐野夏生」としてデビューして以後、一貫して通奏底音のように問い続けてきた「女性の力」というテーマの新たなる展開でもある。子を産む、という女性のみに可能な（そして女性のみに課された／強いられた）行ないを、どのように捉《とら》え直すのかという問題が、ここには俄《にわか》に現れている。そしてこの問題は、本作に続く『女神記《じょしんき》』や、現時点での最新作である『ナニカアル』で、更に追い求められてゆくことになるだろう。

この作品は第四十四回谷崎潤一郎賞を受賞している。桐野夏生と「純文学」プロパーとの架橋ともなったこの小説は、怪物的な想像力と筆力を兼ね備えた彼女のビブリオグラフィにおいても、疑いなく特異なポジションを占めるものである。谷崎がそうであったように、重要なのは「文学」と呼ばれるか否《いな》かなどではない。それを読むことが、読んでしまったことが、読者にいかなる衝撃を惹《ひ》き起こし、いかなる余韻を与えるか、いかなる忘却不能な記憶を生じさせるか、である。その意味で、この小説が持つ力は、あまりにも量り知れない。

（二〇一〇年二月、批評家）

初出

東京島　「新潮」二〇〇四年一月号

男神（「男神誕生」と改題）　六月号

納豆風の吹く日　九月号

棄人　十一月号

夜露死苦　二〇〇五年二月号

糞の魂　十月号

島母記　二〇〇六年四月号

イスロマニア　七月号

ホルモン姫　九月号

早くサイナラしたいです。　十一月号

日没サスペンディッド　二〇〇七年二月号

隠蔽リアルタワー　四月号

チキとチータ　七月号

毛流族の乱　九月号

有人島　十一月号

この作品は二〇〇八年五月新潮社より刊行された。

桐野夏生著
ジオラマ
あたりまえのように思えた日常は、一瞬で、あっけなく崩壊する。あなたの心も、変わってゆく。ゆれ動く世界に捧げられた短編集。

桐野夏生著
冒険の国
時代の趨勢に取り残され、滅びゆく人びと。同級生の自殺による欠落感を埋められない主人公の痛々しい青春。文庫オリジナル作品！

桐野夏生著
魂萌え！（上・下）
婦人公論文芸賞受賞
夫に先立たれた敏子、五十九歳。「平凡な主婦」が突然、第二の人生を迎える戸惑い。そして新たな体験を通し、魂の昂揚を描く長篇。

桐野夏生著
残虐記
柴田錬三郎賞受賞
自分は二十五年前の少女誘拐監禁事件の被害者だという手記を残し、作家が消えた。折り重なった虚実と強烈な欲望を描き切った傑作。

岩井志麻子著
楽園に酷似した男
ホーチミン、ソウル、東京。三つの都市で私を待つ三人の愛人。それぞれに異なる性愛の味。濃密な官能が匂い立つエロティック小説。

井上荒野著
潤一
島清恋愛文学賞受賞
伊月潤一、26歳。気紛れで調子のいい男。女たちを魅了してやまない不良。漂うように生きる潤一と9人の女性が織りなす連作短篇集。

石田衣良著
眠れぬ真珠
島清恋愛文学賞受賞

人生の後半に訪れた恋が、孤高の魂を持つ咲世子を少女に変える。恋人は17歳年下。情熱と抒情に彩られた、著者最高の恋愛小説。

絲山秋子著
海の仙人

敦賀でひっそり暮らす男の元へ居候志願の神様が現れる――。孤独の殻に籠る男と二人の女性が綾なす、哀しくも美しい海辺の三重奏。

江國香織著
東京タワー

恋はするものじゃなくて、おちるもの――。いつか、きっと、突然に……。東京タワーが見える街で繰り広げられる狂おしい恋愛模様。

江國香織著
ぬるい眠り

恋人と別れた痛手に押し潰されそうだった。大学の夏休み、雛子は終わった恋を埋葬した。表題作など全9編を収録した文庫オリジナル。

恩田　陸著
夜のピクニック
吉川英治文学新人賞・本屋大賞受賞

小さな賭けを胸に秘め、貴子は高校生活最後のイベント歩行祭にのぞむ。誰にも言えない秘密を清算するために。永遠普遍の青春小説。

角田光代著
おやすみ、こわい夢を見ないように

もう、あいつは、いなくなれ……。いじめ、不倫、逆恨み。理不尽な仕打ちに心を壊された人々。残酷な「いま」を刻んだ7つのドラマ。

川上弘美著　ニシノユキヒコの恋と冒険

姿よしセックスよし、女性には優しくこまめ。なのに必ず去られる。真実の愛を求めさまよった男ニシノのおかしくも切ないその人生。

川上弘美著　センセイの鞄　谷崎潤一郎賞受賞

独り暮らしのツキコさんと年の離れたセンセイの、あわあわと、色濃く流れる日々。あらゆる世代の共感を呼んだ川上文学の代表作。

金城一紀著　対話篇

本当に愛する人ができたら、絶対にその人の手を離してはいけない――。対話を通して見出されてゆく真実の言葉の数々を描く中編集。

小池真理子著　無伴奏

愛した人には思いがけない秘密があった――。一途すぎる想いが引き寄せた悲劇を描き、『恋』『欲望』への原点ともなった本格恋愛小説。

小池真理子著　恋　直木賞受賞

誰もが落ちる恋には違いない。でもあれは、ほんとうの恋だった――。痛いほどの恋情を綴り小池文学の頂点を極めた直木賞受賞作。

小池真理子著　欲望

愛した美しい青年は性的不能者だった。決してかなえられない肉欲、そして究極のエクスタシー。あまりにも切なく、凄絶な恋の物語。

沢木耕太郎著
凍
講談社ノンフィクション賞受賞

「最強のクライマー」山野井が夫妻で挑んだ魔の高峰は、絶望的選択を強いた――奇跡の登山行と人間の絆を描く、圧巻の感動作。

佐々木譲著
警官の血（上・下）

初代・清二の断ち切られた志。二代・民雄を蝕み続けた任務。そして、三代・和也が拓く新たな道。ミステリ史に輝く、大河警察小説。

佐藤多佳子著
黄色い目の魚

奇跡のように、運命のように、俺たちは出会った。もどかしくて切ない十六歳という季節を生きてゆく悟とみのり。海辺の高校の物語。

島田雅彦著
彗星の住人

流転する血族四代の恋が、激動の二十世紀史と劇的に交錯し、この国の歴史を揺るがす。島田文学の最高傑作「無限カノン」第一部。

島田雅彦著
美しい魂

愛する不二子を追い太平洋を渡るカヲルの前に、静かな森の奥に棲むあまりに困難な恋敵が現れた。瞠目の恋愛巨篇は禁断の佳境へ！

島田雅彦著
エトロフの恋

禁忌を乗り越え、たどり着いた約束の地で、奇蹟の恋はカヲルに最後の扉を開く。文学史上最強の恋愛三部作「無限カノン」完結篇！

嶽本野ばら著
シシリエンヌ
年上の従姉によって開かれた官能の扉。その先には生々しい世界が待ち受けていた——。禁断のエロスの甘すぎる毒。赤裸々な恋物語。

天童荒太著
幻世《まぼろよ》の祈《いの》り
家族狩り 第一部
高校教師・巣藤浚介、馬見原光毅警部補、児童心理に携わる氷崎游子。三つの生が交錯したとき、哀しき惨劇に続く階段が姿を現わす。

中原みすず著
初恋
叛乱の季節、日本を揺るがした三億円事件。そこには、少女の命がけの想いが刻まれていた。あなたの胸をつらぬく不朽の恋愛小説。

花村萬月著
百万遍 青の時代
（上・下）
今日、三島が死んだ。俺は、あてどなき漂流を始めた。美しき女たちを渡り歩き、身を凍りつかせる暴力を知る。入魂の自伝的長篇！

花村萬月著
百万遍 古都恋情
（上・下）
小百合、鏡子、毬江、綾乃。京都に辿りついた少年は幾つもの恋に出会い、性に溺れてゆく。男と女の狂熱を封じこめた、傑作長編。

柳美里著
8月の果て
（上・下）
日本統治下、アリランの里・密陽を舞台に、時の闇に消えた無数の声を集める一大叙事詩。読むことを祈りに変える運命の物語！

新潮文庫最新刊

塩野七生著

ローマ人の物語38・39・40
キリストの勝利（上・中・下）

ローマ帝国はついにキリスト教に呑込まれる。帝国繁栄の基礎だった「寛容の精神」は消え、異教を認めぬキリスト教が国教となる――。

手嶋龍一著

インテリジェンスの賢者たち

情報の奔流から未来を掴み取る者、彼らを賢者と呼ぶ。『スギハラ・ダラー』の著者が描く、知的でスリリングなルポルタージュ。

ビートたけし著

たけしの最新科学教室

宇宙の果てはどこにある？ロボットが意思を持つことは可能？天文学、遺伝学、気象学等の達人と語り尽くす、オモシロ科学入門。

椎根和著

popeye物語
―若者を変えた伝説の雑誌―

1976年に創刊され、当時の若者を決定的に変えた雑誌popeye。名編集長木滑とその下に集う個性豊かな面々の伝説の数々。

高月園子著

ロンドンはやめられない

ゴシップ大好きの淑女たち、アルマーニ特製のワイシャツを使い捨てるセレブキッズ。ロンドン歴25年の著者が描く珠玉のエッセイ集。

佐渡裕著

僕はいかにして指揮者になったのか

小学生の時から憧れた巨匠バーンスタインとの出会いと別れ――いま最も注目される世界的指揮者の型破りな音楽人生。

新潮文庫最新刊

門田隆将著
なぜ君は絶望と闘えたのか
—本村洋の3300日—
愛する妻子が惨殺された。だが、犯人は少年法に守られている。果たして正義はどこにあるのか。青年の義憤が社会を動かしていく。

須田慎一郎著
ブラックマネー
—「20兆円闇経済」が日本を蝕む—
巧妙に偽装した企業舎弟は、証券市場で最先端の金融技術まで駆使していた！「ヤクザ資本主義」の実態を追った驚愕のリポート。

亀山早苗著
不倫の恋で苦しむ女たち
「結婚」という形をとれない関係を続ける女たち。彼女たちのリアルな体験と、切なさと希望の間で揺れる心情を緻密に取材したルポ。

D・ベイジョー
鈴木恵訳
追跡する数学者
失踪したかつての恋人から〝遺贈〟された351冊の蔵書。フィリップは数学的知識を駆使してそれらを解析し、彼女を探す旅に出る。

C・ケルデラン
E・メイエール
平岡敦訳
ヴェルサイユの密謀（上・下）
史上最悪のサイバー・テロが発生し、人類は壊滅の危機に瀕する。解決の鍵はヴェルサイユ庭園に——歴史の謎と電脳空間が絡む巨編。

C・カッスラー
P・ケンプレコス
土屋晃訳
失われた深海都市に迫れ（上・下）
古代都市があったとされる深海から発見された謎の酵素。NUMAのオースチンが世紀を越えた事件に挑む！好評シリーズ第5弾。

東《とう》京《きょう》島《じま》

新潮文庫 き－21－6

平成二十二年五月一日発行
平成二十二年九月五日十一刷

著者 桐《きり》野《の》夏《なつ》生《お》

発行者 佐藤隆信

発行所 株式会社 新潮社

郵便番号 一六二―八七一一
東京都新宿区矢来町七一
電話 編集部(〇三)三二六六―五四四〇
読者係(〇三)三二六六―五一一一
http://www.shinchosha.co.jp

価格はカバーに表示してあります。

乱丁・落丁本は、ご面倒ですが小社読者係宛ご送付ください。送料小社負担にてお取替えいたします。

印刷・大日本印刷株式会社　製本・憲専堂製本株式会社

ISBN978-4-10-130636-0 C0193